Finances et finesse

Finances et finesse

Le guide complet de la planification financière

Présenté par
Arthur Drache

Réalisé sous la direction de
Claude Chiasson

Traduction : Syntagme

Éditions Grosvenor Inc.

Toronto - Montréal

Les éditeurs désirent témoigner leur gratitude aux **SERVICES FINANCIERS LA LAURENTIENNE,** membre du Groupe La Laurentienne, pour la subvention à l'éducation qui leur a permis de publier le présent livre.

Données de catalogage avant publication (Canada)

Drache, Arthur, B.C.
    Finances et Finesse
Publié aussi en anglais sous le titre : Dollars & Sense.
Comprend un index.
ISBN 0-919959-31-8
1. Finances personnelles.   2. Finances personnelles – Canada.
I. Chiasson, Claude.   II. Waterton, Peggy.   III. Titre.

HG179.D7214 1987 332.024 C87-094423-1

Publié par :
Éditions Grosvenor Inc.   Grosvenor House Press Inc.
1456, rue Sherbrooke ouest   Suite 375, 111 Queen St. East
Montréal (Québec)   Toronto, Ontario
H3G 1K4   M5C 1S2

Imprimé et relié au Canada
Conception graphique : Falcom Design and Communications

Table des matières

Introduction

Si vous cherchez un guide sur la façon de devenir rapidement millionnaire, vous ne le trouverez pas ici. Les finances personnelles n'ont rien à voir avec le fait de s'enrichir – et cela n'est pas non plus le propos du présent ouvrage. Les finances personnelles ont trait à la façon de gérer votre argent, et de bien le gérer. Et c'est cela que devrait vous aider à faire un bon ouvrage portant sur les finances personnelles.

En outre, ce livre devrait vous aider à réaliser les objectifs à court et à long termes que vous vous êtes fixés et vous indiquer la façon dont de bonnes habitudes de gestion peuvent vous aider à les réaliser. Il est possible que votre compte en banque ne soit pas aussi bien garni que celui d'une personne riche, mais vous jouirez de la même tranquillité d'esprit qu'une personne riche : vous saurez que vous possédez (ou posséderez) l'argent nécessaire pour subvenir à vos besoins ou à ceux de votre famille.

Lorsque je dis «vous», j'englobe dans ce terme tous les Canadiens qui estiment avoir la responsabilité de s'acquitter de leurs propres obligations financières et de celles de leurs familles. Ces mêmes personnes sont disposées non seulement à travailler pour gagner leur vie, mais également à travailler pour améliorer leur avenir financier.

On remarquera en outre que l'ouvrage ne féminise pas le texte. Après avoir pesé le pour et le contre, nous avons décidé de ne pas l'encombrer de parenthèses et de «e» de circonstance. En d'autres termes, nous n'avons pas voulu sacrifier la clarté à une tendance nouvelle, valable certes, mais qui a l'inconvénient d'alourdir l'écriture.

Comme la plupart des avocats fiscalistes, je sais qu'il est plus facile de gagner de l'argent lorsqu'on en a déjà. Bien qu'un tel état de choses soit injuste, il n'en reste pas moins qu'un dollar gagné par une personne est imposé beaucoup plus lourdement qu'un dollar rapporté par un autre dollar. Grâce à l'économie et à l'investissement, une personne qui gagne sa vie peut assurer son avenir. Le présent guide vous indique la façon de gérer vos affaires de façon à *avoir* de l'argent à économiser, ensuite, la façon de l'économiser et de l'investir de la meilleure façon possible.

J'ai appris ce que je sais de deux façons. Sur le plan professionnel, je suis avocat fiscaliste depuis vingt ans et, étant donné que ma spécialité consiste à travailler avec des gens, et non avec des sociétés, je connais les problèmes financiers auxquels les gens peuvent faire face. Étant marié et père de quatre enfants, je sais ce que c'est d'être financièrement responsable d'une famille, de mettre de l'argent de côté en vue des études d'un enfant, de devoir faire face à des frais médicaux et à des dépenses imprévus. Dans certains cas, je me suis bien débrouillé, dans d'autres, mal. Mais lorsque j'ai commis une erreur, j'en ai tiré une leçon, et certains des conseils que je donne dans le présent ouvrage sont spécifiquement fondés sur mes propres erreurs.

Je ne vous promets pas un miracle comme les annonces où l'on affirme : «Vous aussi pouvez devenir millionnaire!» Cependant, je peux vous promettre que, si vous suivez mes conseils, votre situation financière sera bien meilleure que si vous ne les suivez pas. Et quand je parle d'une situation financière meilleure, je veux dire aussi bien à court terme (l'année où vous commencez à suivre les conseils) qu'à long terme (lorsque vous vous rendez compte que vous possédez l'argent nécessaire pour faire les choses que vous estimez *devoir* faire au même titre que les choses que vous *voulez* faire).

Il n'est pas facile de s'assurer une certaine sécurité financière – si cela était facile, serait riches beaucoup plus de gens. Par contre, il n'est pas si difficile que cela non plus d'y arriver. Tout ce qu'il faut, c'est un peu de temps, de travail et de discipline personnelle. Rappelez-vous simplement que tout voyage, même le plus long, commence par un seul pas. Quelle que soit votre situation actuelle, le temps est venu de faire ce premier pas.

CHAPITRE 1

Planification financière : Établissement et réalisation d'objectifs

Si l'expression «planification financière» tend à vous glacer le sang, que vos yeux se voilent et que votre front s'emperle de sueur, vous n'êtes pas le seul dans le cas : la vaste majorité des Canadiens réagit de la même façon. Pourtant, en toute vérité, presque tout le monde finit par faire un peu de planification financière. Seulement, certaines personnes s'en tirent bien, savent précisément où elles vont, tandis que d'autres s'y prennent mal et, par conséquent, se privent et privent leurs familles d'argent et d'actifs dont ils auraient pu disposer.

La planification financière consiste simplement à gérer le revenu et les actifs (ce que vous recevez chaque année et ce que vous possédez) de la meilleure façon possible pour atteindre les buts que vous vous êtes fixés. C'est un pas en direction de la tranquillité d'esprit, et la tranquillité d'esprit est ce à quoi vous parvenez quand vous savez que vous posséderez les fonds voulus pour atteindre vos objectifs.

Vous pouvez vous fixer n'importe quel objectif : passer vos prochaines vacances à Hawaï ou envoyer votre enfant à l'université, ou encore acheter une maison. Est-ce que *vous-même* désirez retourner aux études ou entreprendre une nouvelle carrière? Avez-vous pensé à ce que vous voudriez faire au moment de votre retraite? Qu'adviendrait-il de votre famille si un malheur vous arrivait?

Les questions sont nombreuses et variées, et les réponses sont fonction pour une bonne part de votre mode de vie, de vos attentes et de votre situation. Certaines personnes se fixent rapidement des objectifs et prévoient les atteindre. D'autres, si on leur pose la question, peuvent probablement cerner leurs objectifs, mais ne prennent aucune disposition pratique pour s'assurer que, le moment venu, ils posséderont les fonds nécessaires pour réaliser ces objectifs. En outre, de la même façon que les circonstances évoluent, les objectifs peuvent être modifiés. Par ailleurs, une fois certains objectifs atteints, d'autres se présentent.

Dans le présent livre, nous ne nous permettrons pas de vous dire quels objectifs vous devriez vous fixer, mais nous parlerons de ceux que se fixent le plus souvent les Canadiens. D'ailleurs, la nature de l'objectif que vous espérez réaliser n'est pas particulièrement importante. Si, pour vous, le paradis sur la terre consiste à prendre deux années de congé pour vous adonner à la contemplation dans un monastère à Katmandou, les mesures à prendre pour le faire ne diffèrent pas tellement de celles que devra prendre une personne qui aspire à un mode de vie plus terre à terre dans les années à venir.

Pour la plupart des gens, certains de ces objectifs sont dictés par les responsabilités familiales : achat d'une maison, éducation des enfants, voyages, sécurité financière pendant la retraite. En outre, la plupart des gens désirent protéger les membres de leur famille qui, intégralement ou partiellement, sont à leur charge. Et comme les objectifs sont axés sur la famille, il est tout naturel que la réalisation de ces objectifs soit une entreprise familiale.

Voici une génération ou deux, il n'était pas rare que toute question d'argent soit le fief incontesté du Père, qui ne daignait pas en discuter avec sa femme ni avec ses enfants. Même alors, la situation n'était guère souhaitable. Nombre de veuves se retrouvaient dans une situation difficile, étant donné qu'elles connaissaient assez peu de choses au sujet des finances, de façon générale, et qu'elles avaient été tenues complètement à l'écart des affaires de la famille et des investissements. Lorsque le temps était venu pour elles de se débrouiller par elles-mêmes, le plus souvent elles n'étaient pas en mesure de le faire.

Aujourd'hui, tous les membres de la famille devraient être au courant de la plupart, voire de la totalité, des questions financières. En fait, de nombreuses formes de planification financière, particulièrement celles relatives aux économies fiscales, sont axées sur le recours à la cellule familiale; il s'agit essentiellement du transfert d'actifs d'un conjoint à l'autre et ensuite aux enfants.

En ce qui concerne les testaments, par exemple, si un conjoint vient me voir pour établir son testament, je recommande toujours fortement à l'autre d'en faire autant, non pas pour accroître mes honoraires, mais plutôt du fait que si les deux testaments se complètent (ce qui ne suppose pas nécessairement qu'ils soient identiques) – pour veiller à ce que les deux partenaires comprennent le plan financier d'ensemble; la famille bénéficiera ainsi de la protection la plus efficace qui soit à cet égard.

Au jour le jour, un couple touchant deux revenus est susceptible de disposer d'une certaine somme pouvant être utilisée pour autre chose que les «dures réalités de la vie». La planification financière doit être conjointe : tous deux devraient coordonner leurs dépenses et leurs investissements de façon à en tirer les meilleurs résultats possibles.

Même les enfants, une fois qu'ils comprennent le concept de l'épargne, devraient être amenés à faire partie de «l'équipe». Habituellement, dans une certaine mesure, ce sont eux les bénéficiaires de la planification et, dans des circonstances appropriées, ils devraient eux aussi participer à la planification . . . même si cela signifie simplement leur apprendre qu'une partie de leur revenu (disons, de leur allocation) devrait être versée dans leur compte d'épargne en vue de réaliser des objectifs à long terme. Il n'y a rien de mal à dire à un enfant qui désire une bicyclette que vous en paierez les deux tiers lorsqu'il aura le premier tiers, dans la mesure, évidemment, où l'enfant a l'occasion de gagner ou d'obtenir d'une autre façon sa part du prix.

Une fois que vous avez cerné vos objectifs (et n'oubliez pas que les choses intangibles – le succès, le bonheur, la sécurité – peuvent aussi constituer des objectifs : c'est simplement à vous qu'il incombe de déterminer quelles mesures financières vous aideront à les réaliser), l'étape suivante consiste à vous attacher à l'aspect «planification» de la planification financière. Une fois de plus, nous parlons ici de la *gestion* de ce que vous possédez.

Le présent guide vise à vous montrer comment épargner une partie de l'argent que vous gagnez et, ensuite, comment faire fructifier cet argent d'une façon conforme à vos objectifs. Les points sur lesquels nous insistons tiennent compte de la meilleure approche possible pour réaliser des objectifs spécifiques. Par exemple, si vous désirez disposerer des fonds nécessaires à l'éducation des enfants, il existe des façons d'investir qui sont plus efficaces que d'autres pour réaliser cet objectif. Par ailleurs, si vous économisez en vue de votre retraite, la méthode optimale sera très différente de celle que vous pourriez adopter dans le premier cas.

Il importe d'abord de tenir compte de votre personnalité. Il n'est guère utile, en effet, de dire à une personne qui est fondamentalement conservatrice sur le plan financier qu'elle doit emprunter au maximum et jouer à la Bourse pour s'assurer une certaine aisance financière. Cette personne finirait probablement par faire une dépression nerveuse bien avant d'avoir réalisé des profits.

De la même façon, il convient de se rappeler de l'étape de la vie que vous traversez. En effet, un célibataire d'âge mur appréhendera la planification financière d'une façon différente de celle d'un jeune couple ayant deux nourrissons. Mais, évidemment, si ce célibataire se marie, il est possible que son attitude change, tout comme sa situation.

Cela dit, il faut tenir compte d'une constante : la planification financière n'est pas un truc, une combine ni une formule. Il s'agit d'un processus – une stratégie personnelle qui vous permet de prendre des décisions financières plus efficaces. En outre, pour mettre le branle en ce processus, vous devez économiser de l'argent.

La meilleure façon d'économiser consiste simplement à mettre de côté une partie de votre salaire et ensuite de prendre toutes les mesures possibles pour faire fructifier la somme épargnée. En outre, il vous faudra déterminer dans quelles circonstances l'argent peut être investi de manière à obtenir des résultats optimaux conformes à l'objectif à atteindre. En outre, il vous faudra faire preuve de prudence en matière fiscale.

Une facette très importante de la planification financière consiste à réduire au minimum les impôts : un dollar d'impôt économisé vaut plus qu'un dollar gagné de n'importe quelle autre façon. Supposons que vous gagnez 20 000 $ par année. Supposons aussi que vous dépensez 13 000 $ pour vivre et économisez 2 000 $ tout en payant 5 000 $ d'impôts. Votre taux d'imposition moyen s'établit à 25 %. En d'autres termes, vous avez dû gagner 2 666,67 $ pour épargner 2 000 $. (Vous avez gagné 2 666,67 $ et avez payé des impôts à un taux de 25 %, ce qui vous a laissé 2 000 $.) Toutefois, si vous pouvez réduire votre impôt de 1 000 $ et épargner l'argent, c'est encore mieux. Votre taux d'imposition moyen tombe à 20 % (20 000 $ divisés par 4 000 $). Le montant que vous avez dû gagner pour être en mesure d'économiser 2 000 $ tombe à 2 500 $. De plus, vous pouvez ajouter 1 000 $ à vos économies sans réduire de quelque façon que ce soit les autres coûts.

Voilà qui explique pourquoi une telle importance est accordée à la fiscalité quand nous étudions la planification financière. Bien qu'il puisse y avoir un débat de principe sur le fait que les riches ne paient pas leur part équitable d'impôt, il convient de noter que les riches comprennent qu'un dollar d'impôt économisé vaut beaucoup plus qu'un dollar gagné. Voilà pourquoi ils consacrent une telle somme de temps et d'énergie à réduire au minimum leurs impôts.

Les règles clés

Récapitulons. Voici les quatre principales règles dont vous devez vous rappeler en matière de planification :

• Fixez-vous des objectifs clairs. Il est facile de vous discipliner lorsque vous savez exactement en quoi consiste votre objectif (ce que vous désirez obtenir pour vous et votre famille et de quel montant vous aurez besoin).

• Faites participer votre famille à l'exercice de façon à ce que tous les membres travaillent à la réalisation des mêmes objectifs et coordonnent leurs efforts.

• Disciplinez-vous : épargnez et investissez. Les actifs que vous accumulez représentent le salaire net que vous (par opposition à ceux de qui vous achetez) retirez de votre travail.

• Veillez à recourir aux méthodes les plus efficaces qui s'offrent de façon à maximiser le rendement que vous tirez des efforts déployés.

Il faut beaucoup de temps et souvent beaucoup de travail pour trouver un plan particulier qui vous convienne parfaitement. Toutefois, rappelez-vous qu'il y a la façon habituelle de faire les choses et une meilleure façon de les faire. En choisissant la meilleure façon de faire, vous ferez en sorte que vos objectifs soient plus faciles à atteindre.

Le présent guide a été structuré de telle sorte qu'un coup d'oeil sur le titre des divers chapitres vous donne une vue d'ensemble des étapes à suivre lorsque vous commencez à planifier vos finances. Vous commencez par les éléments de base – budgétisation, épargne, emprunt – et progressez jusqu'à l'investissement. Ensuite, nous nous attachons à des questions plus techniques comme la fiscalité et le rôle de l'assurance, avant de jeter un coup d'oeil sur deux questions à long terme : la planification de la retraite et la planification successorale. En dernier lieu, nous nous attachons à la façon dont des changements au sein de la famille et d'autres relations peuvent influencer votre planification, ainsi que le rôle que peuvent jouer divers genres de conseillers pour vous aider à réaliser vos objectifs.

Il convient de souligner un dernier aspect. Si vous entreprenez votre planification financière et que vous vous conformiez à la discipline qu'elle suppose, vous ne pouvez pas être perdant, car vous *devez* vous retrouver en meilleure situation financière que si vous ignorez délibérément les règles immuables de l'économie. Bien sûr, il est possible que votre voisin gagne, contre toute attente, à peu près un million à la loterie, mais n'oubliez pas que les journaux divisent les gagnants à la loterie en deux groupes : ceux qui apprennent la planification financière (ou achètent ses services) et font fructifier leurs gains, et ceux qui passent de la richesse à la pauvreté en un temps record.

Voilà qui prouve, une fois de plus, que ce qui compte n'est pas le montant d'argent dont vous disposez au départ. C'est celui dont vous disposez à la fin. Rappelez-vous de ce principe en lisant les pages qui suivent.

CHAPITRE 2 | Budgétisation

La budgétisation joue un rôle intégral dans la vie de chacun. Qu'une personne soit célibataire ou ait à sa charge d'autres membres de sa famille, il est indéniable qu'elle a besoin d'un revenu constant. En outre, il est capital qu'elle soit capable de gérer ce revenu. Les problèmes d'argent ne sont pas liés à un groupe d'âge particulier, au niveau du revenu, ni à la profession ni à l'état civil. Par contre, les problèmes familiaux, matrimoniaux ou les problèmes de santé ainsi que le stress dont ils s'accompagnent peuvent tous être directement liés à une instabilité financière. De tels problèmes peuvent entraîner une perte de productivité au travail, un éclatement de la cellule familiale et déboucher sur l'alcoolisme ou toute autre toxicomanie.

Que vos dettes inhibent grandement votre qualité de vie, que vous surviviez à peine d'un jour de paye au suivant ou que vous ne sachiez simplement pas comment instaurer un meilleur programme d'épargne, la budgétisation peut être la solution. Le processus constitue la première étape à franchir pour vraiment comprendre votre argent et ce qu'il peut faire.

Le simple concept de budgétisation s'accompagne des mêmes connotations que le fait de suivre un régime – privation, sacrifices, perte de spontanéité et sentiment atroce que la vie va mal tourner. Toutefois, en réussissant à établir un budget, vous obtenez le contrôle de votre argent au lieu de le laisser vous contrôler. Le fait de savoir comment votre argent a été dépensé chaque jour, chaque mois et pendant toute l'année vous procure un véritable sentiment de sécurité. Cela vous aide à reprendre confiance en vous et à accéder à une certaine stabilité financière. La budgétisation constitue la pierre angulaire d'une bonne planification financière. Elle vous permet de vous procurer les choses-que-vous-voulez-acheter-immédiatement, tout en tenant compte de vos objectifs à long terme.

Nombre de personnes estiment qu'elles sont incapables de gérer leur argent du fait qu'il leur manque certain trait de caractère inhérent qui les aiderait à le faire. Ce n'est pas du tout le cas. Certaines personnes ont le chic de gérer de l'argent, tout comme d'autres ont l'oeil lorsqu'il s'agit de déterminer ce qui est esthétique. Pour la plupart d'entre nous, cependant, la budgétisation représente une *aptitude* qui peut être acquise.

Jusqu'à récemment, la seule façon dont on pouvait espérer acquérir une certaine formation dans le domaine de la budgétisation consistait à suivre les directives ou l'exemple des parents. Dans bien des cas, on n'apprenait que très peu, étant donné que les finances familiales étaient le fief du Père qui n'en discutait pas avec les enfants. Lorsque vous êtes devenu adulte, il est probable que vous vous êtes abstenu de parler d'argent avec vos parents – effectivement, les questions d'argent sont des questions privées, ou du moins c'est ce que vous avez appris de votre Père. Par conséquent, toute aptitude en matière de budgétisation devrait être apprise par tâtonnements.

De la même façon, le système d'éducation ne vous a fourni aucune indication en ce qui concerne la façon de gérer l'argent. On vous a inculqué des aptitudes qui vous ont permis d'aller *gagner* de l'argent, mais personne ne vous a appris comment le *dépenser*. (Dieu merci, cette situation se modifie : de plus en plus d'établissements d'enseignement commencent à dispenser des cours en planification financière et en gestion.) Il n'en reste pas moins que la budgétisation vous aide à apprendre comment dépenser votre argent – et à maîtriser vos dépenses. Elle vous aide à éliminer vos dettes sans que vous sacrifiez pour autant un mode de vie aisé.

Par contre, la budgétisation est exigeante – elle exige du temps, des efforts et de la discipline. En outre, vos objectifs financiers doivent être réalistes. Les changements ne se produiront pas du jour au lendemain. Une fois ou deux, vous «récidiverez» probablement et délaisserez votre budget, mais cela n'est pas bien grave. Il y a de fortes chances que vous ne fassiez pas deux fois les mêmes erreurs, et chaque fois que vous recommencerez, vous aurez déjà fait quelques progrès importants.

Votre budget vous indiquera que la planification à long terme, même avec de petites sommes d'argent, porte fruit. Auparavant, une fois que vous aviez payé toutes les factures, il ne vous restait plus d'argent; désormais, vous disposerez d'une certaine somme. En outre, une fois que vous aurez établi votre budget, vous remarquerez sans aucun doute que votre attitude face à l'argent – et à vous-même – se modifie. Auparavant, vous vous sentiez irrité (étant donné que vous n'aviez jamais assez d'argent pour acheter ce lecteur de disque compact quand vous le vouliez); à présent, vous commencez à vous sentir à l'aise, étant donné que vous disposez d'une certaine somme à dépenser à votre guise. La budgétisation vous aide également à vous préparer à des situations d'urgence de façon à ne pas être pris de court quand la voiture ou la maison a besoin de réparations majeures.

Un budget n'est pas quelque chose d'immuable et d'universel. Il doit être souple et adapté à vos besoins. Pour que la budgétisation soit fructueuse, vous devez apprendre l'art délicat du compromis. Par exemple, pensez au café que vous consommez deux fois par jour au travail. Si vous vous en abstenez complètement, vous pourrez vous acheter un billet à destination des Antilles en classe économique au bout d'un an (voir le Tableau 2.1).

Tableau 2.1

0,60 $ × 2 (fois par jour) =   1,20 $

_____× 5__ jours par semaine

6,00 $

_____× 52__ semaines

312,00 $

Prix d'un billet à destination des Antilles en classe économique

---

Habituellement, une personne réagit à une telle affirmation par l'incrédulité, avant de rétorquer : «Mais il faut bien que je sorte du bureau!» La solution – *le compromis* – consiste à sortir du bureau une fois par jour et à aller aux Antilles tous les deux ans.

Il n'est pas si difficile de faire des compromis une fois que vous avez établi votre budget et que vous voyez les choses noir sur blanc. Par contre, avant d'établir votre budget et de le mettre sur papier, vous devez vous rappeler cinq éléments clés pour veiller à ce qu'il soit fructueux :

• Premièrement, vous devez établir *votre ordre de priorité* – et non pas celui de vos amis, de vos voisins ou des membres de votre famille. Il s'agit de votre plan budgétaire, et il doit être bien adapté à votre cas.

• Deuxièmement, vous devez déterminer votre revenu annuel net constant. (Aux fins de la budgétisation, votre revenu net est le chiffre que vous obtenez lorsque vous déduisez de votre revenu brut l'impôt sur le revenu, vos cotisations au Régime de pension du Canada ou au Régime des rentes du Québec, à l'assurance chômage, aux régimes de retraite, d'assurance-vie, d'assurance maladie et d'assurance dentaire ainsi que vos cotisations syndicales, le cas échéant.) Votre revenu annuel net constitue la pierre d'assise de votre budget. Etant donné qu'il est plus facile de vous conformer à un budget mensuel, vous devriez diviser toutes les sommes annuelles par douze et les ventiler sur chaque mois. Ainsi, si votre revenu net s'établit à 24 000 $ par année, il vous faut le répartir à raison de 2 000 $ par mois, chiffre de base dont vous retrancherez vos frais de subsistance.

• Troisièmement, de façon à établir un bon budget, vous devez connaître *toutes* vos dépenses, notamment tous les frais périodiques, mensuels, etc. et toutes les dépenses annuelles, le solde de toutes vos cartes de crédit ainsi que de vos emprunts bancaires ou personnels. Ces dépenses jouent un rôle de premier plan dans la planification budgétaire. On ne peut trop insister sur l'importance d'évaluer avec exactitude ce troisième élément clé.

• Quatrièmement, vous devez apprendre à vous payer en premier. Souvent, le fait d'acquitter les factures, de faire les courses et de faire face aux frais de subsistance quotidiens devient si écrasant que vous en oubliez l'importance de l'épargne. Face à cet état de choses, nombre de personnes disent qu'il ne reste plus d'argent pour se payer elles-mêmes.

Cependant, c'est justement là une des raisons pour lesquelles vous établissez un budget – pour libérer une plus grande quantité d'argent pouvant être utilisée de façon discrétionnaire. Il deviendra bientôt évident que, même si vous n'êtes pas en mesure d'investir 100 $ par mois dans un REÉR ni d'acheter des actions, le fait de mettre de côté 5 $ par chèque de paye ne nuira aucunement à votre mode de vie. Bien qu'une épargne de 120 $ par année ne soit pas suffisante pour vous permettre d'acheter ce dont vous rêvez, elle renforcera la conviction que vous *pouvez* effectivement épargner. En vous rendant à la banque chaque jour de paye pour faire un tel dépôt, vous commencerez à acquérir de bonnes habitudes en matière bancaire, et lorsqu'une budgétisation efficace vous permettra *vraiment* d'accroître la part discrétionnaire de votre revenu, vous aurez déjà établi une formule d'épargne de base. Il vous sera alors facile de vous tourner vers des investissements plus substantiels comme un REÉR et les dépôts à terme.

• En dernier lieu, récompensez-vous. Quand vous épargnez de l'argent grâce à une planification rigoureuse (en n'achetant pas ce que vous possédez déjà ou en emportant votre déjeuner au travail), offrez-vous quelque chose. Prenez la moitié de ce que vous avez épargné et consacrez-la à vous faire plaisir. N'achetez pas de nouvelles espadrilles pour les enfants, il s'agit de *votre* argent. Utilisez l'autre moitié pour payer une facture, rembourser un prêt ou mettez-la de côté pour faire face aux imprévus. Cela servira à vous motiver à y penser à deux fois quand vous devrez résister à la tentation.

À partir de ce moment, toutes les mesures que vous prendrez vous rapprocheront de votre objectif : la maîtrise de vos finances. Le sentiment de satisfaction que vous en retirerez, allié au fait de savoir que vous êtes en train de réaliser vos objectifs à long terme, vous débarrassera une fois pour toutes de tous vos soucis liés à l'argent.

Ordre de priorité

La première étape de l'établissement d'un bon budget consiste à établir une distinction entre vos besoins et vos désirs, et non pas ceux de vos amis, de vos voisins ni des membres de votre famille. N'oubliez pas, il s'agit de votre budget; il doit donc vous être parfaitement adapté. Vous ne devez pas porter de jugement sur vous-même ni sur autrui en ce qui concerne les choix que vous ferez à cet égard.

Commencez plutôt par dresser une simple liste de vos besoins d'un côté et de vos désirs de l'autre. Par exemple :

BESOINS	DÉSIRS
Nourriture	Loisirs
Vêtements	Voyages
Logement	Distractions
Frais médicaux	Cigarettes
Frais dentaires	Épargne
Automobile	

Tandis que vous jetez un coup d'oeil sur cette liste tout en dressant la vôtre, il est possible que vous vous disiez : «Une automobile? Une automobile n'est pas un besoin, c'est un désir; j'ai besoin de cigarettes; je refuse de vivre dans un appartement.» Certaines personnes ont besoin d'une automobile pour leur travail – pour elles, c'est donc un besoin. Si vous fumez uniquement à l'occasion, quand vous sortez – s'agit-il donc d'un désir? Avez-vous besoin de vivre dans un condominium de luxe au coeur du centre-ville ou pourriez-vous déménager quelques pâtés de maisons plus loin et réduire les coûts de votre loyer? Si le fait de suivre des cours de conditionnement physique contribue à réduire votre stress, ce genre de loisirs est-il un besoin ou un désir? On ne peut assez insister sur le fait qu'il n'y a pas de bonnes ni de mauvaises réponses : les besoins et les désirs de chaque personne diffèrent. Rappelez-vous également que vos besoins et désirs changeront au cours de votre vie. Le montant de votre revenu, un changement de profession, votre âge, votre mode de vie et votre état civil influeront tous sur les choix que vous faites.

Maintenant que vous avez dressé votre liste, étudiez-la avec soin. Répondez-vous à vos besoins et à vos désirs à votre entière satisfaction? Éprouvez-vous des réserves à l'égard de cette liste? Habituellement, la plupart d'entre nous aimerions voir certaines choses s'améliorer. Il est possible que vous pensiez : «J'ai un toit au-dessus de la tête, je ne meurs pas de faim, et ma vieille voiture fonctionne encore. Mais j'aimerais vraiment avoir une nouvelle voiture, vivre dans une maison plutôt que dans un appartement et passer plus de fins de semaine à faire du ski l'hiver prochain.» C'est précisément des souhaits de ce genre qui font en sorte que besoins et désirs sont inextricablement liés. De ce fait, vous devez établir un ordre de priorité. Il est très improbable que vous puissiez obtenir tout ce que vous souhaitez en même temps. Alors, vous devez passer en revue votre liste et numéroter vos choix par ordre d'importance. Il est possible que, ce faisant, vous fassiez passer certains éléments de la colonne «besoins» à la colonne «désirs» et vice-versa. N'oubliez pas que vos objectifs doivent être réalistes. Ne soyez pas surpris de voir votre liste se modifier une fois que vous aurez établi avec exactitude le montant de votre revenu, le montant des paiements que vous devez faire et la part discrétionnaire de votre revenu.

Une fois que vous êtes satisfait de l'ordre de priorité que vous avez établi, le temps est venu de déterminer l'importance de votre revenu. Quand vous aurez découvert ce montant, vous pourrez commencer à dresser un relevé de vos frais de subsistance et à établir votre budget. Pour ce faire, il est utile de recourir à un formulaire d'évaluation financière (voir plus bas), qui comprend cinq catégories : revenu, mensualités, paiements annuels, solde de cartes de crédit et emprunts (bancaires et personnels).

Sous la rubrique revenu, énumérez toutes les rentrées d'argent périodiques, dont le total constitue votre revenu brut. Il s'agit de votre traitement, des allocations familiales, des chèques de rentes ou de dividendes, des sommes qui vous sont remboursées mensuellement, des commissions ou honoraires payés d'avance, des remboursements d'impôt qui sont constants en raison des exemptions pour enfant. Toutes ces sommes ont une chose en commun : on peut compter dessus. En d'autres termes, il est certain que vous allez les recevoir.

Une fois que vous avez déterminé votre revenu net, vous commencez à recenser les paiements que vous devez faire périodiquement. Voici une liste du nombre de paiements qui sont constants dans la vie de chacun, plus, dans certains cas, des trucs pour réduire le montant de ces paiements.

Formulaire d'évaluation financière

Revenu

Revenu principal (brut) _____ par mois

Revenu du conjoint (brut) _____ par mois

Revenu tiré d'intérêts (mixte) _____ par mois

Allocations familiales _____ par mois

Allocation pour enfant _____ par mois

Revenu mensuel total _____

Remboursement d'impôt (si

montant est connu) _____ par année

Cadeaux/bonis annuels _____ par année

Revenu annuel total ($\div$ 12) _____

Revenu brut total _____

Impôt sur le revenu : _____

R.P.C./R.R.Q. : _____

A.-C. : _____

Régime de retraite/assurance-vie : _____

Assurance frais médicaux/

assurance soins dentaires : _____

Cotisations syndicales : _____

Total des déductions _____

Revenu total brut _____

− Total des déductions _____

= REVENU NET _____

Mensualités

Électricité : _____

Téléphone : _____

Câblovision : _____

Chauffage : _____

Taxe d'eau/

enlèvement

    des ordures : _____

Loyer/hypothèque : _____

Assurance-vie : _____

Assurance frais

médicaux/

assurance dentaire : _____

Pension alimentaire/

allocation pour

    enfant : _____

Frais de garderie/

frais de scolarité : _____

Services publics : _____

Total : _____

Activités

    des enfants : _____

Nourriture/divers : _____

Nettoyage à sec/

lessive : _____

Total : _____

Transport :

Stationnement (au travail/

    à la maison) : _____

Réparations : _____

Essence et huile : _____

Autobus : _____

Taxi : _____

Autres : _____

Total : _____

Distractions : _____

Repas pris à la

l'extérieur

    au travail : _____

    avec des amis : _____

Alcool, extérieur : _____

Société des alcools : _____

Billets de

    loterie/de tirage : _____

Passe-temps : _____

Cigarettes : _____

Abonnement -

    clubs : _____

Frais de scolarité : _____

Cinéma/concerts : _____

Revues/musique/

livres : _____

Coiffure : _____

Divers : _____

Total : _____

Dépenses annuelles

Assurance-auto : _____

Assurance résidentielle : _____

Assurance biens meubles : _____

Taxes municipales : _____

Dépenses – entretien du terrain : _____

Dépenses – maison : _____

Voyages : _____ [1]

Cadeaux : _____ [1]

Vêtements : _____ [1]

Total annuel _____

Total annuel ÷ 12 _____

[1]Chacune de ces trois catégories est variable, et il est peu probable que vous puissiez fixer un chiffre exact par année. Nous vous proposons donc d'utiliser la formule de dépenses annuelles (qui suit) pour évaluer de façon réaliste les coûts liés à ces rubriques pendant une année.

Formule de dépenses annuelles

VOYAGES					
Genre	Motif	Date	Moda- lités	Extras	Total ($)

		LISTE DE CADEAUX			
Nom	Cadeaux annuels	Divers	Noël	Anni-versaires	Total ($)

		VÊTEMENTS			
Description	Où et quand	Qui	Prix régulier/ solde	Com-ment	Total ($)

Mensualités

Électricité : Il est possible de vous entendre avec la compagnie d'électricité locale pour acquitter votre facture annuelle d'électricité en paiements égaux. On établit votre consommation annuelle moyenne, et vous recevez des factures mensuelles. Ainsi, vos paiements seront plus élevés pendant l'été, mais vous ne devrez pas faire face à des factures astronomiques au cours de l'hiver. Cela vous aide à établir votre budget, du fait que le montant de la facture d'électricité est constant. Communiquez avec votre compagnie d'électricité pour obtenir de plus amples renseignements à cet égard.

Téléphone : Les frais de service de base varient d'une province à l'autre et peuvent dépendre, entre autres choses, du genre de téléphone que vous possédez et du nombre de prises. Ce coût est constant (sauf si la société augmente ses tarifs). Toutefois, ce qu'il est difficile de projeter, c'est le coût des appels interurbains. Dans ce cas, il peut être utile de vous procurer un petit sablier servant à déterminer le temps de cuisson des oeufs à la coque. Placez le sablier devant vous quand vous faites un appel et, chaque fois que le sable s'est écoulé, retournez-le. Vous voudrez peut-être mettre fin à l'appel après l'avoir retourné une seule fois, de façon à vous en tenir à un appel de trois minutes. Sinon, vous prendrez du moins conscience du nombre de minutes qui se sont écoulées. En outre, consultez votre annuaire téléphonique et profitez des périodes où l'on offre les réductions les plus importantes.

Câblovision : Pendant un mois, notez le nombre de fois que vous regardez une station du réseau de câblovision. Cela en vaut-il la peine? La plupart des sociétés offrent toute une gamme de formules. Vérifiez-les, et ne payez pas pour des stations que vous n'écoutez jamais.

Chauffage : Nombre de fournisseurs d'huile à chauffage et de gaz répartissent les frais de consommation au prorata pendant l'année, ce qui vous offre les mêmes avantages que ceux offerts par la compagnie d'électricité. N'oubliez pas de fermer la trappe du foyer lorsque vous ne l'utilisez pas, de calfeutrer le pourtour des portes et des fenêtres dans votre maison et de baisser le thermostat le soir. Pensez à doter votre maison de doubles fenêtres (cherchez à vous procurer une pellicule plastique dans les quincailleries) et envisagez les avantages liés à un poêle à bois.

Taxe d'eau et enlèvement des ordures : Dans le cas de nombre de gens, la taxe d'eau et les frais d'enlèvement des ordures sont incorporés à leur loyer ou aux taxes, de sorte que ces gens ne devront peut-être pas inclure ce coût dans leur budget. Toutefois, si l'on dépose 5 $ par mois dans un compte en vue de faire face aux imprévus, on pourra assumer le coût d'enlèvement d'un article volumineux ou un accroissement subit de la taxe d'eau pendant l'été.

Loyer/hypothèque : Le fait de mettre de côté 10 $ de plus par mois vous aidera à vous adapter plus facilement à une augmentation de loyer, pendant les premiers mois. Lorsque vous cherchez un nouveau logement, demandez toujours à quelle date aura lieu la prochaine augmentation. Il est possible de payer une hypothèque toutes les deux semaines ou même toutes les semaines. Renseignez-vous auprès de l'établissement financier avec lequel vous traitez pour déterminer la meilleure politique à adopter et demandez qu'on vous indique de quelle façon ces modalités peuvent influer sur l'amortissement.

Assurance-vie : Comparez les prix. Trouvez quelqu'un qui est disposé à s'asseoir avec vous et à vous expliquer les différences entre l'assurance-vie temporaire et l'assurance-vie entière. (Voir le chapitre 7) N'achetez pas plus d'assurance que vous n'en avez besoin. En outre, vérifiez la couverture que vous assure le régime de votre employeur.

Assurance frais médicaux/soins dentaires : Toutes les fois que cela est possible, inscrivez-vous à un régime d'assurance frais médicaux/soins dentaires (parrainé par le gouvernement ou par une société). Si vous ne pouvez pas vous inscrire à un tel régime, il est essentiel que vous mettiez un peu d'argent de côté chaque mois pour couvrir ces coûts. Déterminez à combien se sont chiffrées ces dépenses ou cours des deux dernières années de façon à avoir une idée de la somme que vous devriez y consacrer.

Frais de garderie/frais de scolarité : Ces frais comprennent en outre l'achat de livres, de crayons, etc, chaque année en septembre. Tous les frais liés à des activités hors programme comme des cours de natation, le prix d'uniformes, d'excursions et de voyages doivent être pris en compte. Dans nombre de cas, les frais de garderie sont déductibles aux fins de l'impôt.

Nourriture/divers : Statistiques Canada peut vous fournir les coûts mensuels moyens dans votre région relatifs à l'alimentation d'une personne ou d'une famille. Ces chiffres ne comprennent pas les articles divers, mais s'appliquent à un régime alimentaire équilibré qui se fonde sur les données du Guide alimentaire canadien. Enquérez-vous du coût, dans votre situation. Vous pouvez être agréablement surpris ou bien devoir diminuer le nombre de fois où vous vous arrêtez chez le dépanneur du coin pour acheter un litre de lait et en ressortez avec très peu de monnaie sur un billet de 20 $. Le fait de dresser une liste, d'utiliser des coupons et de faire les courses quand vous n'êtes pas affamé vous aideront à réduire les coûts. Quand vous allez faire des emplettes, efforcez-vous de ne pas amener vos enfants. Qui peut résister à leurs grands yeux implorants quand ils vous demandent d'acheter un paquet de biscuits particuliers (et très chers) qu'ils ont vus annoncés à la télévision. Les produits sans nom sont courants et, bien souvent, d'une qualité égale à celles des marques bien connues.

Comparez le coût d'articles divers (c'est-à-dire du shampooing, du papier hygiénique, du savon à lessive) à l'épicerie et dans une pharmacie ou un grand magasin. Souvent, ces articles sont en solde, et la différence entre le prix régulier et le prix en solde peut être marquée. Tenez-vous au courant des prix des articles que vous achetez périodiquement de façon à savoir si le prix en solde est vraiment avantageux.

Lessive : Cette rubrique comprend les frais de nettoyage à sec, le savon à lessive (s'il n'est pas pris en compte ci-dessus) et les frais d'utilisation des machines dans les buanderies. Si vous recourez aux services d'une ménagère ou d'une femme de ménage, comptez également ces frais. Il arrive souvent que des nettoyeurs offrent des rabais mensuels, des remises à l'intention de ceux qui arrivent tôt et des coupons. Servez-vous d'une corde à linge quand le temps le permet et utilisez de l'eau froide pendant le cycle de rinçage de façon à réduire les coûts liés à la consommation de l'énergie.

Transport

Stationnement : Cette rubrique comprend le coût des billets de stationnement, le stationnement à l'aéroport (s'il s'agit d'une dépense courante), le coût de tout permis particulier et, évidemment, les frais de stationnement à domicile et au bureau.

Réparations : Ces frais sont fonction de l'année et de la marque de votre voiture. Après avoir établi le coût d'une vérification annuelle et d'une réparation majeure, vous pouvez diviser ce chiffre par douze pour déterminer le montant que vous devriez réserver chaque mois à cette fin. Bien souvent, les ateliers de mécanique d'écoles secondaires effectueront des réparations mineures et ne vous compteront que le prix des pièces.

Si vous possédez un bateau, un avion, une motoneige, etc., vous devriez également inclure le prix de l'entretien dans cette rubrique. Prévoyez une section réservée aux coûts d'entreposage et d'essence.

Essence/huile : Apprenez à changer vous-même l'huile à moteur et faites vous-même le plein de façon à réduire le prix qu'il vous en coûterait de faire appel à un professionnel. En achetant de l'huile dans un grand centre de produits pour automobile plutôt que dans une station-service, vous pourriez épargner jusqu'à 1,50 $ par litre.

Services de transport en commun : Si vous utilisez fréquemment les services de transport en commun, achetez un laissez-passer. Souvent, le fait de garer votre voiture à l'extérieur du centre-ville et de passer les dix minutes suivantes à bord des services de transport en commun (en utilisant votre laissez-passer) peut vous permettre d'épargner le coût du stationnement, de l'essence et de vous rapprocher de votre lieu de travail.

Taxis : Bien qu'il soit possible que vous ne preniez pas souvent le taxi, le fait de garder dans votre portefeuille un bon de 10 $ peut vous permettre de faire face à la situation un soir où vous avez «bu un peu trop», lorsque vous perdez vos clés ou quand la voiture ne veut pas démarrer et que vous êtes déjà en retard.

Loisirs

La plupart des budgets ne subdivisent pas cette catégorie. Toutefois, comme cette rubrique est vaste et bien souvent vague, cela s'impose. Ici, la plupart des gens utilisent «ce qui reste» après avoir payé tout ce qui devait l'être. Le fait de rajuster les dépenses faites à ce titre (le café contre un voyage aux Antilles, par exemple) vous aidera grandement à respecter l'ordre de priorité que vous vous êtes fixé.

Repas pris à l'extérieur/au travail : Il peut en coûter entre 4 et 5 $ par jour pour manger dans un restaurant ou commander quelque chose du delicatessen voisin. Si vous prenez vos repas à l'extérieur chaque jour ouvrable, et qu'il vous en coûte 4 $ par jour, vous dépensez 1 040 $ par année. Si vous ne mangiez à l'extérieur qu'un jour ouvrable par semaine (et qu'il vous en coûtait 4 $) vous dépenseriez 416 $. Demandez-vous s'il ne vaudrait pas mieux apporter votre casse-croûte.

Repas pris avec des amis : Cette rubrique comprend la pizza que l'on va manger après le cinéma, les hamburgers avec les enfants, les sacs de croustilles ou la gomme à mâcher que l'on achète chez le dépanneur, les cornets de crème glacée le dimanche après-midi et le dîner spécial dans un restaurant huppé.

Alcool consommé à l'extérieur : Cela comprend la consommation après le travail, le verre de vin après avoir passé la journée à faire des emplettes, la bière après le cinéma ou le café pour vous réchauffer après la journée de ski.

Société des alcools : Souvenez-vous de l'accroissement des dépenses pendant les fêtes, des caisses de bière consommées à l'occasion des barbecues l'été, des fournitures que vous avez achetées pour «faire votre propre boisson» et du vin que vous offrez à l'hôte lorsqu'on vous invite à dîner.

Billets de loterie/de tirage : Il faut tenir compte des billets de loterie que l'on achète chaque semaine, des billets de tombola, des biscuits que vendent les guides, de la cagnotte destinée à la partie de hockey et de football.

Bingo/bowling/poker : Toute activité à laquelle vous participez et où vous jouez pour de l'argent, même si les enjeux ne sont pas élevés.

Passe-temps : Matériel de tricot, tissu et patrons, bois, matériel d'artiste, articles de pêche, toute fourniture que vous devez acheter dans le cadre de vos passe-temps.

Cigarettes : Achetez une cartouche à la fois (à moins que cela ne vous incite à fumer plus). Si vous sortez le soir, apportez un paquet supplémentaire avec vous – vous finirez invariablement par en manquer. Incluez dans ce montant le coût des cours incitant à arrêter de fumer.

Abonnements : Abonnez-vous d'abord à l'essai ou encore acquittez le prix d'entrée chaque fois que vous fréquentez un etablissement, de façon à déterminer si vous utilisez suffisamment les installations pour qu'il soit justifié de vous abonner en bonne et due forme. Demandez à quel genre de remboursement vous avez droit si vous devez mettre un terme à votre abonnement en raison d'une maladie, d'une blessure ou d'un déménagement. Souvent, certains organismes vous permettent d'utiliser gratuitement les installations pendant une heure si vous gardez des enfants pendant deux heures tandis que leurs parents travaillent. Fréquemment, en enseignant une activité offerte par un centre récréatif, vous avez accès à d'autres installations ou à certains cours.

Frais de scolarité : Cette rubrique comprend les frais d'inscription à des séminaires d'une journée, des ateliers, des cours du soir, des cours par correspondance. Même si votre employeur vous rembourse les frais (dans la mesure où vous terminez le cours avec succès), vous devez disposer de l'argent nécessaire pour vous inscrire.

Cinéma/concerts : Ces dépenses comprennent les frais de location de vidéos. N'oubliez pas d'inclure le coût du transport si vous assistez à un concert à l'extérieur de la ville. Assurez-vous de tenir compte du coût des rafraîchissements, quelle que soit l'activité à laquelle vous participez. Il convient de noter que, le soir, certains cinémas offrent des représentations spéciales à prix réduit.

Revues/musique/livres : Le prix des journaux, les frais d'abonnement à des revues et le prix des livres de poche entrent tous dans cette catégorie. Rappelez-vous qu'il existe des librairies où vous pouvez trouver des livres, des disques et des rubans ou cassettes d'occasion. En outre, vous pouvez toujours vous inscrire à une bibliothèque.

Soins pour les cheveux/cosmétiques : Dans nombre de villes, on trouve des salons de coiffure à prix réduit, des écoles de coiffure offrant tous les services à un prix minime. Assurez-vous d'inclure dans le coût des cosmétiques le prix de votre parfum ou de votre lotion après rasage préférée, ainsi que celui de la solution pour lentilles cornéennes.

Divers : Vous pouvez inscrire dans cette rubrique toute dépense mensuelle qui n'a pas été recensée ailleurs. Par exemple, les médicaments prescrits par le médecin, le développement de films, les frais de toilettage des animaux, etc.

Dépenses annuelles

Comme nous l'avons mentionné plus tôt, ces coûts devraient être divisés par douze de façon à ce que vous sachiez combien d'argent doit être mis de côté chaque mois en vue de payer ces factures que vous vous efforcez d'oublier jusqu'à ce qu'elles vous tombent dessus.

Assurance-auto : Dans certaines provinces, c'est une société d'état qui régit, par voie législative, la formule d'assurance-auto et qui fixe les tarifs. Dans les provinces où cela n'est pas le cas, comparez les prix. Les tarifs sont susceptibles d'être très concurrentiels. Certains agents vous permettront d'acquitter la facture en plusieurs versements. Informez-vous au sujet des taux d'intérêt ou des frais liés à ce service.

Assurance résidentielle : Souvent, l'assurance résidentielle peut être payée par mensualités. Assurez-vous de réviser votre liste tous les deux ans pour déterminer si la couverture est suffisante et si vous ne pourriez pas obtenir ailleurs la même police à un tarif inférieur.

Assurance biens meubles : Comme dans le cas de l'assurance résidentielle, comparez les prix.

Taxes municipales : Nombre d'établissements financiers incluent ces taxes dans le paiement de l'hypothèque. Même si vous ne réalisez aucun intérêt sur cet argent, cela peut vous tranquilliser de savoir que vous n'aurez pas besoin de vous démener pour trouver l'argent à la période fixée.

Arriérés d'impôt : Consultez un comptable ou le bureau de Revenu Canada le plus proche pour obtenir des renseignements au sujet des modalités de remboursement acceptables.

Dépenses liées à l'entretien du terrain : Les tondeuses à gazon, boyaux d'arrosage et échelles entrent tous dans cette rubrique. Les gens qui vivent en appartement doivent prendre en compte les boîtes à fleurs. Les plantes d'intérieur ainsi que les articles liés à leur entretien doivent également être compris dans cette rubrique.

Réparations – maison : Ces coûts varient en fonction de l'âge et de l'état de votre maison au moment de l'achat. Avant d'acheter la maison de vos rêves, renseignez-vous sur le coût des réparations et des rénovations que vous prévoyez apporter (nouveau toit, gouttières, chauffe-eau, réservoir à huile, doubles fenêtres, véranda, revêtement extérieur). En mettant de côté 125 $ par mois dans un compte destiné à faire face aux imprévus, vous devriez être en mesure d'assumer le coût de la plupart des dépenses importantes. En mettant de l'argent de côté à l'avance, vous réaliserez des intérêts sur cet argent plutôt que de payer l'intérêt sur la somme qu'il vous serait nécessaire d'emprunter en cas d'urgence.

Voyages/cadeaux/vêtements : Comme nous l'avons précisé auparavant, rares sont ceux qui peuvent établir avec précision les coûts entrant dans ces catégories. Nous vous suggérons plutôt de procéder à l'estimation des coûts, pour l'instant, et de consigner sur les formules fournies plus haut tous les articles dont le coût doit être inclus pendant un an.

Cartes de crédit		
Nom de la carte	Solde	Paiement minimal
_____	_____	_____
_____	_____	_____
_____	_____	_____
_____	_____	_____

Cartes de crédit

Étant donné que le recours au crédit a connu une expansion rapide, et en raison de la disponibilité et des répercussions de ce recours, le crédit et les emprunts feront l'objet du chapitre 4. Il importe que vous remplissiez cette section avec soin. Énumérez toutes les cartes de crédit (même celles que vous utilisez rarement).

Emprunts (bancaires et personnels)

Genre	Solde	Taux d'intérêt	Mensualité

Emprunts

Les frais d'administration mensuels, l'intérêt sur les découverts et(ou) tous les autres frais (pour chèque sans provision ou paiement d'un compte) doivent être consignés dans cette rubrique, de même que le montant de vos prêts bancaires. N'oubliez pas d'inclure les sommes que vous avez empruntées à des membres de la famille ou à des amis, les avances que vous a consenties votre employeur et les hypothèques autres que celles de votre résidence principale (quand le revenu provenant de la location n'en couvre pas le coût). Tenez également compte des prêts aux étudiants ainsi que des frais de location d'ameublements, d'une télévision ou d'appareils ménagers. (Note : Tous les actifs seront pris en compte dans la section suivante, qui porte sur l'avoir net et, aux fins du présent budget, nous énumérons uniquement les dépenses.)

Après avoir rempli le formulaire de budget, additionnez les chiffres pour avoir une idée nette de vos dépenses. Soustrayez ensuite le total des dépenses de votre revenu net et demandez-vous si vous dépensez trop ou non. S'il semble que vous dépensiez trop et que vous sachiez que, d'une façon ou d'une autre, vous vous en tirez toujours, vous pourriez vous demander comment cela se peut. S'il semble que vous ne dépensiez pas beaucoup et que vous ne puissiez pas déterminer où passe le reste de l'argent, vous pourriez vous poser la même question.

N'oubliez pas alors que lorsque vous remplissiez le formulaire, il est probable que vous n'avez pas été certain des coûts à de nombreux égards, et qu'il vous a été nécessaire de faire des estimations. Cela pourrait peut-être expliquer pourquoi vous semblez vous en tirer ou pourquoi vous ne pouvez déterminer où est passé le reste de l'argent que vous devriez avoir. Pour disposer d'un budget plus exact, vous devez d'abord déterminer exactement quelle somme vous dépensez vraiment pour chacune des catégories – et cela veut dire que vous devez tenir un registre de chaque cent que vous dépensez chaque jour, chaque semaine et chaque mois.

Au début, cette tâche vous semblera fastidieuse. Toutefois, comme pour toute chose, une fois que vous l'aurez fait pendant un certain temps, cela deviendra une seconde nature chez vous. Pour vous aider à vous tenir au courant de vos dépenses, gardez un petit calepin sur vous pour y inscrire la somme que vous dépensez pour faire un achat, le montant du chèque que vous établissez, du don que vous faites. Ou encore, il est possible que vous préfériez fixer une enveloppe à un endroit où elle sera en évidence, comme sur la porte du réfrigérateur, pour y placer chaque soir tous vos reçus. Si on ne vous en a pas remis, inscrivez la somme ainsi qu'une courte explication sur un bout de papier et placez ce dernier dans l'enveloppe.

À la fin du mois, répartissez ces coûts en fonction des catégories, et comparez les totaux avec vos projections. Modifiez votre formule de budget en conséquence. (Si vous dépensez trop, il vous faudrait peut-être examiner le solde de vos cartes de crédit ainsi que vos limites de découvert. Il n'est pas rare que ce soit là la source de revenu supplémentaire qui vous permet de dépenser plus.)

Bien qu'il soit important de découvrir exactement la somme que vous dépensez chaque jour, le formulaire de budget que vous avez rempli donne probablement une bonne idée de votre situation financière – une assez bonne idée, en tout cas, pour vous fixer certains objectifs réalistes. Ici encore, vous vous rendrez compte que vous devez faire des compromis.

Par exemple, vous avez systématiquement révisé votre liste de besoins et de désirs après avoir rempli la formule et peut-être avez-vous découvert que, à la lumière de votre situation financière, vous ne pouvez vous permettre ce voyage que vous vouliez faire dans six mois – à moins que vous ne vous passiez de manger à l'extérieur chaque jour. Toutefois, après y avoir pensé un peu, vous vous rendez compte que ces repas pris à l'extérieur revêtent tout autant d'importance à vos yeux. Alors, vous faites un compromis – vous décidez de réduire de moitié les repas que vous prenez à l'extérieur et d'attendre un an pour faire le voyage. Déjà, le formulaire d'évaluation financière vous a aidé à prendre conscience du fait que vous devez budgétiser pour atteindre vos objectifs.

Il n'en demeure pas moins que pour atteindre ces objectifs, vous avez besoin de mettre votre budget en pratique. Nous vous proposons de recourir à une simple soustraction (illustrée dans l'exemple ci-dessous) pour mettre en oeuvre une formule mensuelle. Rappelez-vous que vos chiffres devront être rajustés si vous voulez obtenir une idée plus exacte de la somme que vous dépensez vraiment.

En outre, n'oubliez pas qu'il est essentiel de prévoir, dans le cadre de votre budget, certaines épargnes pour vous payer vous-même. Trop souvent, les gens se rendent compte que le solde de leur compte d'épargne est peu élevé, voire inexistant. Habituelle-ment, cela est dû au fait qu'elles épargnent «ce qui reste» – ce qui correspond à une somme minuscule ou nulle. Comme nous l'avons dit précédemment, une épargne de 5 $ par chèque de paye ne nuira en rien à votre mode de vie, et le solde de votre compte d'épargne, à la fin de l'année, s'établira non pas à 0,00 $, mais à 120 $. Si vous avez de la difficulté à garder de l'argent dans ce compte spécial, demandez à quelqu'un de vous servir de cosigna-taire. Demandez ensuite à cette personne de refuser de vous laisser retirer les fonds, sauf en vue de réaliser certains des objectifs que vous vous êtes fixés.

Pendant les premiers mois, attendez-vous à ce que les choses diffèrent chaque mois. Si vous êtes payé toutes les deux semaines, vous vous rendrez compte que, deux fois l'an, vous avez une période de paye supplémentaire. Vous pouvez traiter ces périodes de paye supplémentaires de diverses façons. Vous pouvez choisir de les inclure dans vos prévisions, dépenser l'argent pour vous offrir du luxe au moment où vous touchez le chèque ou le réserver pour quelque chose de spécial (par exemple, acheter des cadeaux de Noël ou payer des vacances annuelles). Nous vous suggérons d'opter pour la dernière solution. Ensuite, vous pouvez établir un budget exact en vous fondant sur deux chèques de paye par mois tout en gardant ces deux chèques supplémentaires en réserve.

La façon la plus simple d'illustrer la méthode de la soustraction en ce qui concerne les rentrées et les sorties de fonds consiste à utiliser un exemple pratique :

Suzanne et Martin sont mariés. Ils ont une fille de quatre ans, Caroline. Martin a un fils, Simon, d'un mariage précédent et doit verser 150 $ par mois d'allocation pour enfant. Suzanne et Martin ont un revenu combiné net (constant) de 2 600 $ par mois et sont protégés par une assurance-maladie et une assurance dentaire dans le cadre de leur emploi.

Suzanne et Martin ont passé en revue leur liste de besoins et de désirs et ont décidé qu'à leurs yeux la nourriture, le logement, les vêtements, les frais médicaux, les frais dentaires et une voiture étaient tous nécessaires. Ils sont satisfaits de la maison en rangée où ils vivent, et les frais d'entretien qu'ils acquittent servent à couvrir le coût de la plupart des réparations, de l'entretien de la maison et du jardin. Toutefois, ils désirent acheter une voiture plus récente et aller à Disneyland l'an prochain. Ils aiment tous les deux faire de l'exercice au club et estiment qu'il est important pour Caroline de poursuivre ses cours de gymnastique au centre récréatif. En outre, ils aimeraient mettre de côté 100 $ par mois pour l'investir dans un REÉR.

Suzanne et Martin voient bien qu'ils devront faire certains compromis pour atteindre leurs objectifs. Même s'ils ne dépensent pas beaucoup, ils ne savent pas où l'argent qui reste passe chaque mois. Ils savent que leurs frais de représentation sont élevés et qu'ils dépensent plus qu'il est nécessaire pour acheter des cadeaux et des vêtements. À l'aide de leur formulaire de budget, ils établissent la somme qu'ils devront mettre de côté chaque mois pour atteindre leurs objectifs. Maintenant, ils peuvent appliquer la méthode de la soustraction de façon à atteindre les objectifs.

Paye de fin du mois

1 300,00
- 600,00 hypothèque/taxes/
_____ frais d'entretien
700,00
- 150,00 épicerie
550,00
- 50,00 essence/huile (deux
_____ voitures)
500,00
- 60,00 stationnement
440,00
- 150,00 allocation pour
_____ enfant
290,00
- 50,00 assurance-vie
240,00
- 8,00 journaux
232,00
- 7,00 frais d'administration
_____ (banque)
225,00
- 35,00 cadeaux
190,00
- 40,00 vêtements
_____ (3 personnes)
150,00
- 10,00 assurance
_____ résidentielle
140,00
- 50,00 imprévus
90,00
- 50,00 repas à l'extérieur
40,00
- 20,00 coiffure
20,00
- 5,00 billets de loterie
15,00[2]

Paye - milieu du mois

1 300,00
- 150,00 épicerie
1 150,00
- 85,00 électricité (y compris
_____ le chauffage)
1 065,00
- 25,00 téléphone (tarif de
_____ base et interurbains)
1 040,00
- 15,00 câblovision (tarif de
_____ base et un ajout)
1 025,00
- 250,00 frais de garderie
775,00
- 125,00 prêt - nouvelle auto
550,00
- 100,00 cotisation REÉR
450,00
- 50,00 essence/huile (deux
_____ voitures)
400,00
- 30,00 médicaments/
_____ cosmétiques/divers
370,00
- 10,00 vitamines
360,00
- 15,00 nettoyeur/cordonnier
345,00
- 50,00 abonnement - clubs
295,00
- 85,00 assurance-auto (deux
_____ voitures)
210,00
- 100,00 voyages
110,00
- 50,00 repas à l'extérieur
60,00

- <u>10,00</u> plantes
  50,00
- 10,00 cours de
  _____ gymnastique
  40,00
- <u>5,00</u> billets de loterie
  35,002[2]

---

[2]J Suzanne et Martin ont placé l'allocation familiale de Caroline dans un compte en fiducie à son intention, et ils décident de prendre la moitié des 50 $ qui restent, d'après leurs projections mensuelles, et de déposer cette somme dans son compte. Les 25 $ qui restent seront consacrés à une sortie peu onéreuse.

Suzanne et Martin savent également qu'ils recevront au moins 500 $ de remboursements d'impôt. Ils ont convenu de verser cette somme dans leur compte consacré aux voyages de façon à ce que le total se rapproche de la somme dont ils auront besoin. Suzanne et Martin atteindront chacun de leurs objectifs à court terme cette année. Ils n'auront pas besoin de faire des pieds et des mains pour trouver de l'argent quand le moment sera venu de renouveler la police d'assurance-auto. En outre, ils ont mis de l'argent de côté en vue des réparations à apporter à la voiture ou à la maison et n'auront pas besoin de faire porter leurs cadeaux de Noël sur un compte. En plus, ils ont instauré une formule d'épargne qui leur permettra de se payer en premier en versant périodiquement de l'argent dans leur REÉR.

Ce couple a également reconnu l'importance de se récompenser et a convenu de se récompenser toutes les fois où il pourra réduire les dépenses. Quand l'un d'eux choisit de ne pas acheter quelque chose, ils prennent la moitié de la somme économisée, et l'autre moitié est consacrée à rembourser le prêt auto.

Manifestement, la situation varie suivant les personnes. Toutefois, comme en fait foi cet exemple, le fait d'établir un relevé personnel des rentrées et des sorties d'argent de la façon précisée ci-dessus vous permettra de déterminer avec exactitude à quoi est consacré chaque dollar et d'établir quel montant il vous reste une fois que vous avez acquitté toutes les factures que vous deviez payer.

N'oubliez pas que, pour être fructueux, un plan budgétaire exige que vous fassiez les choses suivantes : établir une distinction entre besoins et désirs; fixer un ordre de priorité; vous fixer des objectifs réalistes; chercher à avoir une idée exacte de votre situation financière courante; faire des compromis; élaborer une formule qui tienne compte de tous vos revenus et de toutes vos dépenses; établir une formule d'épargne en vue de vous payer d'abord, ainsi qu'une clause prévoyant une récompense.

État de l'avoir net

La dernière section du présent chapitre a trait à la façon d'établir un état de votre avoir net, c'est-à-dire le chiffre que l'on obtient lorsqu'on retranche les dépenses et engagements de l'actif. Il est essentiel que vous connaissiez en tout temps votre avoir net, non seulement aux fins de l'établissement d'un testament (voir chapitre 9), mais de façon à vous encourager dans votre budgétisation quotidienne.

Tout ce que vous possédez représente votre actif. Il peut s'agir d'argent liquide, d'argent en banque, d'investissements, de terrains, de véhicules, de votre maison, de l'argent qu'on vous doit ou d'actions dans une entreprise. Il n'est pas nécessaire que l'actif soit payé intégralement, vous même devrez savoir à quoi s'établit la valeur en liquide (le montant que vous recevriez si vous le convertissiez en liquide).

Ce que vous devez représente votre passif. Il peut s'agir d'emprunts, de taxes, d'hypothèques ou du solde de vos cartes de crédit. Le passif comprend en outre vos dépenses mensuelles et annuelles. L'avoir net est la différence entre l'actif et le passif. C'est ce qui reste. Pour bien des gens, particulièrement ceux qui viennent à peine de s'établir et qui ont récemment obtenu un important prêt hypothécaire, la différence peut être minime.

Pour établir avec exactitude votre avoir net, vous devez prendre en considération trois éléments distincts : votre bilan courant, vos placements à court terme et vos placements à long terme.

Bilan courant

Il s'agit de la budgétisation au jour le jour. Le bilan comprend un relevé de vos ressources courantes (c'est-à-dire l'argent liquide dont vous disposez), les dépenses que vous devez assumer (factures et dépenses mensuelles) et la différence entre les deux (qui s'appelle votre valeur nette réelle). La formule est donc la suivante : actif = passif + valeur nette réelle.

Placements à court terme

Il s'agit de la partie gestion. Ces placements peuvent prendre la forme d'un compte dans lequel vous déposez l'argent que vous ne désirez pas utiliser pour des placements à long terme, mais que vous n'êtes pas encore prêt à utiliser dans votre bilan courant. Vous pouvez transférer des sommes de ce compte à votre bilan pour accroître votre encaisse au jour le jour, ou encore transférer une somme faisant partie de votre valeur nette réelle dans ce compte pour réduire la proportion de capitaux dont vous disposez. Parmi ces placements à court terme, notons : les Obligations d'épargne du Canada, les actions, les dépôts à terme ainsi que les certificats de placement garantis (C.P.G.).

Placements à long terme

Cette partie du bilan de votre avoir net a trait à la gestion de la valeur capitalisée. C'est dans cette section que vous consignez vos immobilisations, c'est-à-dire les terrains, votre maison, vos REÉR, votre voiture, etc. – tout ce que vous possédez pour l'utiliser plutôt que pour le revendre. En outre, vous mettez également dans cette rubrique vos dettes à long terme (hypothèques, prêts, etc.).

Une fois de plus, revenons à notre exemple de Suzanne et Martin. Le bilan de leur avoir net pourrait s'établir de la façon suivante :

BILAN COURANT

Actif		*Passif*	
Compte de		Factures courantes	
Caroline :	1 425,00 $	(services publics, frais	
Compte d'épargne		de garderie, alloca-	
conjoint :	380,00 $	tion pour enfant):	525,00 $
Remboursement		Valeur nette réelle :	1 780,00 $
d'impôt :	500,00 $	(Argent liquide	
	2 305,00 $	disponible)	2 305,00 $

PLACEMENTS À COURT TERME

Pour le moment, Suzanne et Martin ne sont pas en mesure de détenir de tels actifs. Quand leur compte d'épargne conjoint aura prospéré et qu'ils auront mis de côté une somme pour faire face aux imprévus, ils seront en mesure de considérer ces éléments comme des placements à court terme et d'investir une partie du montant destiné à faire face aux imprévues dans un C.P.G. qui viendrait à échéance un an plus tard. (La somme ainsi obtenue pourrait être utilisée pour faire repeindre la maison, ce qui serait considéré comme une dépense à court terme.)

PLACEMENTS À LONG TERME

Actif

Maison en rangée :	72 000,00 $	(évaluation de 1987)
Assurance-vie :	2 000,00	
Auto :	10 000,00	(valeur après dépréciation)
Bague :	2 300,00	(laissée à Suzanne par sa tante)
REÉR :	200,00	
	86 500,00 $	

Passif

Hypothèque :	44 000,00 $
Nouveau prêt auto :	9 600,00 $
	53 600,00 $

Valeur nette réelle

Actif :	86 500,00 $
Passif :	− 53 600,00 $
Valeur nette réelle :	32 900,00 $

AVOIR NET

Actif total (provenant des trois rubriques) :

Courant :	2 305,00 $
À long terme :	86 500,00
	88 805,00 $

MOINS
Total du passif (provenant des trois rubriques) :
$$\begin{aligned} \text{Courant : } & 525,00 \text{ \$} \\ \text{À long terme : } & \underline{53\ 600,00} \\ & \underline{54\ 125,00 \text{ \$}} \end{aligned}$$

ÉGALE
Total – valeur nette réelle ou avoir net :
$$\begin{aligned} \text{Courant : } & 1\ 780,00 \text{ \$} \\ \text{À long terme : } & \underline{32\ 900,00 \text{ \$}} \\ & \underline{34\ 680,00 \text{ \$}} \end{aligned}$$

Dans le cas de Suzanne et Martin, cet exemple montre que leur valeur nette réelle contribue largement à déterminer leur avoir net. Il importe de noter qu'un état de l'avoir net indique la valeur de réalisation nette en tout temps. Par conséquent, en établissant un état de votre avoir net ainsi qu'un budget mensuel, vous pouvez en tout temps déterminer l'état de votre situation financière. Suivant la période du mois et la période de l'année où vous établissez ces relevés, le total de chaque rubrique varie. En outre, votre avoir net fluctuera en fonction de l'accroissement de la valeur nette réelle de votre maison, de la dépréciation de votre véhicule, de l'achat d'un nouvel actif important ou d'une modification de votre mode de vie. Il importe toutefois de réaliser au moins une fois l'an un état de votre avoir net tout en établissant un budget mensuel.

Conclusion

La budgétisation est difficile, mais elle n'est pas impossible. Evidemment, elle exige beaucoup de travail, de persévérance et de discipline. Toutefois, une fois que vous aurez perfectionné vos aptitudes en matière de gestion financière (grâce à la budgétisation), vous vous rendrez compte qu'il est beaucoup plus facile de vous adonner à des investissements plus complexes et vous pourrez voir votre argent commencer à «travailler» pour vous.

CHAPITRE 3 | Épargne

Il y a de fortes chances pour que, au cours de votre enfance, on vous ait incité à épargner de l'argent. Une partie de votre allocation, des cadeaux que vous avez reçus ou de l'argent que vous gagniez était déposée dans une tirelire et, plus tard, dans un compte en banque. Toutefois, même si la plupart des enfants ont été encouragés à épargner, une fois qu'ils ont été suffisamment âgés pour prendre leurs propres décisions en matière d'achat, ils ont habituellement appartenu à l'un des deux groupes suivants : certains ont utilisé leurs économies pour acheter les articles qu'ils voulaient – et ont vu disparaître les économies qu'ils avaient faites pendant leur enfance. D'autres ont continué à épargner – et l'argent a fini par servir à des études, à des placements ou à d'autres achats importants.

Une fois que vous avez obtenu votre premier emploi, que vous vous êtes marié et que vous avez eu des enfants, les exigences quotidiennes qui grèvent votre revenu sont telles que vous serez tout probablement incapable de mettre de côté de l'argent. Plutôt, vous vous direz probablement qu'un jour, plus tard, vous serez en mesure de vous payer le luxe d'épargner de nouveau.

Cependant, l'épargne n'est pas un luxe. Elle constitue une absolue nécessité pour quiconque désire jouir d'un certain confort financier, et il convient de l'envisager de la même façon que vos autres dépenses. Vous devez faire preuve d'autant de rigueur lorsqu'il s'agit de mettre de côté de l'argent destiné à être épargné que lorsque vous acquittez la facture de chauffage chaque mois. Par conséquent, votre budget doit comprendre une composante épargne, et une partie fixe de chaque chèque de paye doit être mise de côté. Regardez les choses sous cet angle : une partie importante de votre revenu sert à payer autrui. L'épargne représente votre propre salaire et, si vous n'épargnez pas, vous travaillez simplement pour les autres. Manifestement, le montant que vous épargnez dépend, pour une bonne part, de vos autres obligations. Mais à tout le moins, essayez de mettre de côté 5 % de votre revenu net et, si possible, essayez de hausser cette proportion à 10 %.

Vous pouvez vous demander quelle différence il y a entre l'épargne et l'investissement. La principale distinction est le fait que l'épargne se présente habituellement sous une forme qui peut être facilement utilisée en cas d'urgence et, habituellement, sera «investie» dans quelque chose de très sûr, comme un compte en banque ou un certificat de placement garanti (C.P.G.). De façon générale, l'argent mis de côté sous forme d'épargne produit périodiquement des intérêts, mais le montant réel de l'épargne ne s'accroîtra que si vous y ajoutez des sommes supplémentaires ainsi que l'intérêt que vous en tirez. (Certaines personnes considèrent les épargnes à long terme telles les C.P.G. comme des placements. Il s'agit simplement d'une question de terminologie – nous étudierons les diverses formes de placements au le chapitre 5.)

Les objectifs

L'épargne sert à trois fins importantes : 1) création d'un fonds pour les imprévus; 2) paiement des charges annuelles; et 3) création d'une source de fonds suffisante en vue de placements traditionnels.

Tout d'abord, chacun devrait disposer d'un fonds pour les imprévus dans lequel il peut puiser en cas d'urgence. Demandez-vous ce qui se produirait si vous perdiez votre emploi aujourd'hui.

Combien de temps durerait votre dernier chèque de paye? Que feriez-vous s'il vous fallait 6 mois pour trouver un nouvel emploi? N'oubliez pas que, même si vous pouvez toucher de l'assurance-chômage, vous ne recevrez rien pendant les deux premières semaines après la cessation d'emploi et que, par la suite, vous ne toucherez que 60 % de votre traitement antérieur, jusqu'à concurrence de 318 $ par semaine.

Bien sûr, votre épargne ne sert pas simplement à vous protéger contre de telles éventualités. Il arrive qu'un parent tombe soudain malade et que vous deviez prendre l'avion pour vous rendre dans une autre ville. Où trouverez-vous l'argent? Ou encore, vous avez l'occasion d'acheter quelque chose que vous désirez vraiment ou dont vous avez besoin, et ce à un prix très avantageux, en liquide. Où trouverez-vous l'argent?

Fixez-vous comme objectif d'épargner une somme égale à au moins trois mois de salaire (ou plus, suivant ce qui est, à vos yeux, suffisant) sous une forme que vous pouvez utiliser rapidement, et vous vous protégerez financièrement contre la plupart des imprévus.

Ensuite, outre le fonds pour les imprévus, vous devriez disposer d'économies qui vous permettent d'assumer le coût de factures imminentes. À cet égard, le monde peut être scindé en deux grands groupes : les gens qui épargnent et ceux qui s'endettent. Par exemple, vous savez que chaque année, en décembre, vous dépensez 1000 $ pour acheter des cadeaux de Noël. Financièrement, il est bien plus avisé de mettre de côté 80 $ par mois (avec les intérêts, vous disposerez de 1000 $ au début de décembre) plutôt que de vous retrouver, chaque année en janvier, endetté de 1000 $ et de passer les quelques mois qui suivent à manger des pâtes de façon à payer les factures. Si vous savez que vous prendrez des vacances l'année suivante, il faut vous mettre à épargner en prévision de ce moment, tout en jouissant du fait de savoir que vous ne mènerez pas une existence indigente pendant les six mois qui suivront les deux semaines de plaisir que vous vous serez accordées.

En dernier lieu, vous devriez épargner de l'argent pour faire des placements plus traditionnels. Supposons que votre fonds pour les imprévus soit bien approvisionné, avec une somme égale à trois mois de salaire, et que vous mettiez en outre des fonds de côté en vue de payer les dépenses qui se présenteront manifestement. Vous devriez continuer à épargner, mais, une fois que vous avez satisfait ces besoins, les économies doivent être consacrées à des placements à plus long terme.

Quelle forme devrait prendre mon épargne?

Il existe une multitude de façons d'épargner, qu'il s'agisse de déposer de l'argent dans un compte d'épargne, d'acheter des C.P.G. ou de l'assurance-vie. Toutefois, avant de choisir un mode d'épargne, vous devez déterminer dans quelle mesure le placement doit être liquide. En d'autres termes, vous devez décider pendant combien de temps vous voulez que votre argent soit immobilisé. Il s'agit là d'une considération essentielle à une bonne planification financière.

Si, par exemple, vous prévoyez faire un achat important – une maison ou une voiture – au cours de l'année qui vient, vous ne choisirez pas de faire un placement qui vous interdise d'avoir accès à votre argent quand vous en aurez besoin. Dans un tel cas, un compte d'épargne dans une banque, une société de fiducie ou une caisse populaire constitue probablement la forme de placement la plus liquide – habituellement, vous pouvez en tout temps vous présenter à l'établissement et retirer l'argent dont vous avez besoin.

Par ailleurs, si vous épargnez en vue de faire un achat particulier dans trois ans, il est possible que vous désiriez investir vos économies pendant cette période. Si, par exemple, vous achetez un dépôt à terme ou un C.P.G., vous immobilisez habituellement votre argent pendant la durée de la période que vous choisissez. De façon générale, vous pouvez choisir de faire de tels placements pour une période allant d'un à cinq ans. (Dans certains cas, vous pouvez reprendre votre argent plus tôt, mais cela entraîne probablement une pénalité ainsi qu'une perte d'intérêt substantielles.)

En règle générale, plus la période pour laquelle vous êtes disposé à immobiliser votre argent est longue, plus le taux d'intérêt consenti sera élevé. Par exemple, si vous aviez mis de l'argent de côté au début de mars 1987 en achetant un dépôt à terme de cinq ans, vous pourriez vous attendre à toucher entre 9 et 9,5 % d'intérêt par année. Un dépôt à terme d'un an ne rapporterait qu'environ 7,25 %, et un compte d'épargne dans une banque peut ne vous rapporter qu'environ 5 %.

Idéalement, vous devriez disposer d'une combinaison de ces types de placements. Votre fonds pour les imprévus, par exemple, doit presque par définition être facile d'accès; il prendra probablement la forme d'un compte en banque. Cependant, si vous épargnez en vue de réaliser un objectif à long terme, c'est une bonne idée de mettre l'argent de côté pendant une période qui prend fin juste avant le moment où vous savez que vous en aurez besoin. Si vous épargnez pendant une période indéterminée (disons, en vue de faire le versement initial pour l'achat d'une maison, «un jour», et que vous savez que ce jour est terriblement éloigné), il peut être très avantageux d'immobiliser l'argent pendant la période la plus longue possible de façon à en maximiser le rendement.

Il n'en reste pas moins que certaines personnes s'inquiètent lorsqu'elles doivent immobiliser de l'argent pendant de longues périodes. Elles se rappellent qu'en 1981-1982 les taux d'intérêt se sont élevés jusqu'à plus de 17 % dans le cas d'un dépôt à terme. Ainsi, si votre argent était immobilisé dans un dépôt à terme de cinq ans acheté, disons, en 1979, vous manquiez l'occasion de l'investir à un taux plus élevé. Rappelez-vous simplement qu'*il s'agit là d'une décision financière personnelle.* Vous seul pouvez décider si vous êtes satisfait de l'intérêt offert.

Les causes de la croissance : La force de l'habitude et le miracle de l'intérêt composé

Si vous acquérez l'habitude d'épargner toutes les semaines ou tous les mois, vous serez surpris de voir à quelle vitesse les fonds s'accroissent. L'important consiste à acquérir cette habitude. Pour ce faire, certaines personnes prennent des dispositions avec leur banque pour qu'un montant déterminé soit viré d'un compte courant à un compte d'épargne distinct une ou deux fois par mois. De cette façon, l'épargne devient automatique, et la personne n'est pas tentée de «sauter» un versement.

Toutefois, à la longue, une bonne part des bénéfices inhérents à l'épargne découlent de l'incidence de l'intérêt composé. En termes simples, si vous avez déposé de l'argent dans un compte d'épargne qui porte intérêt, une fois que l'intérêt est payé, vous commencez à réaliser des intérêts *sur l'intérêt :* c'est ce que l'on appelle l'intérêt composé. Il existe une petite règle générale à laquelle vous pouvez recourir, que l'on appelle la «règle de 72». Divisez 72 par le taux d'intérêt que rapporte l'argent dans votre compte, et vous déterminerez combien il faut de temps, si l'intérêt est composé, pour que votre argent double. Par exemple, si le taux d'intérêt est de 6 % par année, il faudra (72 divisé par 6) douze ans pour que le montant double. Si le taux d'intérêt est de 8 %, la somme doublera en neuf ans.

Cette règle repose sur le postulat que l'intérêt est versé une fois par année. Si l'intérêt est payé plus souvent, votre montant initial s'accroît à un rythme encore plus rapide. Supposons que vous déposiez 1000 $ à la banque, dans un compte qui rapporte 6 % d'intérêt par année. À la fin de l'année, vous disposerez de 1060 $. Par contre, si la banque verse les intérêts deux fois par année, vous disposerez en réalité de 1060,90 $. En fait, le taux d'intérêt n'est pas de annuel 6 % mais de 6,09 %. Étant donné que de nombreux comptes portent intérêt *quotidiennement,* même si ce dernier peut n'être payé que chaque mois ou chaque semestre, le taux d'intérêt annuel que vous obtenez peut être plus élevé que vous ne le croyez. Il vaut la peine de demander à votre banque ou société de fiducie à quelle fréquence l'intérêt est crédité et à quelle fréquence les intérêts sont payés. Plus l'intérêt est crédité et payé rapidement, plus votre situation financière est bonne.

Le tableau 3.1 montre l'influence des intérêts composés sur une certaine période. (Les données ne tiennent pas compte de l'impôt à payer, mais n'oubliez pas que les 1000 premiers dollars de revenus provenant d'intérêts sont effectivement exempts d'impôt.) L'exemple pose que 1000 $ sont investis à un taux d'intérêt de 10 % composé annuellement.

Tableau 3.1

Année	Épargnes
0	1 000 $
1	1 100 $
5	1 610 $
10	2 593 $
15	4 177 $
20	6 727 $
25	10 834 $
30	17 474 $
40	45 249 $

Rappelez-vous que cet exemple est fondé sur un seul versement de 1000 $. Bien que les gens qui soient capables de mettre de l'argent de côté pendant 40 ans, sauf dans le cadre d'un régime enregistré d'épargne-retraite (REÉR, voir chapitre 8), soient rares ou inexistants, il est instructif de jeter un coup d'oeil sur le tableau pour prendre conscience du pouvoir de l'intérêt composé.

Lorsque vous envisagez divers mécanismes d'épargne, vous devez être sensibilisé au fait que les taux d'intérêt peuvent varier, ce qui peut accroître ou réduire l'efficacité de votre programme d'épargne. Presque tous les gens qui traitent avec une banque ou une société de fiducie savent que les taux d'intérêt fluctuent de façon irrégulière. Ainsi, même si, au moment où vous avez déposé l'argent, le taux d'intérêt était de 7 %, une semaine ou deux plus tard, il peut n'être que de 6,5 %.

Il n'y a pas grand chose que vous puissiez faire à cet égard, sauf vous rappeler qu'il est prudent de garder des fonds auxquels vous puissiez instantanément avoir accès dans un compte d'épargne. Cependant, quand vous jetez un coup d'oeil sur des mécanismes d'épargne à long terme, attention! Pour certains placements, l'intérêt est composé, et pour d'autres, il ne l'est pas.

Supposons, par exemple, que vous achetiez un dépôt à terme de cinq ans qui génère 10 % d'intérêt annuellement. Un certain genre de dépôt à terme peut porter intérêt composé, ce qui veut dire que chaque année votre intérêt s'ajoute au capital, de sorte que, par la suite, l'intérêt rapporte de l'intérêt. Deux points sont ici à envisager. Tout d'abord, le taux d'intérêt réel, sur les cinq ans, n'est pas seulement de 10 %, mais en fait, il est quelque peu supérieur. (Le tableau 3.1 indique que, sur une période de cinq ans, vous gagneriez 110 $ de plus si l'intérêt était composé que vous n'en auriez gagné si l'intérêt était simplement de 100 $ par année.) Ensuite, vous êtes assuré que le taux d'intérêt ne sera pas inférieur à 10 % par année pendant chacune des cinq années.

La solution de rechange pourrait être de placer la somme pendant cinq ans à 10 % d'intérêt payé une fois l'an. Dans un tel cas, chaque année, vous touchez 10 % d'intérêt et devez investir séparément ces intérêts. Par exemple, si vous investissiez 1000 $, à la fin de l'année, vous toucheriez 100 $ d'intérêt. Vous devriez ensuite investir séparément ces 100 $, et il est possible que vous touchiez beaucoup moins que 10 %.

Si vous croyez que les taux d'intérêt s'élèveront dans les années à venir, vous pouvez préférer que l'intérêt soit payé chaque année. Si vous croyez que les taux d'intérêt baisseront, vous devriez probablement envisager un placement portant intérêt composé.

Genres de régimes d'épargne

La vaste majorité des Canadiens épargnent en faisant appel à des banques, à des sociétés de fiducie ou à des caisses populaires, et pendant de nombreuses années, il n'existait que deux genres de compte : le compte d'épargne et le compte de chèques. De nos jours, chaque établissement offre une telle gamme de comptes qu'il vous faut presque être comptable pour choisir celui dont vous avez besoin.

La première étape à franchir en vue de découvrir le genre de compte qui vous convient consiste à demander quels genres de comptes sont offerts et quelles sont les charges associées. Demandez quel est le taux d'intérêt dans le cas de chaque compte, à quelle fréquence l'intérêt est payé et quand il est payé. Ensuite, comparez ce que vous offrent différents établissements financiers. Il est utile de procéder à une telle comparaison, à cette étape, car les banques, les sociétés de fiducie et les caisses populaires offrent toute une gamme de comptes portant des intérêts divers, et vous désirez trouver la combinaison qui vous convient le mieux. Rappelez-vous en outre que les sociétés de fiducie et les caisses populaires offrent habituellement des taux d'intérêt plus élevés.

Il n'est pas nécessaire non plus que tous vos comptes soient dans le même établissement. Par ailleurs, si vous vous inquiétez de la sécurité des banques, ne vous en faites pas. Vos comptes sont couverts par une assurance de 60 000 $ garantie par le gouvernement. Toutefois, l'assurance ne couvre que 60 000 $, de sorte qu'il est sage de ne pas dépasser cette somme dans une banque unique.

Bien que nous parlions principalement de l'épargne – et vous utiliserez ces comptes pour faire fructifier votre argent en permanence – la plupart des gens désirent avoir un compte de chèques pour acquitter les dépenses quotidiennes ou mensuelles. En outre, si vous êtes conscient de vos propres habitudes (c'est-à-dire du nombre de chèques que vous établissez par mois, et à quelle fréquence), vous pouvez choisir un compte avantageux pour vous. Par exemple, il existe des comptes de chèques qui ne portent aucun intérêt, mais où il n'y a aucun frais pour une partie ou la totalité des chèques tirés sur ces comptes. Plus vous établissez de chèques, plus un tel compte est intéressant. Il existe ensuite des comptes de chèques qui versent un intérêt quotidien, mais comportent des frais en ce qui concerne les chèques tirés. Si vous établissez peu de chèques par mois, il est possible que ce genre de comptes soit bénéfique pour vous. Une fois de plus, comparez les options qui s'offrent, et trouvez le genre de compte qui vous convient le mieux.

En plus, vous voudrez probablement un compte d'épargne. Ici encore, les variantes sont nombreuses. Certains comptes d'épargne versent un intérêt plus élevé (ou offrent d'autres avantages) si le solde mensuel est maintenu au-dessus d'une certaine somme, habituellement 1000 $. Ce genre de compte est idéal dans le cas d'épargne à long terme. Toutefois, vous voudrez peut-être disposer d'un deuxième compte d'épargne (qui peut offrir un taux d'intérêt inférieur) dans lequel il n'est pas nécessaire de conserver un solde minimal chaque mois, de sorte que vous pouvez retirer de l'argent lorsque vous en avez besoin, et ce à un coût moindre.

Comme nous l'avons mentionné auparavant, certaines banques créditent les intérêts quotidiennement dans le cas de certains comptes et mensuellement dans le cas d'autres, et certaines banques paient l'intérêt chaque mois, tandis que d'autres le paient deux fois l'an. Plus les intérêts sont crédités et versés rapidement, mieux vous vous en portez. (Si vous faites des dépôts périodiques dans un compte pour lequel les intérêts sont crédités en fonction du solde mensuel minimal, essayez d'effectuer vos dépôts juste à la fin d'un mois plutôt qu'au début du mois suivant de façon à maximiser le montant des intérêts.) Si vous êtes âgé de 60 ans ou plus, déterminez si votre banque offre des conditions particulières aux personnes âgées. Nombre d'entre elles le font, et les épargnes peuvent s'accumuler.

Le principal élément dont vous devez vous souvenir est le fait que vous pouvez choisir un ou plusieurs comptes de façon à répondre à vos besoins en matière d'épargne et de dépenses. Une fois ces comptes choisis, vous devez vous astreindre à utiliser les divers comptes de la meilleure façon possible. Ne laissez pas des sommes excessives dans des comptes qui paient peu d'intérêt, voire pas du tout. Si vous avez déterminé que vous avez l'habitude d'établir des chèques pour un montant de, disons, 1000 $ par mois, ne versez pas plus de 1000 $ par mois dans le compte de chèques où le taux d'intérêt est faible, voire nul. Si, un mois, vous croyez avoir besoin de 400 $ de plus, versez cette somme dans un compte d'épargne et virez-la dans le compte de chèques au besoin. Si vous savez que vous n'aurez pas besoin d'une partie de votre argent pendant une longue période (disons, parce que vous épargnez en vue d'effectuer un voyage), versez cet argent dans le compte d'épargne qui offre le taux d'intérêt le plus élevé.

Certaines banques prévoient des dispositions en vertu desquelles toute somme dépassant un plafond donné dans un type de compte est automatiquement virée dans un compte où le taux d'intérêt est plus élevé, la somme étant virée de nouveau dans le premier compte lorsque le solde est inférieur à un certain montant. Souvent, de telles dispositions sont offertes dans le cadre d'un contrat global pour lequel vous acquittez habituellement un montant forfaitaire annuel. Ces dispositions particulières ne conviennent pas à tout le monde, mais si vous recourez largement aux services d'une banque, elles peuvent être utiles. Si l'on vous donne l'occasion de recourir à un service particulier contre un montant forfaitaire, demandez-vous si vous en avez pour votre argent.

N'oubliez pas que, dans l'optique de la banque, il est plus avantageux que votre argent soit versé dans un compte qui offre le moins d'intérêt possible et comprend les charges les plus élevées possible. (Une banque n'est pas un établissement de charité.) Procurez-vous les données nécessaires et faites votre propre choix.

Vous pouvez envisager d'autres mécanismes d'épargne offerts par des banques et des établissements financiers analogues. L'un d'eux est un compte en monnaie étrangère, le plus souvent en dollars américains. Le taux d'intérêt qu'offre un tel compte est habituellement inférieur à celui d'un compte en dollars canadiens, mais si vous avez besoin de dollars américains (disons, parce que chaque année vous passez l'hiver aux États-Unis), ce genre de compte vous protège contre la chute de la valeur du dollar canadien par rapport au dollar américain. (Certaines personnes qui passent régulièrement leurs vacances à un endroit donné des États-Unis ouvrent tout simplement un compte à endroit cet et, pendant toute l'année, laissent de l'argent dans ce compte.)

Il y a également des possibilités de placements à court terme, et leur degré de liquidité est inversement proportionnel au taux d'intérêt offert. Le C.P.G. en est un exemple. Vous pouvez acheter des C.P.G. pour une période allant de 1 à 5 ans. Ici encore, le taux d'intérêt est plus élevé que celui que rapportent des comptes d'épargne ou des placements à court terme. Une fois de plus, n'oubliez pas que l'argent est immobilisé et que vous devez investir une somme minimale. (Ces montants sont habituellement couverts par la garantie de 60 000 $, mais il vaut mieux de vous en assurer.)

Les bons du Trésor constituent un autre placement excellent et peu risqué. Si vous disposez d'au moins 5000 $ et que vous désiriez placer l'argent à court terme (entre 90 et 180 jours), il est possible que vous envisagiez l'achat de bons du Trésor. Chaque semaine, le gouvernement emprunte de l'argent sur de courtes périodes et verse des intérêts habituellement bien supérieurs à ce que peut rapporter un compte d'épargne. Le taux proprement dit fluctue chaque semaine. Vous pouvez généralement les acheter par l'entremise d'un courtier, mais il est possible que votre banque soit disposée à vous en vendre. En fait, vous achetez les bons du Trésor à escompte (par exemple, vous pourriez payer 4907 $), et on vous rembourse le montant intégral (disons 5000 $) à l'échéance, soit 91 jours plus tard. Il n'y a pas de frais de courtage à l'achat d'un bon du Trésor. Le courtier se paie à même l'écart entre le rendement auquel il achète les bons et le rendement auquel il les revend à l'investisseur.

La plupart des Canadiens connaissent les Obligations d'épargne du Canada, qui constituent un mode d'épargne à bien plus long terme. Signalerons simplement ici que ces obligations constituent l'une des formes d'épargne les plus courantes au Canada. (Elles seront abordées de façon plus détaillée au chapitre 5.) Mentionnons en outre, pour le moment, que l'un des principaux objectifs de l'épargne est le financement de la retraite. L'argent investi dans votre régime de retraite ou régime enregistré d'épargne-retraite doit être considéré comme une forme très importante d'épargne à long terme accompagnée d'avantages fiscaux. (Ce sujet sera abordé de façon circonstanciée au chapitre 8.)

Si vous cotisez au régime de retraite d'une société, vos cotisations sont probablement retenues à la source, ce qui constitue une forme d'épargne obligatoire. Toutefois, si tel n'est pas le cas et que vous soyez admissibile à un REÉR, vous devriez tenir compte de vos cotisations annuelles dans le cadre de votre budget. En outre, voici un conseil utile : plutôt que d'agir comme la majorité des Canadiens et de faire des pieds et des mains pour obtenir l'argent nécessaire pour cotiser au régime à la fin de février, envisagez la possibilité de cotiser mensuellement à votre REÉR. Cette formule permet de répartir le fardeau sur 12 mois. De surcroît, la personne qui verse mensuellement une cotisation dans un REÉR disposera, au moment de sa retraite, de bien plus d'argent que la personne qui cotise au dernier moment, même si les deux versent la même somme dans un régime qui leur offre le même rendement.

Épargne et fiscalité

Quiconque désire assurer sa sécurité financière doit tenir compte des considérations fiscales. La bonne façon d'évaluer le rendement de tout placement (y compris l'épargne) consiste à déterminer ce qui reste après impôt. Moins vous payez d'impôt, plus vous avez d'argent à réinvestir ou à épargner. (Voilà pourquoi le REÉR est si attrayant. Toute somme gagnée dans le cadre du régime n'est pas imposable, de sorte qu'elle peut être réinvestie.) Si, par exemple, vous achetez, pour la somme de 10 000 $, un C.P.G. qui produit 1000 $ d'intérêt et que vous payez 40 % d'impôt, vous disposez de 10 600 $ à réinvestir. Par contre, si vous ne payez pas d'impôt, vous disposez de 11 000 $. Il est donc essentiel de connaître les règles fiscales qui s'appliquent.

En ce qui concerne l'intérêt que vous touchez, il y a trois règles que vous devriez connaître. Tout d'abord, l'intérêt est imposable au cours de l'année où vous le touchez (sous réserve des observations qui suivent) et ne fait l'objet d'aucun traitement particulier. Il s'ajoute à votre revenu de la même façon qu'un salaire, et vous payez des impôts au taux d'imposition marginal. Par conséquent, suivant votre revenu, vous pouvez payer de 15 à 56 % sous forme d'impôt.

Ensuite, les 1000 premiers dollars au fédéral – et les 500 premiers dollars au Québec – de revenus provenant d'intérêts et de dividendes *de sources canadiennes* sont déductibles dans le calcul de l'impôt. (Nous discuterons des dividendes au chapitre 5.) Deux points doivent être précisés. Premièrement, toute planification liée aux placements doit être conçue pour produire le plus possible de revenus, jusqu'à concurrence du montant de ces déductions. Deuxièmement, dans le cas d'un couple, étant donné que chacun des conjoints peut bénéficier de ces déductions, il doit s'efforcer de générer un maximum de revenus de façon à se prévaloir de ces déductions.

En outre, des règles particulières s'appliquent aux épargnes à long terme. En dépit de la règle générale selon laquelle l'impôt n'est payable qu'au moment où vous touchez les intérêts, dans certains cas, vous devez payer l'impôt à un moment où vous n'avez même pas touché les intérêts. (Cette règle a été promulguée à la fin de 1981 pour limiter les avantages liés aux intérêts composés exempts d'impôt.) Si vous achetez un C.P.G., une Obligation d'épargne du Canada ou tout autre titre d'emprunt (que l'on appelle ainsi du fait que vous prêtez votre argent et êtes effectivement remboursé avec intérêts), vous devez payer de l'impôt sur les intérêts cumulés au moins tous les trois ans, *même si vous ne les avez pas reçus.* Par exemple, supposons que vous placiez 10 000 $

dans un C.P.G. portant intérêt composé de 10 % sur une période de cinq ans; après trois ans, vous devez payer l'impôt sur les intérêts crédités pendant trois ans, que vous les ayez touchés ou non. Vous avez la possibilité de déclarer l'intérêt chaque année, car cette formule peut être plus attrayante.

L'exemple suivant montre la différence entre le fait de déclarer l'intérêt chaque année plutôt que d'être tenu de le payer la troisième année et au moment où vous finissez par toucher les intérêts la cinquième année, si l'on pose que vous ne touchez pas d'autres revenus provenant d'intérêts ou de dividendes. Le tableau suivant indique les montants liés à un taux d'intérêt composé de 10 %.

À la fin de l'année	Intérêt annuel	Valeur du fonds
1	1000 $	11 000 $
2	1100 $	12 100 $
3	1210 $	13 310 $
4	1331 $	14 641 $
5	1464 $	16 105 $

En vertu de ces règles, si vous ne choisissez pas d'acquitter l'impôt sur les intérêts chaque année, vous devriez payer, à la fin de la troisième année, l'impôt sur 3 310 $. Vous disposeriez alors d'une déduction de 1000 $ au fédéral et de 500 $ au provincial, de sorte que 2310 $ et 2810 $ seraient respectivement imposables à votre taux d'imposition marginal.

À la fin de la cinquième année, vous toucheriez 6 105 $ en intérêts. Pour l'impôt, vous seriez tenu de déclarer les intérêts relatifs aux deux dernières années (2 795 $), vous bénéficieriez d'une autre déduction de 1000 $ au fédéral et de 500 $ au provincial, et payeriez l'impôt sur 1795 $ et 2295 $ respectivement. Toutefois, si vous choisissiez de payer l'impôt chaque année, vous pourriez vous prévaloir cinq fois d'une déduction annuelle de 1000 $ au fédéral et de 500 $ au provincial, et vous paieriez de l'impôt uniquement sur 1105 $ et 3605 $, respectivement, réparti sur cinq ans.

(Si, avant 1982, vous avez fait des placements portant intérêt à long terme, la première fois où vous devrez payer de l'impôt sur la plupart d'entre eux, ce sera en 1988. Si vous n'avez pas déclaré de revenu d'intérêts annuel, préparez-vous à recevoir une facture élevée cette année-là. Dans la plupart des cas, le problème se posera dans le cas des Obligations d'épargne du Canada achetées avant 1982.)

Lorsque vous étudiez la possibilité d'établir un programme d'épargne ainsi que de faire des placements, assurez-vous de connaître les règles fiscales. Comme le montre l'exemple ci-dessus, des milliers de dollars d'économies éventuelles peuvent être réalisés, si vous réduisez au maximum vos impôts.

Conclusion

Un programme d'épargne périodique et uniforme fait partie intégrante de toute planification financière et, bien souvent, en constitue la pierre angulaire. De bonnes habitudes en matière d'épargne sont souvent inculquées à un très jeune âge, et si vous avez des enfants, enseignez-leur à économiser. Cependant, indépendamment de votre âge et de votre situation financière, l'épargne est importante. N'oubliez pas que l'épargne constitue le salaire que vous vous versez à vous-même. Votre propre salaire ne devrait-il pas figurer en tête de liste de votre ordre de priorité financier?

CHAPITRE 4

Crédit et emprunt

Il serait présomptueux de supposer que la question du crédit puisse être traitée dans son ensemble dans un seul chapitre, voire dans un seul livre. Nous tenterons dans le présent chapitre d'expliquer ce qu'est le crédit, comment on peut l'obtenir, jusqu'à quel degré il est recommandé d'y recourir et quelles responsabilités y sont rattachées.

Le crédit peut être défini comme la capacité d'obtenir des biens, des services ou de l'argent contre la promesse de payer ou de rembourser plus tard. Cette définition montre que, contrairement à la croyance populaire, c'est bien l'acheteur, et non le vendeur, qui donne du crédit. En effet, dans chaque opération, c'est l'acheteur éventuel qui offre son crédit (c'est-à-dire sa capacité de payer) en échange des biens ou des services dont il a besoin. Le vendeur peut accepter ou rejeter cette offre, selon qu'il croit ou non que l'acheteur possède effectivement cette capacité de payer – et qu'il entend réellement le faire. Voilà ce qui intéresse le vendeur. Avant d'accepter votre crédit, il évalue vos biens et vos autres dettes ainsi que votre revenu total. Néanmoins, dans toute opération de crédit, le prêteur, ou le vendeur, assume toujours un certain degré de risque, puisqu'il se fie uniquement à la probabilité que l'acheteur respectera son engagement. Lorsqu'il accepte ce risque et qu'il conclut l'opération, le vendeur accorde à l'acheteur le privilège d'accroître son crédit.

Nous vivons dans une économie fondée sur le crédit. Considérez seulement par exemple la mesure dans laquelle nous recourons aux services de nos banques et autres établissements financiers, la popularité des moyens de crédit et l'attitude favorable de notre société envers le crédit. Du point de vue économique, le crédit est à la fois la cause et l'effet des conditions commerciales. Ainsi, il devient soit un bien pour le prêteur – sous forme de compte à recevoir – soit une dette pour l'emprunteur – c'est-à-dire un compte à payer. Le crédit joue également un rôle dans la commercialisation : il sert à augmenter la production, contribue à la distribution des produits et à l'accroissement du pouvoir d'achat de biens et services à des fins de consommation. Sans crédit, de nombreuses entreprises n'existeraient pas, et le niveau de consommation serait beaucoup plus bas. Si la consommation augmente, la demande des produits suit le même mouvement.

De nos jours, le crédit est aussi courant que les fours à micro-ondes ou les disques au laser, et il est primordial de bien comprendre son incidence sur notre société et sur l'économie. Pour y parvenir, vous devez d'abord être capable de le distinguer des concepts de dette, d'avoir et de pouvoir d'achat.

Crédit et dette

Le crédit n'est pas une dette, mais certains ont tendance à confondre les deux. Vous disposez de crédit lorsque vous pouvez acheter ou emprunter, peu importe que vous utilisiez déjà ce pouvoir ou non. Une dette, par contre, est ce qui s'ensuit – elle représente le solde courant des opérations de crédit (c'est-à-dire les sommes que vous devez). Votre crédit peut varier selon l'évaluation de votre pouvoir de remboursement; mais une dette est clairement définie et peut être quantifiée.

En général, le terme «dette» évoque une image négative et des sentiments de dépréciation, tandis que le crédit (même s'il constitue la source de la dette) est souvent symbole de prestige. La différence entre les deux est également perçue en ce qui concerne attitudes. On cite souvent William Shakespeare et son «Ne sois ni emprunteur ni prêteur.» D'un autre côté, comme l'a déjà dit l'humoriste Artemus Ward : «Soyons heureux et vivons selon nos moyens, même si nous devons emprunter de l'argent pour y arriver.»

Crédit et avoir

Votre avoir est constitué de biens corporels et quantifiables, qu'il s'agisse de vos effets personnels, de vos terrains, de vos automobiles ou de votre maison. Le crédit est le moyen par lequel vous pouvez acquérir et accroître votre avoir. Par conséquent, on peut dire que notre société n'augmente pas son avoir par le crédit, mais plutôt par l'*utilisation* du crédit.

Crédit et pouvoir d'achat

Avant d'accepter votre promesse de payer et de vous faire crédit, un vendeur examine votre capacité de payer, qui peut dépendre de votre revenu, de vos épargnes ou de l'avoir que vous avez accumulé. Ainsi, plus vous avez la capacité concrète d'acheter, plus vous disposez de pouvoir d'achat.

Comme votre crédit proprement dit est fondé sur votre pouvoir d'achat, il est irréaliste de croire qu'on peut acheter plus à crédit que comptant. Il existe bien sûr certaines personnes qui achètent plus de biens que leur pouvoir d'achat réel ne leur permet, mais il s'agit là d'une mauvaise utilisation du crédit. En effet, celui-ci n'accroît que temporairement votre pouvoir d'achat. Il ne constitue donc qu'un moyen d'utiliser votre revenu futur pour garantir votre promesse de payer. De cette façon, il vous permet d'acquérir le plus tôt possible les biens et services que vous désirez.

Le crédit n'est solide que dans la mesure où la promesse de payer l'est. L'abus du crédit par les consommateurs et sa gestion déficiente créent des troubles financiers graves qui affectent notre économie et l'ensemble de notre société. En effet, la gestion imprudente du crédit cause du tort aux créanciers et aux débiteurs, et mine notre confiance dans le commerce en général. *La façon* de demander du crédit et *la décision* d'en demander ou non sont deux points qui méritent une attention particulière. Le crédit trop facilement accordé, les pertes exorbitantes sur les comptes de crédit, les faillites commerciales et personnelles découlent tous de l'abus du crédit.

Raisons d'être du crédit à la consommation

Du point de vue du vendeur ou du créancier, le crédit à la consommation ne sert qu'à une fin fondamentale – le profit. Pour le détaillant, le crédit augmente le chiffre d'affaires et crée, pour certains produits, une demande supérieure à ce qu'elle serait sans crédit. Pour le prêteur, le crédit constitue un placement qui procure un excellent rendement, puisque, à titre de débiteur, vous versez de l'intérêt sur le capital de votre emprunt.

Il demeure qu'il existe de nombreuses raisons d'emprunter – ou de recourir au crédit. D'abord, c'est pratique : grâce au crédit, vous n'avez plus besoin de garder d'importantes sommes d'argent sur vous. Vous pouvez aussi commander par téléphone ou par la poste à l'aide de votre carte de crédit. En outre, les versements mensuels sur les comptes de crédit facilitent la planification de votre budget personnel.

Il arrive fréquemment que le besoin vous force à utiliser votre crédit. Ainsi, des dépenses imprévues, le chômage temporaire, la consolidation de vos dettes, le paiement des primes d'assurance, des besoins accrus de liquidité à certaines périodes et les taxes sont tous des facteurs qui peuvent épuiser vos réserves limitées. Le crédit peut alors représenter le seul moyen de traverser ces moments difficiles.

Il ne faut pas oublier non plus le désir d'acquérir de nouveaux biens. Nombreux sont les consommateurs qui utilisent leur crédit pour améliorer leur mode de vie, pour effectuer des achats importants, pour prendre des vacances, pour acheter une maison ou pour acquérir des biens qui coûtent cher. Si ces achats sont planifiés et que le consommateur puisse finir de les payer, ce genre d'emprunt est justifié.

Enfin, il existe une dernière raison d'emprunter de l'argent, que l'on appelle l'emprunt stratégique : c'est lorsque vous utilisez l'argent d'un autre pour accroître votre avoir. Une myriade de règles fiscales permettent de réaliser des gains exonérés d'impôt. Pour en tirer parti, vous pouvez par exemple emprunter une certaine somme, puis l'investir; les intérêts gagnés sur le placement peuvent constituer un excellent rendement supérieur à l'intérêt que vous devez payer sur votre emprunt. (Ce genre d'opération devrait cependant être réservé à l'investisseur aguerri. Vous devez toujours en effet avoir la capacité de rembourser le capital.)

Le crédit personnel : un besoin

Comme nous l'avons mentionné plus tôt, il est possible que, souvent, le besoin vous force à emprunter de l'argent ou à utiliser votre crédit afin que vous puissiez surmonter une période difficile. Il vous est certainement arrivé de traverser des périodes où s'accumulent les dépenses imprévues – il faut remplacer le moteur de l'automobile, la plomberie du sous-sol, par exemple – et où vous avez dû trouver l'argent nécessaire. Il est donc primordial de prévoir dans votre budget personnel une allocation mensuelle vous permettant d'établir un fonds déstiné aux imprévus (voir le chapitre 2). Toutefois, il peut arriver que même le fonds déstiné aux imprévus le mieux planifié ne contienne pas tout l'argent nécessaire; c'est là que vous devez trouver d'autres solutions.

Normalement, vous disposez des options suivantes : cartes de crédit, emprunt bancaire, lignes de crédit personnel, protection contre les découverts, emprunt auprès de sociétés de prêt et versements échelonnés, lesquels peuvent être accordés par le vendeur. Chacune de ces options entraîne quand même certains coûts, et il est important que vous en soyez conscient. Bien que les intérêts (soit la somme que vous devrez verser en sus du montant emprunté) soient probablement votre principal souci, ils ne constituent pas la seule charge. C'est pourquoi, lorsque vous choisissez le type de crédit, vous devez vous poser certaines questions. Dans le cas d'un emprunt, vous devez savoir s'il est possible d'effectuer des paiements d'avance sans pénalité. La protection contre les découverts s'assortit-elle d'une charge minimale forfaitaire? Y a-t-il des frais d'utilisation de la carte de crédit outre les frais d'intérêt? Le coût à l'achat sera-t-il supérieur si le vendeur accepte des versements échelonnés en n'exigeant qu'un intérêt minime ou même aucun intérêt? On n'insiste jamais trop sur ce point : vous devez bien connaître le type de crédit que vous choisissez.

Le désir d'avoir du crédit personnel

De nombreux consommateurs utilisent le crédit pour satisfaire leurs désirs. Comme nous l'avons déjà dit, il s'agit d'une utilisation justifiée et responsable du crédit, à condition que la personne puisse payer ces désirs conformément aux règles qui régissent l'octroi de crédit. C'est au consommateur de décider s'il préfère d'abord se payer lui-même (voir chapitre 2) et de recourir au crédit pour augmenter son revenu. De cette façon, il peut profiter des avantages que procure une saine gestion du crédit personnel. Certains sont cependant des dépensiers invétérés : ils utilisent le crédit non pour compléter leur revenu, mais pour remplacer l'argent. Ce genre de problème est effectivement très répandu au Canada, quoi qu'il soit pratiquement ignoré. (Il est intéressant de noter que les États-Unis ont déjà diagnostiqué ce problème comme une maladie. Dans de nombreuses villes, des groupes de «Débiteurs anonymes» ont vu le jour; il s'agit d'organismes à but non lucratif qui fonctionnent à peu près de la même façon que les Alcooliques anonymes ou les Gamblers anonymes.) L'abus du crédit ou les mauvaises techniques de gestion financière, ainsi que l'endettement qui en découle, peuvent avoir des effets néfastes sur tous les aspects de la vie d'une personne. Il est donc primordial que vous révisiez constamment l'usage que vous faites de votre crédit. (Notamment, le montant de crédit que vous pouvez utiliser au besoin est-il raisonnable?)

De nombreux facteurs entrent en ligne de compte lorsqu'il s'agit d'évaluer ce qu'est un montant de crédit raisonnable. Il faut d'abord déterminer votre capacité de remboursement : pour ce faire, évaluez votre revenu futur, vos épargnes et l'avoir que vous pouvez revendre. À partir de là, vous pouvez établir votre ratio d'endettement, soit le rapport entre votre avoir net et vos dettes, qui indique le montant de crédit que vous pouvez utiliser. (Il se peut que vous désiriez prendre en compte la valeur totale de votre actif – voir État de l'avoir net, au chapitre 2 – mais l'emprunteur, lui, sera intéressé par votre actif courant seulement.)

Pour calculer votre ratio d'endettement, vous devez d'abord établir le total de vos charges fixes, comme vos paiements d'hypothèque ou votre loyer (plus les intérêts), vos taxes annuelles, vos frais de chauffage pour l'année et le total de vos dettes (factures, cartes de crédit, emprunts). Ce total ne doit pas représenter plus de 40 % de votre revenu brut.

Supposons par exemple que votre revenu mensuel brut soit de 2 400 $; 40 % de ce montant représentent 960 $, soit votre avoir net. Maintenant, additionnez vos charges fixes :

Versement hypothécaire mensuel : 650 $ (capital et intérêts)
Taxes annuelles (÷ 12) :   70 $ par mois
Frais de chauffage annuels (÷ 12) : 45 $ par mois

Total :765 $

Par conséquent, l'endettement mensuel acceptable dans votre cas est de : 960 $ − 765 $ = 195 $.

Selon cet exemple, vous pouvez effectuer des versements sur vos cartes de crédit et sur vos emprunts, ainsi que des versements échelonnés, jusqu'à concurrence de 195 $ mensuellement. Si vous dépensez plus que ce montant par mois, vous pouvez vous retrouver couvert de dettes. Cette somme de 195 $ correspond donc au maximum que vous pouvez acheter à crédit chaque mois.

Il est possible que le calcul de votre situation de crédit révèle que vos finances sont sur la bonne voie : vous ne dépensez pas trop et respectez votre ratio d'endettement. Cependant, d'autres sont moins chanceux, comme ceux qui ont contracté de mauvaises habitudes à l'égard du crédit, ce qui leur a valu une basse cote de crédit. Si vous faites partie de cette catégorie, sachez qu'il existe des façons d'améliorer votre cote. La première étape consiste à comprendre à quoi sert un bureau de crédit et de quelle façon il influe sur votre cote de crédit.

Un bureau de crédit est un centre grâce auquel des entreprises de crédit à la consommation peuvent exercer leurs activités avec un degré raisonnable de sécurité et qui a été établi afin de permettre aux créanciers d'échanger de l'information concernant des consommateurs communs. De façon générale, ce sont des particuliers qui sont propriétaires des bureaux de crédits et qui les exploitent; ceux-ci sont normalement spécialisés dans l'information portant sur le crédit à la consommation. Les créanciers membres d'un bureau de crédit paient une cotisation qui leur donne accès à certains services assurés par le bureau. Un de ces services est la consultation d'informations à jour sur votre situation financière.

Le bureau de crédit tire ces informations de votre utilisation du crédit et de vos demandes de crédit. Lorsque vous demandez du crédit, vous devez remplir une formule de demande; cette étape est souvent accompagnée d'une entrevue, mais, de plus en plus fréquemment, on vous remet d'abord les formulaires nécessaires que vous devez retourner dûment remplis.

Cette nouvelle méthode peut contribuer jusqu'à un certain point à l'abus du crédit par les consommateurs. En effet, une entrevue permet au représentant de l'entreprise d'informer la personne sur la bonne façon d'utiliser son compte, et le consommateur peut poser des questions ou discuter de ses inquiétudes face à l'obtention du privilège de crédit.

Ce manque de contact personnel ne fait qu'accentuer le besoin du créancier de vérifier l'information que vous avez donnée sur vous-même ou sur vos antécédents au point de vue du crédit. Le créancier doit donc vérifier que vous n'avez omis aucun renseignement, intentionnellement ou non. Souvent, le client éventuel supposera que l'information qu'il donne n'est pas adéquate. Les créanciers ne cherchent pas nécessairement la «petite bête», ils désirent plutôt confirmer la valeur de votre crédit.

Une fois que vous avez remis votre formulaire, le créancier transmet au bureau de crédit une demande de mise à jour de votre dossier personnel. Cette demande est normalement transmise par téléphone, et le créancier doit donner un code d'identification afin d'obtenir l'information désirée. Premièrement, le demandeur donne les renseignements appropriés tirés de votre formulaire au représentant du bureau, soit : votre nom, vos adresses (courante et passées), le nom de vos employeurs (courant et passés), votre numéro d'assurance sociale et toute information permettant de vous identifier. Le bureau confirme alors les renseignements donnés (le cas échéant). Il donne ensuite au demandeur un court rapport de vos antécédents en matière de crédit ainsi que votre cote.

Celle-ci peut se situer entre C-1 et C-9 et est évaluée en fonction de la capacité à rembourser les dettes dont vous avez fait preuve par le passé. Ainsi, C-1 indique que vous respectez les conditions convenues et que vous remboursez dans les 30 jours qui suivent la date de facturation. C-2 signifie que vous ne remboursez pas selon les modalités du contrat, mais que vous n'avez pas plus d'un paiement en souffrance. Cela est acceptable compte tenu de la livraison du courrier, des périodes de facturation et des variations de liquidité. La cote C-3 indique qu'il peut y avoir un problème : vous ne payez pas comme convenu et deux versements sont en souffrance. Les cotes deviennent ensuite de plus en plus mauvaises et révèlent l'existence de problèmes financiers de plus en plus graves jusqu'à ce qu'on arrive à C-8, qui indique que le créancier a repris possession de sa marchandise. Une cote C-9 désigne une mauvaise créance, à l'égard de laquelle des procédures de recouvrement ont pu être intentées, ou peut signifier que le créancier a perdu tout contact avec le débiteur, qui ne peut être localisé. Cette cote peut également indiquer que vous allez déclarer faillite.

Une fois que le créancier connaît vos habitudes de crédit courantes, le bureau lui donne toute l'information voulue concernant les recouvrements en cours, les jugements des tribunaux ou les poursuites intentées contre vous. Son rapport traitera également de tous les recouvrements achevés – ceux-ci figurent à votre dossier pour une période de six ans, et les jugements, pour une période de vingt ans.

Le bureau de crédit doit en outre faire part de toute contestation écrite figurant dans votre dossier relative à des problèmes qui ont pu exister entre vous et un prêteur, une entreprise de vente au détail ou un particulier. Il est possible que le créancier éventuel désire des renseignements supplémentaires; moyennant des frais, il peut alors demander que le bureau vérifie certaines des références que vous avez indiquées ou qu'il confirme et mette à jour certaines des informations données.

Rappelez-vous toutefois que ce dossier vous concerne et que les créanciers ne sont pas les seuls à pouvoir y accéder – vous en avez aussi le droit. La loi vous accorde également le droit de contester par écrit la totalité ou une partie des informations qui ont été données. Vous pouvez consulter votre dossier en tout temps durant les heures d'ouverture normales. Si vous téléphonez et prenez un rendez-vous, une personne examinera votre dossier avec vous, mettra l'information personnelle à jour (c'est-à-dire votre état civil, votre emploi, etc.) et vous expliquera ce que chaque élément d'information signifie et d'où il provient. Vous pouvez également, pour des frais minimes, obtenir un exemplaire de votre dossier.

Faire part de vos inquiétudes concernant votre dossier au bureau de crédit constitue la première étape à franchir en vue d'améliorer l'état de votre crédit. Il faut ensuite que vous discutiez franchement avec ceux à qui vous devez de l'argent. Nombre de gens se trouvent à un moment donné dans une situation où ils ne peuvent pas respecter leurs obligations pour une courte période de temps, que ce soit à cause d'une maladie, de chômage temporaire ou d'une baisse de liquidité imprévue. Plutôt que de cesser d'effectuer vos versements, communiquez avec vos créanciers et expliquez-leur votre situation. Si vous les avisez immédiatement, il seront probablement fortement enclins à vous traiter équitablement. Si vous ne le faites pas, ils n'ont d'autre choix que de supposer que vous ne payerez pas.

Mettez-vous à leur place un moment. Supposons que vous prêtiez 50 $ à un ami qui s'engage à vous rembourser le vendredi. Arrive le lundi suivant et vous n'avez pas de nouvelles de cette personne. Le mercredi, vous l'apercevez qui marche vers vous et qui entre précipitamment dans un magasin ou qui emprunte la première rue transversale dès qu'elle vous voit. Comment réagiriez-vous? Que penseriez-vous?

Supposons maintenant que votre ami vous ait appelé le vendredi pour vous annoncer qu'il lui était impossible de vous rembourser avant une ou deux semaines, mais qu'il vous enverrait un chèque postdaté à la fin du mois. Vous feriez probablement preuve de compréhension et accepteriez cette offre. Les créanciers réagissent de cette même façon, et ce pour deux raisons. Non seulement ils désirent conserver de clients qui fassent preuve de bonne volonté, mais il est de leur intérêt de suspendre les versements pour un mois ou deux, ou encore d'accepter des versements partiels, en sachant que les paiements normaux reprendront lorsque le client pourra de nouveau les assumer. De cette façon, ils ne courent pas le risque de perdre le solde de leur créance.

Un créancier sera également heureux de régler le problème personnellement avec vous, puisque la seule autre solution (autre que de subir une perte) consiste à recourir aux services d'une maison de recouvrement pour obtenir l'argent que vous lui devez, ce qui est très onéreux. En effet, que l'agence de recouvrement soit intégrée au bureau de crédit ou indépendante, le créancier devra lui verser, en guise de frais de recouvrement, entre 33 et 50 % du solde en souffrance. En outre, dès qu'un compte est recouvré, il est illégal d'exiger des intérêts sur le montant qui était en souffrance.

Si vous vous endettez à cause de votre crédit, il existe une autre façon d'améliorer votre situation : former un concordat que vous pouvez établir vous-même ou en faisant appel à un syndic. Dans le cadre d'un concordat, on demande à tous les créanciers d'accepter un versement mensuel déterminé au lieu du versement exigible. On recourt généralement de préférence à cette solution lorsque la baisse de revenu ou de capacité de remboursement est temporaire. Le paiement méthodique des dettes s'effectue plus ou moins de la même façon, sauf qu'un syndic est nommé pour représenter le particulier. Dans la plupart des cas, le syndic vous aidera à décider quels créanciers ont la priorité, c'est-à-dire lesquels seront remboursés les premiers – d'où le nom de «paiement méthodique des dettes». (Notons toutefois que cette formule ne s'applique pas au Québec.)

Dans de nombreuses provinces, le gouvernement vient en aide aux gens qui sont en butte à de graves difficultés financières. Cette aide est dispensée par la *Debtor's Assistance Branch* (Direction générale de l'aide aux débiteurs), qui est placée sous l'égide du ministère de la Consommation. Ce service donne aux consommateurs l'occasion de discuter de leur situation avec un conseiller dûment formé qui peut donner un avis impartial sur la situation. Ces conseillers peuvent suggérer des solutions aux problèmes ou représenter le client lorsque celui-ci doit traiter avec ses créanciers. Le service peut également prendre les mesures voulues en vue du paiement méthodique des dettes et vient en aide aux particuliers et aux entreprises qui envisagent de déclarer faillite.

Cartes de crédit

La façon dont vous vous servez de votre carte de crédit pour vos dépenses indique aux créanciers quel degré de risque ils assument en vous accordant du crédit. Si vous utilisez votre carte intelligemment – c'est-à-dire si vous effectuez vos versements régulièrement – vous n'aurez probablement pas de difficulté à obtenir du crédit. Par contre, si vous vous en servez de manière irréfléchie, il est certain que vous aurez de la peine à emprunter les sommes dont vous avez besoin.

Les cartes de crédit présentent toutefois un attrait certain. Premièrement, elles sont utiles – vous n'avez pas besoin de garder d'importantes sommes d'argent sur vous. De même, elles vous permettent d'effectuer des achats sans avoir d'argent, par exemple, la veille du jour de paie.

Grâce aux cartes de crédit, vous pouvez également emprunter de l'argent à l'émetteur pour une certaine période, entre 21 et 25 jours par exemple et, dans la mesure où vous payez le solde en entier, aucun intérêt ne sera exigible. Le temps qui s'écoule entre la date de l'achat et la date de facturation vous permet donc d'obtenir des intérêts sur l'argent que vous avez gardé dans votre compte d'épargne plutôt que le dépenser pour l'achat.

Les cartes de crédit vous aident en outre à établir un budget précis, puisqu'elles fournissent un relevé de toutes les dépenses, avantage particulièrement précieux au moment de remplir votre déclaration d'impôt. Finalement, elles vous donnent la possibilité d'acheter des articles qui ne sont normalement achetés qu'au fur et à mesure de leur utilisation. Par exemple, si les papiers mouchoirs sont en vente à un certain moment, votre carte de crédit peut vous permettre d'en acheter une grande quantité.

Malheureusement, les problèmes sont trop fréquemment attribuables à l'attitude du consommateur lorsqu'il utilise ses cartes de crédit. La capacité d'acheter à crédit modifie souvent la perception d'une personne concernant la valeur de l'argent. Il arrive trop souvent que les gens dissocient l'achat à crédit et la dépense; c'est pourquoi ils dépensent plus qu'ils n'en ont les moyens.

L'achat à crédit suscite également une attitude fondée sur le fait de «profiter maintenant et payer plus tard» chez certains. Ils adoptent donc la mentalité selon laquelle «demain n'arrive jamais», mais, lorsque ce jour arrive, ils se retrouvent dépourvus d'argent.

L'utilisation intelligente du crédit repose sur certaines règles simples. Premièrement, il faut décider du nombre et du genre de cartes dont vous avez réellement besoin. Il existe trois types de cartes de crédit : la carte à usage limité, la carte à but limité et la carte polyvalente.

Les cartes à usage limité sont exactement conformes à ce que leur nom signifie. Normalement, elles ne sont utilisées que pour acheter les biens et services offerts par l'émetteur. Les cartes émises par les grands magasins, les entreprises de location de voitures et les hôtels en sont un bon exemple, tout comme les cartes d'appels interurbains.

Les cartes à but limité sont légèrement différentes de la première catégorie. Les cartes des sociétés pétrolières, par exemple, servent la plupart du temps à acheter chez la société émettrice de l'essence, de l'huile et du matériel pour l'automobile et le bateau. Elles sont cependant souvent acceptées par les concurrents lorsque vous achetez leurs produits et services. Ces cartes peuvent encore être utilisées en voyage, pour réserver des chambres ou obtenir des services connexes.

La fin des années cinquante a été témoin de l'avènement de la première carte universelle et polyvalente. Diners Club et American Express ont été les deux premières. De nos jours, Visa et MasterCard leur font sérieusement concurrence. Toutes ces cartes sont largement utilisées partout dans le monde et permettent au détenteur d'acheter, auprès des entreprises les plus diverses, une gamme quasi illimitée de biens et services variés.

Il est important de mentionner l'existence de la carte de débit. Celle-ci peut être utilisée de concert avec une carte de crédit émise par un établissement financier, ou elle peut être indépendante. Bien qu'il n'y ait pas de frais d'utilisation (à part les frais de débit réguliers) au guichet automatique, il est extrêmement important de surveiller la fréquence avec laquelle vous y avez recours. Il est toutefois vrai qu'elle s'avère très pratique. Il faut quand même que vous vous demandiez si, justement, elle ne le serait pas trop.

Vous trouverez au tableau 4.1 ci-dessous une liste des cartes de crédit les plus fréquemment utilisées, avec les frais d'intérêts et les frais d'utilisation, le cas échéant. Il est possible, dans le cas de certaines cartes, de faire une demande pour différentes catégories de crédit. Par exemple, la plupart des émetteurs possèdent une carte haut de gamme qui prévoit des limites de crédit plus élevées et confère certains privilèges.

Tableau 4.1

Nom	Intérêts par an	Frais	Conditions spéciales
American Express	entre 35 et 50 $	fixes	solde exigible chaque mois
MasterCard	entre 16,5 et 21 %	s/o	
Visa	entre 15,9 et 18,6 %	frais annuels fixes ou frais d'utilisation entre 0,15 $ et 0,25 $ par opération	
Eaton	28,8 %		
La Baie	28,8 %		
Sociétés pétrolières	24,0 %		
Woolco	28,8 %		
K-Mart/Kresge	28,8 %		
Zellers	28,8 %		

À l'exception des avances de fonds tirées sur les cartes bancaires, il n'y a aucun frais d'intérêt à payer pour une carte de crédit si le solde est payé intégralement avant la date où il devient exigible. Le cas des avances des fonds (c'est-à-dire lorsque vous allez dans un établissement financier pour obtenir une avance en espèces à l'aide de votre carte de crédit) est toutefois particulier sur le plan des intérêts. En effet, ceux-ci sont comptés à partir du moment où vous obtenez l'argent. Il est bon de faire remarquer que si vous avez besoin d'une somme importante, il serait plus avantageux d'envisager d'autres moyens d'obtenir l'argent (voir Prêts personnels).

Lorsque vous comparez les diverses cartes de crédit, il est bon de respecter les mêmes règles que pour l'achat d'une voiture, pour une demande d'emprunt ou pour toute autre opération mettant en jeu une somme d'argent. Apprenez à connaître votre produit. Trop souvent, vous ne prenez pas le temps de lire les clauses secondaires. Les conditions, taux et frais devraient être précisés au verso de votre relevé. Si tel n'est pas le cas, exigez de votre émetteur qu'il vous donne ces informations.

Les gens ont tendance à se soucier peu des quelques dollars qui sont déduits chaque mois, en pensant que ces montants négligeables n'ont que peu d'incidence sur leur budget. Toutefois, remplissez la formule 4.2 qui suit, et vous verrez quel montant ces frais d'intérêt constituent au bout d'une année. Prenez les relevés mensuels de l'année dernière pour chaque carte de crédit que vous détenez et notez les montants que vous avez payés en intérêts. Assurez-vous de compter une année entière, car certaines dépenses sont saisonnières (par exemple durant la période des Fêtes ou les vacances estivales). Puis additionnez ces montants.

Formule 4.2

Intérêts annuels – Cartes de crédit

Cartes de crédit :				
Janvier				
Février				
Mars				
Avril				
Mai				
Juin				
Juillet				
Août				
Septembre				
Octobre				
Novembre				
Décembre				
Total par carte :				

Total global : _____

Vous trouvez le total révoltant? Dans l'affirmative, il se peut que les cartes de crédit ne vous conviennent pas. Cet exercice sert à vous faire prendre conscience du fait que ces «montants négligeables» s'ajoutent les uns aux autres. Il vous montre en outre que votre salaire annuel net se trouve amputé du montant qui figure à la dernière ligne de la formule. C'est comme si vous aviez brûlé vous-même ces billets. Il serait idéal, bien sûr, que ces intérêts vous reviennent et que vous puissiez les utiliser à votre avantage.

Bien que ce soit souvent le besoin qui rende le recours au crédit nécessaire, il vous faut maintenant examiner exactement quels achats vous avez effectués à l'aide de votre carte. Vous en servez-vous pour de bonnes raisons? Presque toutes les entreprises dans le monde acceptent une ou la totalité des trois principales cartes de crédit (MasterCard, Visa, American Express). Comparez les taux d'intérêt qu'elles appliquent à ceux des cartes dont l'usage est moins répandu. Si vous avez absolument besoin de cartes de crédit, il se peut que vous en utilisiez un trop grand nombre. Peut-être devriez-vous plutôt vous limiter à une seule carte acceptée partout? Nombre de spécialistes suggèrent d'ailleurs que deux cartes suffisent. Aujourd'hui, dans le monde de la finance, c'est à vous qu'il incombe de contrôler vos dépenses personnelles et le crédit que vous utilisez. Bien que des enquêtes de crédit soient effectuées pour chaque nouvelle demande de carte, souvenez-vous que vos créanciers bénéficient également de l'utilisation que vous faites de votre carte. Si vous avez une source de revenu régulière et que vous puissiez prouver que vous êtes un consommateur responsable, il n'est pas rare que vous puissiez demander et recevoir jusqu'à cinq différentes cartes Visa, trois cartes MasterCard, une carte American Express, plusieurs cartes de crédit de grands magasins et des cartes des principales sociétés pétrolières. Supposons des limites de crédit de 2 500 $ par carte, et il est facile d'imaginer les éventuels résultats désastreux qui peuvent résulter d'une mauvaise gestion de ces cartes.

Évitez d'utiliser votre carte pour acquitter la facture pour un groupe de personnes. Prenons par exemple une sortie dont les frais sont partagés : un des invités décide d'utiliser sa carte pour payer, et les autres lui remettent leur part en espèces. Combien de fois cet argent finira-t-il par être dépensé ailleurs? Arrive la fin du mois, et la personne se voit dans l'obligation désagréable de payer la totalité de la facture, et pas seulement sa part.

De même, demandez-vous si le taux d'intérêt applicable à sur votre carte, qui peut atteindre 28,8 %, ne représente pas une somme un peu trop élevée à payer en sus de votre dette, lorsque vous savez que vous ne pourrez pas rembourser le solde à la fin du mois. Dans la plupart des cas, la réponse est affirmative; vous devriez alors envisager de recourir à d'autre formes de crédit, qui se révéleront moins onéreuses.

Ligne de crédit personnel

Une ligne de crédit personnel obtenue de votre banque est une option à examiner. Son principal avantage ? Sa souplesse, puisque vous n'avez pas besoin d'attendre l'approbation de la banque chaque fois que vous désirez emprunter. Si vous avez un emploi et une bonne cote de crédit, vous devriez être admissible à une ligne de crédit ; bien que celle-ci soit différente d'une protection contre les découverts, elle possède essentiellement les mêmes caractéristiques. Imaginez que la banque dépose dans votre compte de l'argent (jusqu'à concurrence d'un montant déterminé) qui vous permet de disposer en tout temps d'une somme supérieure à votre solde.

(De son côté, la protection contre les découverts vous permet de retirer plus d'argent qu'il n'y en a dans votre compte sans encourir de pénalité. Toutefois, le taux d'intérêt est supérieur à ce que vous payeriez dans le cas d'une ligne de crédit personnel.)

La ligne de crédit personnel fonctionne de la façon suivante : la banque vous a accordé une ligne de crédit de 3 000 $. Vous avez 200 $ qui vous appartiennent dans votre compte. Votre solde devient donc 3 200 $ (soit un solde en espèces de 200 $ + une ligne de crédit de 3 000 $). Vous pouvez par conséquent tirer un chèque sur ce compte pour un montant peuvent atteindre 3 200 $. Par contre, si vous tirez un chèque de 2 500 $, votre solde en espèces tombe à zéro, mais vous pouvez encore utiliser 700 $ de votre ligne de crédit. Ensuite, supposons que vous déposiez 500 $. Le solde en espèces reste encore à zéro, mais le solde disponible de votre ligne de crédit atteint maintenant 1 200 $. Vous tirez un autre chèque de 1 200 $. Résultat : solde en espèces, zéro, solde de la ligne de crédit, zéro également. Ce n'est que lorsque vous aurez remboursé *la totalité de la ligne de crédit* que vous pourrez récupérer vos 200 $.

La plupart des banques et caisses populaires exigent que vous déposiez mensuellement dans votre compte au moins 5 % de votre ligne de crédit. Si vous gardez continuellement votre ligne de crédit à la limite maximale, le prêteur finira par vous demander de fournir des garanties additionnelles, ou un relevé à jour de votre avoir net.

Les lignes de crédit personnel comportent généralement un intérêt au taux préférentiel majoré de 2 % pour les sommes importantes, ou même majoré de 5 % dans le cas des découverts moins élevés. Ce taux est malgré tout toujours inférieur au taux exigé par toutes les cartes de crédit.

Emprunt bancaire

Lorsque vous avez besoin de consolider des dettes importantes ou d'acheter des articles de consommation onéreux mais nécessaires dans votre quotidien, vous pouvez envisager de contracter un emprunt bancaire au lieu d'utiliser d'autres formes de crédit. Dans nombre de cas, vous pouvez épargner des sommes importantes en intérêts en empruntant à une banque.

Vous devriez solliciter un emprunt auprès d'une banque uniquement si vous estimez que cela vous prendra plus d'un mois pour rembourser et vous ne voulez donc pas utiliser une carte de crédit, dont le taux d'intérêt peut atteindre 28,8 %. Ne pensez même pas aux autres sociétés de financement, car, dans bien des cas, elles exigent des intérêts à des taux qui peuvent approcher 30 %, soit environ le triple du taux que vous pourriez payer avec un emprunt bancaire.

Quoi qu'il en soit, comparez les prix. Ne vous contentez pas de voir le préposé aux prêts et de signer ensuite sur la ligne pointillée. Demandez-lui plutôt quel est le taux d'intérêt sur un prêt à la consommation standard, sans garanties. Si, toutefois, vous disposez de certaines garanties, comme un certificat de placement garanti ou une obligation d'épargne du Canada, vous devriez pouvoir obtenir une légère réduction du taux d'intérêt.

Demandez-lui également quels seraient vos versements mensuels (afin que vous puissiez savoir si votre budget vous le permet), et s'il y a des frais additionnels, par exemple des frais d'administration ou de service. Il serait bon aussi de déterminer si des pénalités sont prévues en cas de remboursements anticipés. Parlez-lui franchement, afin de vous assurer que les deux parties comprennent et acceptent les clauses de l'entente. Les emprunts inférieurs à 5 000 $ sont habituellement remboursés dans une période maximale de 48 mois, tandis que les emprunts supérieurs à cette somme, selon les circonstances et les garanties, peuvent bénéficier d'échéances allant jusqu'à 84 mois.

Si vous exploitez un commerce et que vous ayez besoin d'un

prêt bancaire, des règles particulières s'appliquent. Il y a également des frais d'administration payables sur votre compte commercial, et vous devrez probablement fournir plus de garanties pour emprunter la même somme qu'une personne salariée.

De nos jours, les banques offrent également de l'assurance-maladie et accident qui garantit le remboursement de votre emprunt si vous tombez malade et que vous ne puissiez pas travailler, ou si vous vous blessez au travail et que vous vous retrouviez en congé de maladie pour une période indéterminée. Le coût de l'assurance s'ajoute au coût de l'emprunt.

Hypothèque et crédit hypothécaire

Une hypothèque constitue sans aucun doute l'emprunt le plus important que de nombreux Canadiens contractent au cours de leur existence. Et ce n'est sûrement pas un mauvais investissement, puisque, lorsque vous aurez fini de rembourser votre hypothèque, vous serez propriétaire d'un bien immobilier, lequel procure toujours un bon rendement.

L'établissement qui fournit les fonds vous permettant d'acheter une propriété détient une hypothèque sur celle-ci. Une hypothèque est une sûreté ou une charge qui grève votre propriété jusqu'à ce que l'emprunt soit remboursé. Remarquez que le terme «hypothèque» s'applique spécifiquement aux biens immeubles (terrains). Une sûreté ou une charge grevant d'autres types de biens s'appelle une «hypothèque mobilière».

Théoriquement, il n'y a aucune limite quant au nombre d'hypothèques pouvant grever une propriété. Elles prennent rang selon la date à laquelle elles ont été enregistrées aux bureaux d'enregistrement des titres fonciers que l'on retrouve dans tout le pays. Le titre hypothécaire même peut également préciser l'ordre de priorité. La première sûreté hypothécaire enregistrée s'appelle «première hypothèque», la deuxième, «deuxième hypothèque», etc. Chaque hypothèque prend rang avant celle qui lui succède – c'est-à-dire que chacune doit être intégralement remboursée avant que la suivante puisse assurer l'exercice d'un droit quelconque. Le détenteur de la première hypothèque doit donc être remboursé intégralement avant que le détenteur de la seconde hypothèque puisse recevoir quelque somme que ce soit.

Les principaux fournisseurs de capitaux destinés à l'achat de propriétés immobilières sont : les banques, les sociétés de fiducie, les caisses populaires, les sociétés de crédit hypothécaire et les compagnies d'assurance. Certaines expressions sont couramment utilisées dans le domaine des emprunts hypothécaires :

Amortissement : Il s'agit de la période nécessaire pour rembourser l'hypothèque (capital et intérêts), sous réserve que le remboursement s'effectue comme convenu. La période d'amortissement la plus courante est de 25 ans pour une première hypothèque, et de 10 à 15 ans pour une deuxième hypothèque.

Durée : Il s'agit de la période pour laquelle l'hypothèque reste en vigueur; au terme de cette période, l'hypothèque doit être renouvelée. Les échéances vont maintenant de 6 mois à 5 ans. La plupart des prêteurs renouvellent l'hypothèque à l'échéance à un taux d'intérêt révisé qui tient compte des taux d'intérêt en vigueur à ce moment-là.

On retrouve également les termes suivants : «débiteur hypothécaire», c'est-à-dire celui qui emprunte, et «créancier hypothécaire», c'est-à-dire celui qui prête l'argent.

Hypothèque ordinaire

Une hypothèque ordinaire est une hypothèque dont le montant maximal représente une proportion déterminée à partir de la valeur établie du bien (terrain et édifice). Cette proportion est actuellement de 75 %. Ainsi, en vertu d'une hypothèque ordinaire, le montant maximal qu'un prêteur engagerait pour un bien dont la valeur établie est de 100 000 $ serait de 75 000 $. La valeur établie n'est pas nécessairement équivalente au prix d'achat, particulièrement pendant les périodes où la valeur des propriétés subit des poussées rapides. En supposant que le prix d'achat, dans notre exemple, soit également de 100 000 $, l'emprunteur devrait fournir 25 000 $.

Hypothèque à rapport élevé

Dans le cas d'une hypothèque à rapport élevé, le pourcentage de la valeur établie qui détermine le montant maximal de l'hypothèque est augmenté à 90 % de la première tranche de 80 000 $ et à 80 % du solde. Par conséquent, pour une valeur établie de 100 000 $, l'hypothèque maximale serait de 88 000 $. Les hypothèques à rapport élevé sont toujours couvertes par une assurance-hypothèque. (Il ne s'agit pas d'une assurance-vie comme celle qui est offerte par certains prêteurs hypothécaires lorsqu'une hypothèque est contractée, où c'est la vie du débiteur hypothécaire qui est assurée.) Ce ne sont toutefois pas les créanciers hypothécaires qui fournissent cette assurance-hypothèque. Il existe plutôt deux sources principales d'assurance, soit : la Compagnie d'assurance d'hypothèques du Canada (C.A.H.C.) et la Société canadienne d'hypothèque et de logement (S.C.H.L.), société d'État qui exerce ses activités en vertu de la Loi nationale sur l'habitation. Aucune de ces deux sociétés ne fournit de fonds hypothécaires; elles ne font qu'offrir une assurance dans le cas d'hypothèques à rapport élevé.

Hypothèque avec privilège de remboursement anticipé

Une hypothèque avec privilège de remboursement anticipé permet à l'emprunteur d'effectuer des versements anticipés pendant la durée du contrat, soit habituellement entre six mois et un an, afin de réduire le capital exigible. L'hypothèque peut être remboursée intégralement sans pénalité, mais les taux d'intérêt sont généralement supérieurs.

Hypothèque sans privilège de remboursement anticipé

Dans le cas d'une hypothèque sans privilège de remboursement anticipé, il est impossible d'effectuer des versements anticipés, mais vous pouvez faire un paiement chaque semaine, toutes les deux semaines ou chaque mois. En outre, 10 % du capital peuvent généralement être remboursés chaque année à la date anniversaire de l'hypothèque.

Lorsque vous désirez contracter une hypothèque, il est primordial que vous preniez soin de trouver celle qui vous convient le mieux. Il existe plusieurs façons de vous assurer que vous obtenerez l'hypothèque la moins chère, tirez-en donc le meilleur parti : vous pourrez alors payer le moins possible d'intérêts et disposer de plus de revenu que vous pourrez dépenser ailleurs.

Encore une fois, comparez les différentes offres. Vérifiez les taux en vigueur à votre banque, puis allez voir aussi chez les compagnies de fiducie et d'assurance. L'écart des taux peut prendre une importance considérable au cours des dix années habituellement nécessaires pour rembourser une hypothèque. Vous devriez envisager également de demander à votre famille de vous avancer le montant de l'hypothèque au lieu de vous adresser à une banque. Assurez-vous toutefois qu'il s'agit d'une deuxième hypothèque lorsque vous avez besoin de fonds additionnels, car le deuxième établissement prêteur peut légalement exiger un taux d'intérêt supérieur sur le solde qu'elle détient.

En outre, prévoyez un versement initial le plus élevé possible lorsque vous contractez une hypothèque, et remboursez le capital aussi vite que possible. (C'est dans ce cas que l'hypothèque ouverte présente le plus grand avantage – si vous pouvez en obtenir une, vous n'aurez aucune pénalité à payer si vous remboursez à l'avance.) Plus vite vous remboursez votre hypothèque, moins vous aurez d'intérêts à verser au créancier. C'est pourquoi il est recommandé de choisir la plus courte période d'amortissement possible sans que cela nuise à votre vie quotidienne.

(Note : Il est possible qu'il ne soit pas avantageux, dans certains cas, de rembourser entièrement une hypothèque. Consultez un comptable qui pourra évaluer vos rentrées et sorties de fonds pour voir si vous ne devriez pas tenir compte de certains avantages après impôts avant de rembourser votre hypothèque.)

Le tableau 4.3 montre la différence sur le plan du coût total d'un emprunt de 50 000 $ portant intérêt à 10 %, en fonction de deux périodes d'amortissement différentes.

Tableau 4.3

Période d'amortis-sement	*Versements mensuels*	*Intérêts*	*Montant de l'emprunt*	*Coût total*
25 ans	447,25 $	84 175 $	50 000 $	134 175 $
15 ans	531,14 $	45 605,20 $	50 000 $	95 605,20 $
Différence	83,89 $	38 569,80 $		

Il serait bon également de vérifier si votre prêteur hypothécaire vous permettra d'effectuer des versements toutes les deux semaines ou chaque semaine au lieu des paiements mensuels habituels. Au tableau 4.3, un versement hebdomadaire ramènerait la période d'amortissement de 25 ans à 16 années et demie.

Lorsque vient le temps de renouveler votre hypothèque, il vous en coûtera probablement moins de traiter avec le même prêteur, car vous eviterez de payer les frais d'annulation de votre ancienne hypothèque et d'assumer de nouveaux frais juridiques et d'évaluation pour contracter une nouvelle hypothèque. Examinez quand même encore ce que d'autres vous offrent. Il peut être parfois avantageux de traiter avec un autre prêteur.

Il serait peut-être bon, lorsque vous renouvelez l'hypothèque, de réduire la période d'amortissement du nombre d'années écoulées. Par exemple, si votre hypothèque calculée sur une période de 25 ans vient à échéance au bout de trois ans, renouvelez-la en fonction d'un amortissement de 22 ans.

Conclusion

Comme nous venons de le voir, l'utilisation du crédit est répandue et variée. Employé intelligemment, il représente un avantage et peut améliorer votre mode de vie. Dans le cas contraire, il sera la source de maux de tête et de désastres. Il s'agit de votre vie, et vous pouvez améliorer votre situation à la fois en utilisant sainement votre crédit et en faisant preuve de bon sens dans la gestion de vos finances. Vous contribuerez en outre de cette façon à rendre le système de crédit plus efficace et plus souple.

CHAPITRE 5 | Placements

L e secret pour vous assurer un avenir stable sur plan financier est d'effectuer des placements qui rapportent. Comme nous l'avons déjà signalé, vos placements peuvent prendre des formes très diverses : il peut s'agir, notamment, de l'épargne (placements à plus ou moins court terme), de régimes d'épargne-retraite par le biais de régimes de retraite ou de REÉR (qui sont des placements à long terme) et de l'acquisition de biens comme une résidence familiale ou des polices d'assurance.

Le présent chapitre traitera d'autres formes de placements, ceux qui ne visent qu'un but spécifique, soit la production d'un revenu (pour des besoins courants ou futurs) et la plus-value.

De façon générale, vous n'entreprendrez un programme sérieux de placement qu'après avoir prévu, dans votre budget, certaines sommes destinées à l'acquisition d'autres biens. Cela signifie normalement que vous vous assurerez d'avoir d'abord mis de l'argent de côté pour votre épargne-retraite, pour vos épargnes à court et à long termes et pour la réalisation d'autres objectifs, par exemple l'éducation d'un enfant. Une fois ces objectifs et programmes pris en compte (outre vos frais de subsistance normaux), il se peut que vous disposiez de fonds excédentaires et que vous deviez envisager un programme de placement plus dynamique.

Il est aussi important de déterminer vos objectifs dans le cadre d'un programme de placement que dans celui de la planification financière. La première étape consiste donc à établir la raison d'être de ce programme. D'un côté, nous avons ceux qui effectuent des placements pour produire l'argent nécessaire à leurs besoins. Dans la majorité des cas, il s'agit de personnes âgées qui n'ont pas d'emploi ni d'entreprise, mais qui disposent d'importantes économies ou de revenus de retraite substantiels. Souvent, leur revenu de retraite ne suffit pas à répondre à tous leurs besoins financiers; c'est pourquoi ils placent l'argent qu'ils tirent d'autres sources pour produire assez de revenus annuels pour compenser ce manque.

De l'autre côté, nous avons ceux qui placent leurs fonds excédentaires, sans avoir besoin de revenu supplémentaire courant pour conserver leur mode de vie. Dans de nombreux cas, leurs objectifs de placement ne sont pas orientés vers le rendement annuel en liquidités, mais plutôt vers la plus-value – et ainsi vers l'augmentation de leur avoir net.

Il est évident que nombre d'entre vous se situent entre les deux extrêmes, et que vous recherchez un revenu régulier modeste pour vous aider à assumer vos dépenses courantes, tout en essayant d'augmenter la valeur de vos placements. Avant de nous pencher sur certains des modes de placement les plus populaires (et d'autres plus rarement utilisés), attardons-nous à quelques règles générales qui doivent vous guider lorsque vous établissez votre programme de placement.

• Déterminez clairement vos objectifs de placement. Avant d'acquérir un bien quelconque, vous devriez établir s'il vous permettra de produire un revenu à court terme ou une plus-value. La qualité d'un placement ne s'évalue pas dans l'abstrait. Vous pouvez considérer qu'un bon placement est celui qui satisfait vos attentes.

• La liquidité désigne la facilité avec laquelle un placement particulier peut être converti en espèces. Il est important que vous décidiez avec précision quel degré de liquidité vos placements doivent posséder. Par exemple, si vous négociez à la Bourse, vous pouvez habituellement vendre vos titres et obtenir votre argent dans un délai de quelques jours. Toutefois, si vous investissez dans des immeubles de rapport, il est possible que vous deviez attendre des mois avant de vendre votre propriété et de recevoir l'argent en contrepartie. Lorsque vous achetez un bien, interrogez toujours le vendeur sur la facilité de revente.

• La diversification désigne le fait de détenir divers types de biens. La plupart des conseillers en placement vous suggéreront de diversifier vos placements, afin que vous déteniez certains titres qui vous permettent de gagner des intérêts, et d'autres qui vous rapportent des dividendes; il est bon aussi d'avoir à la fois des placements à long terme, d'autres très liquides, et d'autres encore qui n'aient aucune liquidité. Lorsque vous effectuez des placements à la Bourse, la diversification signifie que vous détenez des actions dans des entreprises qui appartiennent à divers secteurs. Si vous n'achetez que des actions de sociétés pétrolières et que le prix du pétrole tombe, tous vos titres subiront une moins-value. Mais si vous détenez des actions dans des entreprises qui profitent de la baisse des prix du pétrole, il est possible que la valeur de ces actions augmente.

• Effectuer des bons placements exige généralement que l'on achète et vende constamment des titres. Rares sont les titres qui ne fluctuent pas avec une certaine régularité. Vous devez être en tout temps prêt à vendre certains de vos titres et à en acheter d'autres, selon la conjoncture. Nombre d'investisseurs heureux se fixent des «cibles», c'est-à-dire qu'ils décident à l'avance qu'ils vendront un titre lorsque celui-ci atteindra un cours déterminé, pour empocher alors leurs profits. D'autres surveillent simplement la valeur de leur portefeuille et prennent périodiquement des décisions. Tous les experts s'entendent cependant pour dire que l'erreur grave à éviter consiste à devenir si attaché à un titre qu'on ne peut jamais le vendre. Cela peut sembler étrange, mais ce genre de sentimentalité est particulièrement fréquente dans le cas de titres reçus en cadeau ou en héritage, ou lorsqu'il s'agit des premiers titres achetés. Attention de ne pas tomber dans ce piège.

• En général, il existe un lien étroit entre le degré de risque d'un placement et le revenu qu'il produit. Plus un placement est conservateur – ou sûr – moins il produira de revenus ou de plus-value. C'est là qu'intervient l'importance d'avoir déterminé clairement vos objectifs de placement. Si vous désirez que vos placements produisent des revenus pour votre subsistance, vous devriez recourir à des placements sûrs, conservateurs et présentant peu de risques. Si le revenu n'est pas important, mais que vous recherchiez la croissance du capital, vous devez être prêt à assumer des risques plus importants.

Il arrive quand même que certains placements rapportent un revenu annuel satisfaisant et réalisent *en même temps* une plus-value. Lorsque vous réussissez à choisir des placements qui satisfont à ces deux objectifs, vous pouvez vous considérer comme un investisseur émérite.

Il serait cependant erroné de supposer qu'un placement sûr constitue nécessairement un bon placement dans votre cas. Une croissance marquée du capital ne peut normalement être obtenue que si l'investisseur est prêt à prendre des risques. Lorsque vous avez mis des sommes de côté pour assumer vos autres obligations (comme la retraite, les épargnes à buts particuliers et à court terme, ainsi que vos frais de subsistance normaux), vous *devriez* être prêt à assumer certains risques pour en tirer des bénéfices.

• Calculer le rendement d'un placement consiste à mesurer le profit que vous en tirez à un moment particulier. Supposons par exemple que vous ayez acheté à 100 $ une Obligation d'épargne du Canada (OÉC) qui porte intérêt à 8,5 %. Votre rendement est de 8,5 %. Supposons encore que vous achetiez à 20 $ un titre sur lequel un dividende de 1 $ est versé. Le rendement à l'achat est de 5 %. Si le cours de l'action monte à 25 $, votre rendement baisse à 4 %. (Le rendement est calculé en fonction de la valeur courante, et non du prix d'acquisition, puisque l'on suppose que vous pourriez vendre le titre en question au cours en vigueur au moment de la vente.)

Ces exemples sont simples, mais il peut être plus difficile de calculer le rendement de certains placements, lorsqu'il s'étale sur plusieurs années, et qu'il peut être constitué à la fois d'un revenu et d'une plus-value. Mais le concept de rendement est utile lorsqu'il s'agit de comparer des placements. Normalement, quiconque recommande un placement peut vous renseigner sur le rendement courant ou prévu.

• Un autre point essentiel que vous devez prendre en compte, est l'incidence fiscale de vos placements, qu'il s'agisse d'un revenu annuel régulier ou des gains que vous réalisez à la vente de vos placements. Le rendement réel de votre placement est calculé en

fonction de ce qui vous revient après impôts. (La question de l'incidence des impôts sur le revenu provenant de divers types de placements est exposée en détail au chapitre 6.)
• Recherchez l'aide d'un professionnel. Selon la nature de vos placements, vous pouvez demander les conseils d'un courtier, d'un spécialiste en planification financière, d'un courtier immobilier, d'un agent d'assurance, d'un banquier, d'un avocat ou d'un comptable. On explique au chapitre 11 les services que chacun de ces conseillers peut vous offrir.
• Enfin, déterminez le degré de risque maximal que vous pouvez assumer. En effet, bien qu'il soit logique de prendre des risques pour atteindre des objectifs de plus-value, il est absurde d'effectuer des placements qui vous causeront des soucis ou qui vous feront passer des nuits blanches. Certains ne se préoccuperont pas des milliers de dollars qu'ils auront risqués dans le marché des denrées, tandis que d'autres se feront du mauvais sang à propos de leurs 100 actions de premier ordre de Bell Canada. Indépendamment de ce que les gens vous racontent, *si vous ne vous sentez pas à l'aise avec un placement particulier, n'y touchez pas.*

Des placements qui rapportent des intérêts

Le placement le plus sûr est habituellement celui qui rapporte des intérêts, par opposition à des dividendes, en d'autres termes, celui qui vise la plus-value. (Vous devez bien connaître au moins certains types de placement, dont plusieurs ont déjà fait l'objet du chapitre 3.) Dans la plupart des cas, ce type de placement est considéré comme un titre de dette, car, dans un certain sens, vous prêtez de l'argent à quelqu'un – que ce soit le gouvernement ou une banque – qui, en retour, vous verse des intérêts pour lui avoir permis d'utiliser votre argent. Comme dans le cas d'autres catégories de placement, plus vous acceptez de retarder le remboursement, ou plus l'emprunteur a besoin de cet argent, plus le taux d'intérêt que vous pourrez probablement obtenir sera élevé. Un emprunteur extrêmement sûr comme le gouvernement du Canada verse un taux d'intérêt moins avantageux qu'une société commerciale, laquelle peut être sûre également, mais pas autant qu'un gouvernement.

Lorsque vous envisagez ce type de placement, il est important d'examiner le taux d'intérêt versé, le degré de liquidité et le degré de sécurité. Ces deux derniers facteurs ont bien entendu une incidence sur le taux d'intérêt.

Obligations du gouvernement : Le mode d'épargne le plus répandu au Canada, à l'exception des comptes en banque, est sans aucun doute l'achat d' Obligations d'épargne du Canada (OÉC). Chaque année, le gouvernement met ces obligations en vente en date du 1er novembre. Elles peuvent habituellement être achetées une ou deux semaines avant cette date ou même quelques jours après (mais l'intérêt est versé annuellement seulement à partir du 1er novembre), et en aucun autre temps. À part certaines exceptions (comme le transfert à un tiers au décès, par exemple), les OÉC ne peuvent être vendues ni cédées à qui que ce soit d'autre que l'acheteur initial. En voici les principales caractéristiques :

• Le taux d'intérêt est généralement supérieur au taux le plus élevé qui puisse être versé sur un compte d'épargne.

• Elles peuvent être achetées sans frais auprès de la quasi-totalité des établissements financiers. De nombreux employeurs vous offrent également la possibilité d'acheter des OÉC dans le cadre de régimes d'épargne sur le salaire, ce qui vous permet de les payer par des déductions sur votre salaire. L'intérêt à payer dans le cadre de ces régimes est inférieur à l'intérêt que vous gagnez sur les obligations que vous achetez vous-même.

• Les OÉC peuvent être encaissées en tout temps à leur valeur nominale, plus les intérêts accumulés jusqu'à la fin du mois précédant le mois où vous en demandez le remboursement. Le seul cas où vous ne recevrez pas d'intérêts, c'est lorsque vous encaissez vos obligations avant le 1er février suivant l'achat. L'encaissement peut s'effectuer auprès de toute banque ou société de fiducie, et vous obtenez généralement tout de suite votre argent.

• Les intérêts peuvent être versés annuellement ou être composés pendant toute la durée de la vie de l'obligation. Les dates d'échéance des diverses obligations varient d'une émission à l'autre, mais la période se situe habituellement entre sept et huit ans. Vous pouvez en outre prendre des dispositions pour que les intérêts soient versés directement dans votre compte en banque.

• Au cours des dernières années, le gouvernement ne s'est pas engagé à verser d'intérêts fixes pendant la durée de la vie de l'obligation. Vous pouvez toutefois être presque certain que si les taux d'intérêts s'élèvent (ou baissent) sensiblement, le taux sur les obligations en circulation sera modifié en conséquence. Toutefois, un taux d'intérêt minimal est toujours versé pour chaque émission d'OÉC jusqu'à l'échéance.

Comme les OÉC sont tout à fait liquides et sûres, elles font partie du portefeuille de la plupart des investisseurs. Elles s'apparentent à un compte d'épargne du point de vue de la liquidité, mais elles portent intérêt à des taux généralement plus avantageux. Les intérêts versés sur les OÉC sont imposables comme les autres catégories d'intérêts et sont admissibles à la déduction au titre des revenus d'intérêts (voir au chapitre 6). Il est absolument *impossible* que la valeur des OÉC fluctue. Il est bon de signaler que les gouvernements fédéral et provinciaux émettent régulièrement d'autres types d'obligations. L'intérêt sur celles-ci est versé semi-annuellement et est concurrentiel, mais l'émetteur ne rembourse le montant de l'obligation qu'à une date bien déterminée. Le paiement garanti de l'intérêt sur ces obligations en font un placement très sûr, mais leur valeur peut subir d'importantes variations. Par exemple, si le gouvernement avait émis en 1985 une obligation qui rapportait 10,5 %, à la suite de la chute des taux d'intérêt en 1987, la valeur de l'obligation aurait augmenté. Et le contraire aurait été également vrai si les taux d'intérêt s'étaient élevés. Ces fluctuations existent parce qu'il ne doit pas y avoir un écart trop important entre le *rendement* des obligations en circulation et celui des autres obligations, ce qui signifie que les cours doivent augmenter ou baisser afin de produire le rendement approprié.

Ces obligations, qui sont généralement achetées et vendues par l'entremise d'un courtier, sont attrayantes puisqu'elles rapportent souvent des intérêts plus élevés que les OÉC. Si vous avez l'intention de les conserver jusqu'à l'échéance, c'est-à-dire de 3 à 20 ans (et parfois d'avantage) à partir de la date d'émission, elles ne présentent aucun risque. Si vous désirez les vendre, vous pouvez réaliser un gain ou subir une perte.

Il y a également les obligations émises par divers organismes provinciaux et garanties par les provinces. De nombreuses sociétés de services publics (comme Hydro-Québec et Ontario-Hydro) offrent ce genre d'obligations. Elles ressemblent aux obligations gouvernementales dont nous avons parlé ci-dessus, mais elles portent normalement intérêt à des taux légèrement plus élevés.

Les gouvernements fédéral et provinciaux ont également recours, continuellement, à l'emprunt à court terme par l'intermédiaire de titres connus sous le nom de *Bons du Trésor*. Ces bons sont habituellement mis en vente une fois par semaine, et leur échéance varie entre 91 et 364 jours. Les divers gouvernements les vendent par adjudication aux principaux acquéreurs, soit les banques et maisons de courtage, qui les revendent ensuite à leurs clients. Bien qu'il n'y ait aucun achat minimal prescrit, vous ne devriez songer aux Bons du Trésor que si vous avez au moins 5 000 $ à placer. Ils sont quand même attrayants du fait qu'ils rapportent un taux d'intérêt plus élevé que les comptes d'épargne, qu'ils sont totalement sûrs et qu'ils représentent un placement à court terme. Ils sont cependant presque illiquides jusqu'à l'échéance, bien que, dans certaines situations, il soit arrivé qu'un courtier revende des Bons du Trésor avant l'échéance pour le compte d'un client – moyennant certains frais. (Les Bons du Trésor sont souvent achetés par ceux qui disposent de sommes importantes en espèces dont ils auront besoin dans trois mois, pour effectuer un achat important par exemple.)

Les Bons du Trésor diffèrent de la plupart des titres de dette en ce qu'ils sont achetés à escompte. Cela signifie qu'au lieu de prêter 10 000 $ à 8 % pour 91 jours, vous achetez un bon de 9 800 $ et obtenez un remboursement de 10 000 $ à l'échéance. Cette particularité mise à part, la différence entre le prix d'acquisition et le remboursement à l'échéance est considérée comme un *revenu d'intérêts* aux fins de l'impôt sur le revenu, et non comme un gain en capital.

Les Bons du Trésor ne jouent pas un rôle important dans la plupart des programmes de placement, mais ils peuvent se révéler utiles lorsque vous voulez placer votre argent – en toute sécurité – pour une courte période de temps et à un taux d'intérêt avantageux. Nombre de gens utilisent les Bons du Trésor pour «remiser» leur argent lorsqu'ils ne connaissent pas les perspectives futures des taux d'intérêts et qu'ils ne souhaitent pas bloquer leur avoir pour une longue période de temps.

Les titres de dette non gouvernementaux : Nous avons déjà examiné au chapitre 3 divers types de titres de dette émis par des entités autres que les gouvernements, soit les banques, les sociétés de fiducie et autres. Les certificats de placement garantis (C.P.G.) et autres titres de dette émis par des établissements financiers entrent également dans cette catégorie. En bref, rappelons qu'un C.P.G. est un prêt accordé à un établissement pour une période déterminée (habituellement entre 1 an et 5 ans) portant intérêt à un taux fixe. Bien qu'en théorie les C.P.G. puissent être revendus, il n'existe presque pas de marché pour cela; par ailleurs ils tendent à être peu liquides. Toutefois, vous pouvez obtenir votre argent avant l'échéance, moyennant une pénalité qui peut prendre la forme soit d'un montant à verser soit d'une réduction du taux d'intérêt *à partir de la date d'achat,* soit des deux. Certains C.P.G. *peuvent être* couverts par l'assurance-dépôts jusqu'à concurrence de 60 000 $, ce qui les rend très sûrs. Cependant, il est bon de vérifier ce détail auprès de l'établissement émetteur. Un C.P.G. qui n'est pas couvert par l'assurance-dépôts devrait porter intérêt à un taux légèrement plus élevé qu'un autre C.P.G. qui l'est.

De nombreuses entreprises commerciales autres que des établissements financiers empruntent de l'argent à long et à court termes. Il peut s'agir de grandes entreprises tellement stables que, comme le gouvernement, elles peuvent emprunter sans fournir de garantie autre que la promesse de rembourser. D'autres doivent garantir leurs dettes de façon plus formelle, et émettent des obligations à long terme, appelées obligations de sociétés ou papier commercial : la distinction entre les deux réside en la garantie sous-jacente. Ces obligations sont souvent garanties par des biens spécifiques de l'entreprise et par l'assurance qu'une partie des bénéfices de la société sera mise de côté annuellement pour rembourser ses dettes. Comme les emprunts des sociétés commerciales jouissent de garanties moindres que dans le cas des gouvernements (bien que dans le cas de multinationales comme General Motors, la distinction soit presque inexistante) il est probable qu'ils porteront intérêt à des taux plus élevés.

Les obligations de sociétés ressemblent beaucoup aux obligations des gouvernements autres que les OÉC. En effet, elles sont généralement émises pour une période déterminée (souvent 20 ans) et portent intérêt à des taux fixes. Si les taux d'intérêt sur le marché augmentent ou baissent, la valeur des obligations peut varier en conséquence. Dans certains cas, la société peut racheter à son gré les obligations à des dates fixes avant l'échéance. (Cette disposition de rachat signifie que la société peut exiger que vous acceptiez le remboursement anticipé de son emprunt.) Il *ne s'agit pas* là d'une particularité attrayante pour les investisseurs. En effet, si les taux d'intérêts chutent, la société vous forcera probablement à reprendre votre argent, ce qui exigera alors que vous le réinvestissiez ailleurs, probablement à un taux plus bas que ce que rapportait la première obligation. Normalement, les obligations de sociétés sont achetées par l'entremise d'un courtier et, en règle générale, elles sont presque aussi liquides que les actions.

La différence fondamentale entre les obligations de gouvernements et les obligations de sociétés réside dans le fait que ces dernières offrent certaines clauses attrayantes : par exemple, certaines obligations peuvent être convertibles, c'est-à-dire que vous pouvez les échanger contre un nombre fixe d'actions de la société émettrice. Cela signifie généralement que la valeur de ces obligations suivra le mouvement du cours des actions, puisque les obligations sont étroitement liées aux actions correspondantes. D'autres obligations de sociétés peuvent être assorties de bons de souscription, lesquels confèrent le droit d'acheter une ou plusieurs actions de l'émettrice à un prix déterminé. En outre, les obligations de sociétés peuvent être offertes à des taux d'intérêt variables, ce qui vous donne donc une certaine protection advenant une hausse des taux d'intérêts sur le marché.

Ces caractéristiques sont appelées des clauses attrayantes, parce que, outre les intérêts que vous recevez, chacune (et la liste est beaucoup plus longue) vous procure un boni à l'achat de l'obligation. Cependant, il pourra arriver dans certains cas que les intérêts soient moins importants du fait de cette caractéristique spéciale de l'obligation.

Rappelez-vous que la valeur de l'obligation d'une société est tributaire de la valeur de l'émettrice. L'obligation n'est que la preuve d'un prêt – celui que vous avez consenti – à la société. Si vous n'êtes pas satisfait des perspectives de réussite de la société, il se peut que vous ne désiriez pas lui prêter de l'argent.

Des placements qui rapportent des dividendes

La section précédente a traité de la façon dont vous pouvez obtenir des intérêts de vos placements lorsque vous prêtez de l'argent à un tiers, peu importe le nom donné à ce type de placement. Mais il existe des situations où vous *achetez* une participation dans une société, et où il ne s'agit pas d'un prêt. C'est ce qu'on appelle un placement par actions, qui s'effectue généralement par l'achat d'actions d'une société. Une action consiste en un document attestant que vous détenez un pourcentage (si faible soit-il) de la société.

Dans la plupart des cas, vous placez votre argent dans des sociétés très importantes et bien établies, généralement des sociétés ouvertes. Les actions de ces sociétés sont cotées aux Bourses canadiennes (les plus importantes étant celles de Toronto, de Montréal et de Vancouver); vous achetez et vendez vos actions sur le parquet de ces bourses, par l'entremise d'un courtier qui agit pour votre compte.

Vous avez également l'occasion d'investir dans d'autres sociétés ouvertes dont les actions ne sont pas inscrites à la cote d'une Bourse. On appelle ces actions des titres hors cote, et elles sont négociées de façon officieuse entre les courtiers. En règle générale, les actions négociées sur les marchés hors cote sont émises par des sociétés trop petites pour être cotées à une Bourse ou celles qui ne satisfont pas aux exigences de l'inscription à la cote. Bien que les actions de sociétés inscrites soient habituellement très liquides, la demande à l'égard des actions non cotées peut être plus faible et, de ce fait, celles-ci sont considérées moins liquides. Mais souvenez-vous que ce *n'est pas parce que les actions d'une société sont inscrites à la cote d'une Bourse qu'elles constituent nécessairement un bon placement.* De même, les actions d'une société qui ne sont négociées que sur le marché hors cote peuvent représenter un bon placement; nombre de sociétés accèdent d'abord au marché hors cote jusqu'à ce qu'elles soient assez importantes pour être inscrites à la cote d'une Bourse.

Il se peut que vous ayez l'occasion d'investir dans une société fermée, normalement à la demande d'un ami, d'un parent ou d'un associé d'affaires qui a établi, ou qui songe à établir, une entreprise. L'acquisition de ce type d'actions est très différente de l'achat de titres d'une société ouverte, non seulement parce qu'il n'y a presque pas de marché pour les actions de sociétés fermées (exception faite des autres actionnaires de la société), mais aussi du fait que des règles en empêchent la vente sans le consentement des administrateurs de la société. L'acquisition d'actions d'une société fermée *peut* être une proposition intéressante, mais vous ne devriez pas vous y engager sans en avoir discuté soigneusement au préalable avec votre avocat ou votre comptable.

Il existe deux grandes catégories d'actions de sociétés : les actions ordinaires et les actions privilégiées.

Les actions ordinaires vous donnent normalement le droit de voter et de recevoir tout dividende qui pourrait être déclaré. Généralement, si la société se porte bien, la valeur des actions ordinaires monte. Cependant, dans le cas contraire, elle descend. Ainsi, elles tendent à présenter un peu plus de risques que d'autres types d'actions, mais elles offrent également plus de souplesse.

Les actions privilégiées peuvent comporter ou non le droit de vote. Elles confèrent un droit préférentiel à leur détenteur : celui-ci touchera des dividendes avant les porteurs d'actions ordinaires. Le dividende est généralement (mais pas toujours) un montant fixe, tandis que les actions ordinaires ne rapportent que les dividendes déclarés par le Conseil d'administration. Advenant la liquidation de la société (si elle met fin à ses activités), les porteurs d'actions privilégiées recevront leur part – intégrale – du capital de la société avant que les actionnaires ordinaires ne puissent recevoir une somme quelconque. Le cours des actions privilégiées ne fluctue pas autant que celui des actions ordinaires, et les actions privilégiées présentent donc plus d'attrait pour les investisseurs qui désirent tirer un revenu fixe d'un placement sûr.

En outre, les actions privilégiées ont habituellement une valeur nominale fixe. Par exemple, une action privilégiée peut posséder une valeur nominale de 25 $, donner droit à un dividende cumulatif de 8 % et ne pas comporter de droit de vote. Qu'est-ce que tout cela signifie? Tout simplement que l'action a été émise initialement à 25 $. Alors, si la société est liquidée, l'actionnaire a droit à recevoir 25 $ pour chaque action qu'il détient, avant tout versement aux actionnaires ordinaires. Comme 8 % de 25 $ représente 2 $, cela veut dire que l'action donne droit à un dividende de 2 $ annuellement, peu importe le prix auquel elle a été achetée sur le marché. Les 2 $ rapportés par chaque action privilégiée doivent être versés avant le paiement de tout dividende aux actionnaires ordinaires au cours de ce même exercice. Ces actions ne donnent pas droit de vote, ce qui signifie que l'actionnaire n'a pas le droit de voter à l'Assemblée générale annuelle des actionnaires de la société, sauf sur les questions qui portent directement sur les droits des porteurs d'actions privilégiées. Si les dividendes sont cumulatifs, la société doit, lorsqu'elle omet un versement de dividende, verser – en sus du dividende de l'exercice en cours – tout dividende d'exercices antérieurs qu'elle n'a pas encore payé, avant de remettre un dividende quelconque aux actionnaires ordinaires.

Comme dans le cas des obligations de sociétés, les actions privilégiées peuvent comporter de nombreuses autres particularités :

• Ainsi, les actions peuvent être rachetables au gré du détenteur, c'est-à-dire que celui-ci peut forcer la société à racheter ses actions à leur valeur nominale. Cela tend à fixer un seuil minimal pour ces actions.

• Elles peuvent être rachetables au gré de la société, c'est-à-dire que celle-ci peut forcer le détenteur à lui vendre ses actions au prix de rachat. Cela tend à déterminer un plafond pour ces actions.

• Les actions privilégiées peuvent également être rachetables par anticipation, ce qui signifie que le détenteur peut exiger de la société qu'elle rachète ses actions à leur valeur nominale (généralement 25 $ l'action) à une date prédéterminée.

• Elles peuvent être convertibles, selon une certaine formule, en des actions ordinaires de la société, ce qui veut dire que le cours des actions privilégiées peut monter ou descendre si le cours des actions ordinaires subit des fluctuations importantes.

• Il peut s'agir d'actions participantes, c'est-à-dire que, outre le dividende fixé, l'actionnaire touche des dividendes supplémentaires quand des dividendes sont versés aux porteurs d'actions ordinaires.

Il est important de se rappeler deux points en particulier. Premièrement, les conditions rattachées aux actions privilégiées déterminent dans une large mesure si le cours de l'action restera selon toute probabilité relativement stable ou non. Cela explique que, même si les actions privilégiées représentent généralement un placement plus sûr que les actions ordinaires, nombre d'entre elles comportent d'importantes possibilités de gain ou de perte. Deuxièmement, vous devez connaître toutes les caractéristiques des actions privilégiées à l'achat. Votre courtier dispose de toutes les informations relatives aux actions qu'il vous vend. Rappelez-vous également que de nombreuses sociétés émettent plus d'une catégorie d'actions privilégiées, toutes assorties de conditions particulières. Assurez-vous donc de savoir laquelle vous achetez.

Bien qu'en règle générale vous achèterez des actions cotées à une Bourse (ce qui signifie que vous négocierez avec d'autres investisseurs), il se peut que vous ayez l'occasion d'acheter directement de la société émettrice. Ces actions sont désignées «nouvelles émissions» ou «premier appel public à l'épargne». Le cours de ces actions est habituellement fixé par des négociations entre la société et une ou plusieurs maisons de courtage (connues dans ce contexte comme «les preneurs fermes»), qui tenteront de vendre les actions pour le compte de la société. Dans la plupart des opérations boursières, vous devez verser une commission à votre courtier pour chaque achat ou vente, mais lorsqu'il s'agit d'un appel public à l'épargne, vous n'avez pas à le faire, puisque c'est la société émettrice qui assume ces frais.

Les titres faisant l'objet d'un appel public à l'épargne étant émis pour la première fois, le prix fixé peut être trop élevé ou trop bas, puisque le prix est calculé en fonction de certaines suppositions. Très souvent, le cours des actions augmente rapidement après l'émission, mais le plus souvent, il arrive qu'il baisse considérablement.

Les valeurs à quelques cents consistent en des actions cotées qui se vendent à un prix très bas. Au Canada, elles sont émises généralement par des sociétés d'exploitation des ressources minières ou autres, habituellement des petites sociétés dont l'avenir est prometteur, mais dont les antécédents sont plutôt limités. En règle générale, elles présentent des risques, mais si votre choix est éclairé, elles peuvent vous rapporter beaucoup d'argent. Nombre d'investisseurs considèrent ces actions comme un coup de dé et les achètent en sachant qu'ils peuvent perdre toute leur mise. Pourquoi s'y intéressent-ils alors? Parce que les profits peuvent être stupéfiants.

Supposons que vous disposiez de 1 000 $ à investir. Si vous achetez 100 actions de premier ordre à un prix de 10 $ l'action, le cours doit passer à 20 $ afin que vous puissiez réaliser un profit de 1 000 $. Il n'arrive que rarement toutefois que le cours des titres d'une société bien établie doublent après une courte période de temps. Par contre, considérons que vous achetiez 10 000 actions à quelques cents à un prix de 0,10 $ l'action. Il est déjà arrivé qu'un titre inconnu se vendant à 0,10 $ grimpe à, disons, 1 $ en quelques jours. Dans ce cas, votre achat de 1 000 $ représente maintenant 10 000 $! D'un autre côté, il est plus probable que la société dont vous achetez des actions à 0,10 $ fasse faillite avant que votre titre à 10 $ ne vaille plus rien. Encore une fois, nous nous trouvons dans la situation où il faut évaluer le risque et le rendement. De nombreux investisseurs n'achèteront jamais d'actions à quelques cents; d'autres, comme les gens en vacances à Las Vegas, connaissent les probabilités, mais sont quand même prêts à risquer le tout pour le tout.

Les fonds mutuels

Jusqu'ici, nous n'avons traité que des situations où vous-même, à titre d'investisseur, choisissez (peut-être par suite des conseils de votre courtier) dans quels titres vous placerez votre argent. La liquidité et la diversification constituent au moins deux facteurs que vous prendrez en considération, et vous souhaiterez également suivre la progression de chaque placement afin de pouvoir décider quand acheter ou vendre.

Les fonds mutuels tentent cependant de simplifier ce système. Un fonds mutuel est un placement de groupe où vous ajoutez votre argent à celui d'autres investisseurs (peut-être des milliers de personnes). L'argent est alors investi et géré par des gestionnaires professionnels. Chaque fonds est divisé en parts, et le nombre de parts que vous détenez (comme les actions d'une société) détermine votre participation dans le fonds. Vous pouvez investir plusieurs fois à ce fonds et détenir ainsi plus de parts. La valeur d'une part est calculée en fonction de la valeur de la totalité du fonds. Si le fonds est bien géré, la valeur des parts s'accroît. Si les décisions de placement sont mauvaises, le fonds perd de la valeur, et les parts également.

Il existe deux types fondamentaux de fonds : la société d'investissement à capital fixe, où il n'y a qu'un nombre fixe de parts disponibles, et où vous vendez ces parts à d'autres investisseurs et les leur achetez; il y a aussi la société d'investissement à capital variable (SICAV), où le fonds lui-même émet de nouvelles parts (à leur juste valeur marchande courante) lorsque vous désirez acheter, et qui vous les rachète lorsque vous désirez vendre.

Quel que soit le type de fonds, les parts de fonds mutuels constituent un placement liquide, et vous pouvez vendre ou acheter des parts aussi facilement que des actions cotées. Vous pouvez acheter des parts de fonds mutuels par l'entremise d'un courtier ou d'un vendeur employé par le fonds. Si vous utilisez les services d'un courtier, vous devez verser des frais de courtage comme pour l'achat d'actions.

Lorsque vous achetez les parts directement, il existe deux principaux modes de paiement, soit la méthode de prélèvement des frais d'acquisition sur les premiers versements, selon laquelle une partie du prix d'achat revient directement au vendeur, soit la méthode selon laquelle la totalité de votre argent est investie, mais où c'est le fonds même qui assume les charges de la vente et les honoraires des conseillers en placement. Ce dernier mode est offert dans la plupart des cas par les SICAV, qui vendent les parts directement à l'investisseur. (Soyez toutefois certains d'une chose : d'une façon ou d'une autre, directement ou non, c'est *vous* qui assumez quand même ces frais.)

De nombreux investisseurs participent à des programmes de placement dans des fonds mutuels parce qu'ils font confiance aux gestionnaires du fonds. En outre, ils ne veulent pas se préoccuper de leurs placements après avoir choisi le fonds, et c'est ce que leur permettent les fonds mutuels. Le rendement à long terme (soit la croissance du capital d'un fonds sur une période de cinq ou de dix ans) des fonds mutuels les plus importants figure régulièrement dans la presse financière, tout comme la valeur quotidienne des parts. Certaines personnes prennent des dispositions afin qu'une somme déterminée soit périodiquement virée (mensuellement ou trimestriellement) de leur compte en banque au fonds mutuel, pour que leur programme de placement s'accroisse automatiquement et périodiquement.

Il ne suffit pas de faire remarquer qu'il existe une vaste gamme de fonds mutuels. Tout comme pour les actions et obligations, vous pouvez choisir un fonds mutuel qui satisfait vos besoins particuliers. Par exemple, il y a des fonds orientés vers la plus-value du capital, qui visent à produire des gains en capital; il y a les fonds à revenu, qui visent à produire un revenu annuel élevé; on compte également les fonds hypothécaires qui n'investissent que dans des hypothèques, ainsi que les fonds d'actions ordinaires ou d'actions privilégiées; il y a en outre les fonds de titres de sociétés japonaises, qui investissent dans des valeurs japonaises et qui ont connu un énorme succès au cours des dernières années; il ne faut pas oublier les fonds américains, les fonds spécialisés dans les ressources énergétiques, qui investissent dans les sociétés pétrolières et gazières. Il y a encore les fonds d'obligations, les fonds spécialisés dans les titres étrangers, qui détiennent un certain nombre de devises, et les fonds équilibrés, qui détiennent un mélange de la majorité des principales catégories de titres.

La plupart des émetteurs (les sociétés qui exploitent les fonds) offrent une diversité de fonds qui portent le même nom et qui vous permettent de transférer votre placement d'un fonds à un autre sans frais. C'est pourquoi, même si vous choisissez d'investir dans un fonds mutuel, vous devez quand même établir clairement des objectifs de placement. N'oubliez pas non plus que vous pouvez détenir des parts dans plusieurs fonds différents, que ce soit chez le même émetteur ou chez différents émetteurs.

Un dernier mot concernant l'impôt sur le revenu. À plusieurs moments au cours ou à la clôture de chaque exercice, le fonds mutuel vous versera une partie des bénéfices, que ce soit sous la forme d'intérêts, de dividendes ou de gains en capital. Lorsque ce versement est effectué, c'est comme si vous aviez reçu les sommes directement de la société dans laquelle le fonds mutuel avait placé votre argent. C'est pourquoi, lorsque vous recevez du fonds des dividendes provenant d'une société canadienne, vous devez majorer vos dividendes et déduire un crédit d'impôt au titre des dividendes (voir le chapitre 6) comme si vous les aviez personnellement reçus de la société. Ainsi vous n'encourrez aucun effet fiscal défavorable à la suite de votre placement dans un fonds mutuel.

Des placements qui ne rapportent aucun revenu

Examinons maintenant les placements qui ne produisent aucun revenu. De façon générale, il s'agit de placements de nature spéculative : l'investisseur espère que son placement prendra beaucoup de valeur. C'est pour cette raison que ce type de placement intéressera uniquement ceux qui disposent d'un revenu suffisant provenant d'autres sources pour satisfaire à leurs besoins. Il est également important de noter que les placements de cette catégorie sont souvent extrêmement risqués, et que, indépendamment des possibilités de croissance, il y a toujours le risque d'une chute de la valeur du placement.

Bien que les remarques ci-dessus laissent supposer que seules les personnes à l'aise financièrement puissent s'intéresser aux placements qui ne rapportent aucun revenu, cela n'est pas nécessairement toujours le cas. Il existe une catégorie de placement dans laquelle nombre de gens investissent sans pour autant avoir l'impression de placer leur argent. Par exemple, les collectionneurs de pièces de monnaie, de timbres, d'assiettes commémoratives, de porcelaine et de tableaux considèrent habituellement leur collection comme un passe-temps – auquel ils se consacrent pendant leurs moments de loisirs – et non comme un placement. Mais il arrive fréquemment que les collectionneurs sérieux découvrent après 10 ou 20 ans qu'ils ont amassé une collection d'une grande valeur. Il se peut qu'ils ne veuillent pas la vendre – qu'ils ne le feront sans doute jamais – mais il reste que la collection peut souvent *être* vendue, ce qui en fait un bien de valeur et un placement.

En outre, une partie importante du rendement d'un tel placement est le plaisir que vous en tirez. Le fait que le rendement prenne une forme intangible ne devrait pas vous faire écarter l'acquisition de ce genre de bien dans votre planification financière. En fait, pour la plupart des gens, le plus important placement qu'ils effectueront dans leur vie – l'achat de leur maison – ne produit pas de rendement en espèces, puisque fréquemment la raison justifiant l'achat d'une maison plutôt que de demeurer en logement tient d'une décision liée au mode de vie et non d'une décision à caractère financier – comme les objets de collection.

Il est entendu que, à l'instar d'autres placements, il peut arriver que le bien acquis ne prenne jamais de valeur notable. Le tableau que vous aimez depuis des décennies peut n'avoir qu'une faible valeur de revente si l'oeuvre de l'artiste n'est pas très en demande. Par ailleurs, même si la valeur de votre collection de pièces de monnaie peut avoir triplé depuis que vous l'avez amorcée, il est possible que vous vous rendiez compte que vous auriez gagné plus d'argent en investissant la même somme dans des dépôts à terme. Nous ne nous étendrons pas sur ce point plus longtemps. Rappelez-vous toutefois que l'argent investi dans un passe-temps ou une collection peut constituer un bien qui va prendre de la valeur, tout en étant une source de plaisir personnel – et cet aspect du placement ne devrait pas être laissé de côté.

Penchons-nous un moment sur le type de placement ne produisant pas de revenu que l'on rencontre plus souvent. Les plus fréquents sont sans doute les métaux précieux, principalement l'or et l'argent, bien que le platine et le palladium soient de plus en plus populaires. (Cette même catégorie englobe les pierres précieuses comme les diamants et les émeraudes.) Si de nombreuses personnes investissent dans l'or et l'argent en achetant les actions de sociétés qui produisent ces métaux précieux, d'autres achètent réellement de l'or et de l'argent sous forme de pièces, de lingots ou de bijoux. Détenir des métaux précieux sous cette forme peut être onéreux dans les faits, puisqu'il faut prévoir l'entreposage et peut-être l'assurance. Vous n'en tirez un profit que si vous réalisez un gain à la vente de vos biens – et vous pouvez même perdre d'importantes sommes si leur valeur baisse. Beaucoup de conseillers estiment que chaque investisseur devrait détenir *un peu* d'or (soit 10 % de son portefeuille, c'est-à-dire de l'ensemble de ses placements) et d'argent, mais la plupart proposent plutôt d'acheter des certificats émis par des établissements financiers. Ces certificats constituant la preuve que vous détenez la marchandise, il n'est donc pas nécessaire de détenir les métaux mêmes.

Il existe certaines autres catégories de placements non productifs de revenu que l'on vous a peut-être offerts à titre de placements. De façon générale, il s'agit de placements où vous essayez de juger si le cours d'une marchandise va baisser ou monter. Il y a trois types fondamentaux de placements qui entrent dans cette catégorie : les options, les denrées et les monnaies étrangères.

Prenons d'abord les *options*. Une option vous permet d'acheter ou de vendre un titre à une date future et à un prix déterminé aujourd'hui. Si vous croyez que le cours d'un titre va augmenter au cours des prochains mois, vous pourriez acheter une option d'achat au cours actuel. Dans le cas contraire, si vous estimez que le cours d'un titre va baisser, vous pourriez acheter une option de vendre ce titre dans l'avenir au cours actuel. (On parle alors «d'option d'achat» et «d'option de vente».) Le fait de payer uniquement pour l'option d'achat ou de vente et son coût inférieur à celui des titres faisant l'objet de l'option rendent ce type de placement attrayant pour les investisseurs.

Vous pouvez effectuer le même type d'opération avec des *denrées*. Celles-ci diffèrent des valeurs mobilières (comme les actions ou les obligations) en ce sens que vous devez estimer si le cours de certains articles comme l'or, la poitrine de porc, le jus d'orange surgelé ou le blé (pour n'en nommer que quelques-uns) augmentera ou baissera. (Bien que, techniquement, vous achetiez ou vendiez ces marchandises pour l'avenir, vous n'en prenez jamais concrètement possession.) Enfin, il en va de même des *monnaies étrangères,* où vous pouvez spéculer sur le fait que la valeur des devises va gagner ou perdre du terrain par rapport au dollar canadien.

Dans le cas des devises, il faut distinguer entre la spéculation sur le marché des changes et les autres formes de placements qui mettent en jeu les monnaies étrangères. Par exemple, si vous prenez régulièrement de longues vacances aux États-Unis, il peut être plus logique que vous ouvriez un compte d'épargne en dollars américains auprès de votre banque ou société de fiducie plutôt que de spéculer sur le marché des changes. Le fait d'épargner de l'argent dans la monnaie que vous utiliserez en voyage limite l'incidence sur votre porte-monnaie d'une chute importante du dollar canadien par rapport au dollar américain. Vous pouvez également investir dans des actions américaines (ou d'autres pays) libellées en monnaies étrangères. Comme nous l'avons déjà noté, il existe aussi quelques fonds mutuels qui investissent dans des titres américains ou japonais.

Dans chacun de ces trois types de placements, vous devez traiter par l'entremise d'un courtier, qui effectue vos opérations sur le parquet des Bourses qui acceptent ce genre de placements. Il s'agit de placements complexes et spécialisés dont nous ne pouvons traiter en détail ici. Néanmoins, vous devez tenir compte de trois choses. Premièrement, ces placements ne produisent aucun revenu. Votre gain, s'il existe, ne peut être réalisé que si vous achetez ou vendez à profit. Deuxièmement, dans chaque cas, vous ne versez qu'un montant d'argent relativement minime (comparativement à la valeur du bien sur lequel vous spéculez) en contrepartie du droit d'acheter ou de vendre dans l'avenir. Troisièmement, et c'est sans doute la caractéristique la plus importante, la possibilité de gains *ou de pertes importants* est omniprésente. Ces placements sont très hasardeux, et de nombreux investisseurs expérimentés vous diront de ne *jamais* participer à ce genre d'opérations.

Par conséquent, abstenez-vous de le faire à moins d'être capables d'absorber des pertes importantes. Vous aurez besoin de l'aide et des conseils d'un courtier spécialisé dans le domaine que vous aurez choisi.

Immobilier

En règle générale, on ne peut ménager la chèvre et le chou lorsqu'on compare un placement qui offre des possibilités de plus-value et un autre qui produit un revenu : c'est-à-dire que vous devez sacrifier un avantage pour obtenir l'autre. Beaucoup de gens estiment qu'un placement immobilier permet justement de ménager la chèvre et le chou.

À long terme, les biens immobiliers prennent de la valeur. (Comme quelqu'un l'a déjà dit : «Il ne se crée plus de terrains.») Toutefois, bien que cette affirmation soit vrai en général, le fait est qu'il y a de nombreux exemples où la valeur du bien a chuté de façon spectaculaire – pour compenser, il est bon d'ajouter qu'il arrive aussi qu'elle augmente rapidement. Si, par exemple, vous avez acheté des biens immobiliers en Alberta au début des années 80, la valeur de votre acquisition a probablement diminué en 1987. Toutefois, si vous aviez acheté votre bien dans la région métropolitaine de Toronto, disons, en 1985, il a probablement pris beaucoup de valeur.

C'est pourquoi il faut vous rappeler que, même si la tendance en immobilier est à la hausse, il peut survenir des revers de situation coûteux advenant un repli de l'activité économique dans la région où vous avez acheté.

Vous pouvez acheter de l'immobilier de diverses façons. Par exemple, vous pouvez acquérir des actions de sociétés inscrites à la cote qui détiennent des biens immobiliers. Dans ce cas, le cours de vos actions augmentera probablement au fur et à mesure que les biens immobiliers prendront de la valeur. Mais l'acquisition de ce type d'actions reste essentiellement la même opération que l'achat de n'importe quel autre genre de titre coté.

D'un autre côté, vous pouvez acheter votre propre maison ou votre propre édifice. Dans ce cas, vous devez prendre en considération le revenu annuel qu'il est réaliste d'espérer (soit les loyers bruts moins les charges), ainsi que les possibilités de plus-value des propriétés dans le quartier où vous avez acheté. Mais si vous achetez des biens immobiliers vous-même (qu'il s'agisse d'une maison de rapport ou d'un petit édifice), rappelez-vous que vous allez devoir assurer l'entretien de l'immeuble – soit que vous le fassiez vous-même soit que vous engagiez quelqu'un pour le faire. Les locataires peuvent vous téléphoner lorsqu'un tuyau est crevé, que la chaudière est en panne ou que le réparateur n'est pas venu, et cela occasionne des coûts. (Un conseiller a déjà dit : «N'investissez jamais dans quelque chose que vous devez nourrir ou peindre!»)

Il est cependant arrivé que certaines personnes réalisent des gains importants sur des placements personnels en immobilier. Néanmoins, vous devez être réaliste. Lorsque vous évaluez vos gains éventuels, n'oubliez pas que des réparations seront sans doute nécessaires, que les taxes peuvent augmenter, qu'un locataire peut partir et vous laisser avec un appartement libre pendant quelques mois ou que les taux hypothécaires peuvent monter. Si votre projection des gains annuels ne tient pas compte de ce genre d'éventualités, vous manquez de réalisme.

À mi-chemin entre le placement immobilier à la Bourse et l'achat et l'entretien d'un édifice, vous avez également l'option d'investir directement dans des biens immobiliers. Cela peut s'effectuer notamment sous la forme d'une société en participation ou d'une société en commandite. Habituellement, le groupe comptera au moins un investisseur aguerri dans l'immobilier qui sera responsable de la gestion de la propriété. Ainsi, les autres n'auront pas à se préoccuper de l'entretien quotidien de la propriété. Même si vous devez envisager que nombreux problèmes peuvent découler de l'acquisition d'une propriété, la valeur du placement aura probablement été estimée avant que vous n'investissiez; vous aurez donc simplement à décider si ce placement vous intéresse ou non.

Le plus grave désavantage d'un placement de ce genre (une fois que vous vous êtes assuré qu'il s'agit probablement d'un bon investissement) est son degré de liquidité probablement inférieur à celui de n'importe quel autre placement immobilier. Si vous détenez des actions, vous pouvez les vendre. Si vous possédez un édifice, vous pouvez décider ou non de le mettre en vente. Toutefois, dans des conventions immobilières où plusieurs personnes participent et où vous ne détenez qu'une «partie» de la propriété, vous ne pouvez probablement pas exiger que le bien soit vendu. En fait, il peut s'avérer difficile même de ne vendre que votre participation. Malgré tout, la grande majorité des investisseurs en immobilier qui réussissent achètent des propriétés en collaboration avec d'autres, et ce type de convention peut constituer la meilleure chance de réussite pour vous.

Il est nécessaire de traiter du financement des opérations immobilières. Dans le cas de la plupart des autres placements, vous paierez sans doute intégralement. Par exemple, si vous achetez des actions ou des obligations, vous payez le prix intégral au moment du règlement de l'opération. Mais les opérations immobilières tendent à recourir en grande partie à «l'effet de levier». On désigne ainsi le fait d'emprunter de l'argent pour financer une opération. Un placement immobilier type exigera que vous versiez seulement 20 % du coût de la propriété, tandis que les

80 % restants sont «financés», habituellement par voie d'hypothèque. Lorsque vous évaluez les avantages et les inconvénients d'un placement immobilier (ou encore de tout autre placement utilisant l'effet de levier) vous devez garder à l'esprit que la propriété doit produire assez de revenu pour vous permettre de rembourser les intérêts sur l'hypothèque et une partie du capital chaque année.

L'effet de levier vous permet toutefois d'augmenter considérablement vos gains; c'est pourquoi l'immobilier vous offre des possibilités financières importantes. Supposons, par exemple, que vous achetiez un édifice pour 250 000 $, en versant 50 000 $ et en assumant une hypothèque de 200 000 $. Supposons encore que cinq ans plus tard, vous le vendiez pour 500 000 $. Certains vous diront que vous avez doublé votre mise. Mais ce n'est pas le cas. Vous avez en réalité engagé 50 000 $ pour obtenir une rentrée de fonds de 300 000 $ à la suite de la vente (après que le créancier hypothécaire ait été remboursé de ses 200 000 $); c'est donc que votre argent a été multiplié *par six* ! C'est là que l'on peut réaliser des gains importants dans l'immobilier.

Comme nous l'avons déjà souligné, l'effet de levier peut être appliqué à d'autres placements. Par exemple, si vous empruntez de l'argent à votre banque, ou auprès de votre courtier – ce qu'on appelle «acheter sur marge» – pour acheter des actions, vous avez recours à l'effet de levier. La principale différence entre l'effet de levier utilisé pour l'achat d'actions et celui lié à l'acquisition de biens immobiliers tient au fait que, dans ce dernier cas, les hypothèques constituent la norme, et non l'exception, comme ce serait le cas pour les actions achetées sur marge. Vous pourrez probablement emprunter de l'argent avec une hypothèque en garantie à un taux plus bas qu'avec une garantie sous forme d'actions que vous achetez. En outre, si les actions fournies en garantie perdent de la valeur, vous aurez fréquemment à déposer des fonds supplémentaires, puisque le prêt représentera un pourcentage de la valeur des actions, tandis qu'une hypothèque consiste en une charge fixe pour la durée du contrat.

Si vous êtes attiré par ce type de placement immobilier en groupe, informez-en votre avocat ou votre comptable. Il est probable qu'ils entendront parler de groupes formés en vue de l'acquisition de biens immobiliers, et si vous leur faites part de votre intérêt, ils pourront vous indiquer les occasions qui se présentent.

Un dernier mot concernant les immeubles résidentiels à logements multiples. Le concept de ces immeubles a été introduit dans la Loi de l'impôt sur le revenu il y a une dixaine d'années afin d'encourager les investisseurs qui disposaient de revenus élevés à investir dans des immeubles à logements. Le «truc» était qu'un pourcentage important du prix d'acquisition pouvait être déduit du revenu au cours de l'année du placement et que le solde était déduit au cours d'un certain nombre d'années, ce qui faisait de l'immeuble résidentiel à logements multiples un abri fiscal attrayant. Il a été aboli en 1982, mais les règles de transition en vertu de la Loi de l'impôt sur le revenu ont permis aux immeubles admissibles et déjà en voie de construction de bénéficier du traitement fiscal favorable, et il en existe encore quelques-uns.

Ces immeubles ne sont pas des placements particulièrement attrayants, puisque vous paierez un prix beaucoup plus élevé que pour une propriété ordinaire équivalente. Comme le traitement privilégié aux fins fiscales ne s'applique qu'au premier acheteur, il est évident que ceux qui ont acheté ce genre d'immeuble éprouvent d'énormes difficultés à les revendre, ce qui signifie que ces derniers sont particulièrement peu liquides.

Si vous décidez d'investir dans l'immobilier (que ce soit un immeuble ordinaire ou un immeuble résidentiel à logements multiples), il est fortement recommandé de communiquer avec un avocat et un comptable. Tout achat immobilier devrait être examiné par un avocat afin que vous soyez assuré d'obtenir effectivement ce que vous croyez acheter. Un comptable pourra vous aider à évaluer la qualité du placement et vous indiquera si vos hypothèses concernant le revenu annuel sont réalistes. En outre, les placements immobiliers possèdent d'immenses ramifications fiscales, que ce soit sur le plan du revenu annuel ou sur celui de la cession : votre comptable pourra vous conseiller à cet égard également. Il est absolument essentiel de discuter de ces points avec votre conseiller en fiscalité; vous aurez ainsi une bonne idée de l'incidence d'un tel placement sur votre situation fiscale.

Conclusion

Lorsque les fondations de votre programme financier sont édifiées, c'est-à-dire que vous avez tenu compte de la provision pour la retraite, de l'éducation des enfants, des épargnes et des besoins financiers mensuels, vous devriez envisager d'élargir vos horizons en investissant vos fonds excédentaires. Comme nous l'avons fait remarquer, toutefois, il existe une gamme considérable de placements qui s'offrent à vous, et tous comportent des avantages et des inconvénients.

Le point le plus important à prendre en considération dans l'élaboration d'un plan d'investissement est le besoin de l'adapter à vos propres exigences. Avez-vous besoin d'un revenu additionnel? Vous arrivera-t-il d'avoir rapidement besoin des fonds investis? Recherchez-vous la croissance à long terme, ou plutôt des moyens de réduire immédiatement les impôts sur le revenu? Les réponses à ces questions, notamment, détermineront le genre de placements que vous devriez envisager.

N'oubliez pas non plus de recourir aux services de conseillers. Selon la nature du placement, vous pouvez avoir besoin de discuter avec un courtier, un avocat, un agent immobilier, un spécialiste en planification financière ou un agent hypothécaire. Même les investisseurs les plus expérimentés se tournent vers les conseillers, même si les conseils restent toujours des suggestions qui ne sont pas «coulées dans le bronze». C'est vous qui prenez la décision finale, en vous fondant au moins en partie sur les conseils prodigués par ces spécialistes.

Rappelez-vous également que votre tranquillité d'esprit est un facteur important. Bien que les placements mènent généralement à la croissance des biens, il est inutile d'investir votre argent si vous mourez d'inquiétude ou que vous risquiez la ruine financière advenant que vos placements n'obtiennent pas les résultats escomptés.

Un dernier conseil : lancez-vous dans le placement avec précautions. Commencez par de petits placements en respectant les règles que nous avons énoncées et examinez vos résultats. Très souvent, si vous prenez des risques petit à petit, vous saurez clairement si vous devez engager une part importante de vos biens dans des placements semblables à ceux dont nous avons traité ci-dessus, ou si vous devez vous limiter aux placements très sûrs, avec toute la quiétude qu'ils entraînent. La décision concernant la ligne de conduite que vous adopterez est strictement personnelle, mais d'un autre côté, si vous refusez d'examiner diverses options de placement, vous ne vous rendrez pas service non plus.

CHAPITRE 6

Fiscalité et planification fiscale

Il est extrêmement difficile de comprendre le régime fiscal canadien, et seul un très petit nombre d'experts peut se targuer de presque maîtriser le sujet. Néanmoins, l'aspect fiscal a une incidence importante sur la planification financière. La capacité de déduire certaines dépenses, le traitement fiscal privilégié accordé à certains types de revenu, la planification de vos affaires pour obtenir les meilleurs résultats possibles au chapitre fiscal . . . voilà autant de facteurs dont vous devez tenir compte lorsque vous entreprenez votre planification financière. Dans de nombreux cas, lorsqu'on considère l'aspect fiscal, il existe une bonne et une mauvaise façon d'atteindre un objectif.

Dans le présent chapitre, nous traiterons d'un certain nombre des principales questions de nature fiscale. Formulons d'abord toutefois deux mises en garde. Premièrement, un seul chapitre d'un livre comme celui-ci, pas plus qu'un livre entier, ne peut vous fournir tous les renseignements dont vous avez besoin. Ainsi, toute modification importante de votre état civil (un mariage ou un divorce, par exemple), ainsi que toute opération qui donne lieu à une dépense ou à un revenu importants devraient être examinées à la lumière du régime fiscal. Cela peut vouloir dire que vous devriez faire appel aux conseils d'un avocat, d'un comptable ou d'un spécialiste en planification financière.

Deuxièmement, bien que les règles fiscales soient en constante évolution (les nouvelles règles et modifications sont habituellement contenues dans le budget annuel du ministre des Finances), l'année 1987 promet d'être particulièrement critique. En effet, le Canada est sur le point de traverser une de ses périodes de réforme fiscale (comme en 1971-1972, et à la fin de 1981) qui s'accompagnent en général de changements importants des règles. Le gouvernement espère que bon nombre de ces modifications entreront en vigueur en 1988. Le but de cette réforme, selon le gouvernement, est de rendre le régime fiscal plus simple et plus équitable, ainsi que d'établir des niveaux d'imposition plus bas pour les particuliers. (Suivez les débats qui se tiendront à l'égard de ces propositions à la fin de 1987, pour voir comment ces modifications proposées peuvent vous toucher.) Il reste donc que, même si la matière contenue dans le présent chapitre (et dans d'autres parties du livre où l'on traite de fiscalité) est à jour, de nombreuses règles changeront vraisemblablement en 1988.

Vous vous devez d'être informé des débats à ce sujet – qui auront sans aucun doute lieu à la fin de 1987 – et de prendre les mesures qui s'imposent pour adapter vos stratégies lorsque les nouvelles règles seront annoncées.

Vue générale du régime fiscal en 1987

Le régime fiscal canadien, surtout à l'égard des particuliers, vise un certain nombre d'objectifs. En fait, certains critiques ironisent en disant que ces objectifs sont *trop* nombreux. Il est évident que le régime fiscal vise à produire les revenus dont a besoin le gouvernement pour fonctionner. Il contribue aussi à l'implantation de programmes sociaux en offrant des déductions (qui viennent réduire votre revenu) et des crédits d'impôt (qui réduisent l'impôt que vous devez payer) pour certaines activités. Par exemple, il existe des déductions au titre des dépenses de déménagement (lorsque vous déménagez pour obtenir un nouvel emploi), une déduction pour réduire les frais de garde des enfants dans le cas des familles monoparentales ou des familles à double revenu, et un crédit d'impôt pour les parents à moyen et à faible revenus.

Le régime fiscal tente également de vous permettre d'épargner en vue de votre retraite en vous accordant des déductions pour les cotisations à un régime de retraite ou à un REÉR; il encourage aussi certains types de placements. Par exemple, certains gains en capital sont exonérés d'impôts, ce qui favorise les placements risqués. En outre, les dividendes de sociétés canadiennes imposables bénéficient d'un traitement fiscal préférentiel. À certaines conditions, la première tranche de 1 000 $ provenant de revenus de placements canadiens bénéficie également de l'exonération d'impôts.

Le système essaie de plus de promouvoir certains types d'activités. Ainsi, il accorde un traitement privilégié à ceux qui investissent dans des films ou des émissions de télévision, dans des sociétés minières, et, par le passé, dans la recherche et le développement et dans la construction d'immeubles à appartements.

Il tente également de tenir compte des réalités économiques de la vie quotidienne. Si une famille ne compte qu'une source de revenu, cette personne peut déduire des montants à l'égard de ceux qui sont à sa charge. Si un couple divorce et qu'un des ex-conjoints verse une pension alimentaire à l'autre, en vertu du régime fiscal, celui qui paie bénéficie d'une déduction, et celui qui reçoit est imposé. Il y a en outre des déductions spéciales pour les personnes âgées de 65 ans et plus, un traitement fiscal spécial accordé aux revenus de retraite et des déductions spéciales que peuvent utiliser les handicapés ou ceux qui subviennent à leurs besoins.

La liste est presque illimitée. Une bonne planification suppose que l'on comprenne les avantages disponibles et qu'on s'en prévale au maximum.

Deux ministères jouent un rôle clé dans le régime fiscal. D'abord, le ministère des Finances, qui établit la politique fiscale et rédige la législation fiscale. Si vous estimez que les règles sont inéquitables ou que vous ayez une idée de la façon dont le système peut être amélioré, c'est au ministère des Finances que vous devez vous adresser.

D'un autre côté, Revenu Canada et le ministère du Revenu du Québec administrent le régime fiscal et perçoivent les impôts. Ce sont les deux ministères avec lesquels vous aurez le plus de contacts. En effet, comme les lois fiscales sont sujettes à interprétation,

Revenu Canada et Revenu Québec ont des pouvoirs importants lorsqu'il s'agit de déterminer combien d'impôts vous devrez payer. Il est presque aussi critique de savoir comment les ministères du Revenu interprètent la loi que de connaître la loi elle-même. Si vous êtes en désaccord avec l'évaluation des ministères quant au montant d'impôts que vous devez payer pour une année donnée, il existe une procédure d'appel – selon laquelle vous devez déposer un Avis d'opposition dans les quatre-vingt-dix jours suivant l'envoi de votre paiement d'impôts. Ce délai est appliqué de façon stricte; il serait donc sage de communiquer immédiatement avec votre avocat ou votre comptable si vous pensez en appeler de la décision. Il prendra les mesures voulues. Interjeter appel ne coûte rien, sauf les frais juridiques que vous aurez à engager. (Ces frais sont d'ailleurs déductibles aux fins de l'impôt.)

Le principal tribunal en matière d'appel est la Cour canadienne de l'impôt. Mais votre appel peut également être entendu par la Cour fédérale, et même occasionnellement par la Cour suprême du Canada. Tous les ans, des milliers de Canadiens portent leurs avis de cotisation en appel, et quelques centaines comparaissent effectivement devant les tribunaux.

Pendant que votre cause est entendue, vous ne payez pas les impôts en litige toutefois, si vous perdez, vous aurez à rembourser les impôts exigibles plus des intérêts. Ceux-ci peuvent représenter une somme considérable si, comme cela arrive souvent, vous devez attendre deux ou trois ans avant de passer devant un tribunal. Si vous gagnez, *il se peut* qu'une partie de vos dépenses soient remboursées, mais attendez-vous à en payer personnellement la plus grande partie.

Votre déclaration d'impôts : vue d'ensemble

Normalement, le contact le plus régulier – si ce n'est le seul – que vous aurez avec le régime fiscal se limitera au moment où vous remplissez votre déclaration d'impôts annuelle. La plupart des gens considèrent cette étape avec angoisse. En fait, probablement plus de la moitié de tous les contribuables canadiens paient un tiers pour remplir leur déclaration. Celle-ci doit être remplie et envoyée au plus tard le 30 avril de l'année qui suit l'année d'imposition en question. (L'envoi tardif peut donner lieu à des intérêts et à des pénalités.)

Bien que la plupart des Canadiens perçoivent la déclaration d'impôts comme une masse confuse de lignes et de cases, elle suit un déroulement logique. Le fait de comprendre ce déroulement vous aidera à saisir le fonctionnement même du système. Examinons la formule de 1986, par exemple.

Dans toutes les provinces et tous les territoires – autres que le Québec –, c'est le gouvernement fédéral qui perçoit les impôts des deux paliers de gouvernement. Tous les calculs s'effectuent donc sur une seule formule. La situation est plus compliquée au Québec puisque la province perçoit elle-même ses impôts. Aussi, si vous résidez au Québec, vous devez remplir un formulaire d'impôts fédéral et un formulaire provincial. Le régime de l'impôt sur le revenu des particuliers du Québec s'apparente à celui du système fédéral, mais il n'est pas identique.

Pour bien comprendre le régime fiscal administré par les gouvernements canadien et québécois, examinons d'abord le formulaire de déclaration d'impôts du Québec pour 1986, en supposant que la même présentation sera conservée en 1987. En haut de la première page, vous trouvez les cases d'identification. On vous demande votre nom, votre adresse, votre numéro d'assurance sociale, etc. Vient ensuite le calcul du revenu total. Vous devez ici déclarer tous vos revenus tels que les salaires, les pourboires, les prestations d'assurance-salaire, vos revenus de retraite, les prestations d'assurance-chômage, vos revenus de placement (sous forme d'intérêts, de dividendes ou de gains en capital), vos revenus tirés de la location d'immeubles, vos revenus d'entreprise et de profession. La somme de tous ces montants donne votre revenu total pour l'année 1986. Ce n'est toutefois pas ce revenu qui est imposable.

En effet, le gouvernement vous accorde certaines déductions que vous devez soustraire de votre revenu total aux fins fiscales. Vous avez ainsi la déduction pour emploi, qui correspond à 6 % de votre salaire au provincial et à 20 % au fédéral, jusqu'à concurrence de 500 $. Vos cotisations au Régime des rentes du Québec (maximum de 444,60 $ en 1987) sont également déductibles. Pour le contribuable qui travaille à son compte, le montant maximal de la déduction est de 889,20 $. Les cotisations à l'assurance-chômage (maximum de 647,66 $ en 1987) viennent également réduire votre revenu total aux échelons fédéral et provincial, de même que vos cotisations à un REÉR et au régime de retraite de votre employeur. Parmi les autres déductions possibles, notons les pertes d'entreprise, les dépenses effectuées dans les placements, les frais de garde pour les enfants, les pensions alimentaires versées si vous êtes divorcé, les frais de déménagement et les abris fiscaux.

Votre revenu global moins toutes ces déductions générales vous permet d'établir votre revenu net. Ce calcul est effectué à l'étape 4 de la page 2 du formulaire d'impôt provincial. Le revenu net n'est cependant pas encore votre revenu imposable.

Vous avez en effet droit à une série d'exemptions personnelles à déduire de votre revenu net. Ces exemptions personnelles figurent à la page 3 du formulaire. Voici les plus importantes au provincial et au fédéral.

Vos principales exemptions en 1987

Exemptions	*Québec*	*Fédéral*
de base :	5 280 $	4 200 $
de personne mariée ou de statut équivalent :	3 960 $ moins le revenu net du conjoint à charge	3 700 $ moins le revenu net du conjoint excédant 560 $
de personnes à charge (enfant)		
moins de 21 ans ou plus de 21 ans si l'enfant est à l'université		
1er enfant :	1 930 $	–
autres enfants :	1 420 $	–
moins de 18 ans : réduite de ½ du revenu net excédant 3 100 $	–	560 $

de 18 ans et plus :	–	1 200 $
réduite du revenu net excédant 1 820 $		
de personne à charge handicapée		
de 21 ans ou plus :	4 830 $	–
de 18 ans ou plus :	–	1 450 $
réduite du revenu net excédant 2 770 $		
de chef de famille monoparentale :	2 030 $	–
de personne âgée de 65 ans ou plus :	2 200 $	2 640 $
de personne aveugle, retenue au lit ou dans un fauteuil roulant :	2 200 $	–

Source : *Aide-mémoire d'Informatrix 2000*

Ce système d'exemptions vise à accorder au contribuable soutien de famille une aide proportionnelle à l'importance de sa famille. Il signifie par ailleurs que la meilleure planification consiste à vous assurer que le plus de revenu possible est réparti entre chaque membre du foyer. (Cette technique de planification s'appelle le fractionnement du revenu. Cette méthode vise à faire en sorte que la plus importante tranche possible du revenu de la famille soit imposée aux taux les plus bas et que le plus de déductions possible soient utilisées.)

Toujours à la page 3 du formulaire, nous retrouvons les déductions diverses qui font suite aux exemptions personnelles. Ces déductions viennent réduire votre revenu net. On y retrouve la déduction pour les revenus d'intérêt et de dividendes et la déduction pour les revenus de retraite, qui sont chacune de 1 000 $ au fédéral; au provincial, elles se chiffrent à 500 $ si le contribuable a un revenu d'emploi et à 1 000 $ s'il n'en a pas.

Vous pouvez également déduire de votre revenu net les dons versés au gouvernement et à d'autres organismes reconnus. Notons en outre que les frais médicaux, les déductions au titre du Régime enregistré d'épargne-actions du Québec (RÉA), les déductions relatives aux sociétés de placement dans l'entreprise québécoise (les SPEQ), l'exonération des gains en capital peuvent aussi être portés en réduction de votre revenu. De même, si le revenu net du conjoint à charge n'est pas suffisamment élevé pour permettre l'utilisation intégrale de certaines déductions – telles que l'exemption pour personnes âgées de 65 ans et plus, la déduction au titre des intérêts et dividendes, la déduction pour revenu de retraite, la déduction relative aux études et la déduction pour déficience mentale ou physique – la fraction non utilisée peut être déduite par le conjoint ayant le revenu le plus élevé.

Nous avons donc deux types de déductions : celles qui sont soustraites de vos revenus globaux et celles qui sont imputées à votre revenu net. Pourquoi deux catégories de déductions? Parce que la première permet de calculer le revenu net du contribuable. Or c'est en fonction de ce revenu net que le gouvernement détermine si l'un des conjoints est ou non à la charge de l'autre. La seconde catégorie permet de calculer votre revenu imposable, c'est-à-dire le revenu sur lequel vous devrez payer des impôts.

Le calcul du revenu imposable est effectué à l'étape 6 de la page 3. Il s'agit simplement d'additionner les exemptions personnelles et les déductions diverses et de soustraire la somme obtenue du revenu net calculé auparavant. Le résultat représente votre revenu imposable. Le montant d'impôts à payer peut être déterminé à partir de la table d'imposition fournie avec les formules de déclaration ou à l'aide des tableaux suivants.

Taux de l'impôt sur le revenu – Canada

Revenu imposable	Impôts exigibles			
1 320 $ ou moins			6 %	
Plus de				
1 320 $	79 $	+ 16 % sur les	1 319 $	suivants
2 639	290	+ 17 % sur les	2 640	suivants
5 279	739	+ 18 % sur les	2 639	suivants
7 918	1 214	+ 19 % sur les	5 279	suivants
13 197	2 217	+ 20 % sur les	5 279	suivants
18 476	3 273	+ 23 % sur les	5 279	suivants
23 755	4 487	+ 25 % sur les	13 197	suivants

| 36 952 | 7 786 | + 30 % sur les 26 395 | suivants |
| 63 347 | 15 705 | + 34 % sur le reste | |

Taux de l'impôt sur le revenu – Québec (1987)

Revenu imposable	Impôts exigibles			
577 $ ou moins		13 %		
577 et plus	75,01 $	+ 14 % sur les	667 $	suivants
1 244	168,39	+ 15 % sur les	771	suivants
2 015	284,04	+ 16 % sur les	891	suivants
2 906	426,60	+ 17 % sur les	1 030	suivants
3 936	601,70	+ 18 % sur les	1 191	suivants
5 127	816,08	+ 19 % sur les	1 377	suivants
6 504	1 077,71	+ 20 % sur les	1 591	suivants
8 095	1 395,91	+ 21 % sur les	1 840	suivants
9 935	1 782,31	+ 22 % sur les	2 126	suivants
12 061	2 250,03	+ 23 % sur les	2 458	suivants
14 519	2 815,37	+ 24 % sur les	4 301	suivants
18 820	3 847,61	+ 25 % sur les	7 527	suivants
26 347	5 729,36	+ 26 % sur les 12 822		suivants
39 169	9 063,08	+ 27 % sur les 22 439		suivants
61 608	15 121,61	+ 28 % sur le reste		

Note : Ces taux ne tiennent pas compte de la réduction d'impôt de 3 %.

Avant de continuer, il serait important de faire quelques remarques au sujet de la table d'imposition. D'abord, il s'agit d'une table progressive, ce qui signifie que plus votre revenu augmente, plus vous payez d'impôts. Supposons par exemple que vous ayez un revenu imposable de 20 000 $ en 1987. L'impôt *fédéral* à payer selon le tableau serait d'environ 3 624 $. Mais si votre revenu imposable totalisait 40 000 $, vous auriez à payer 8 700 $ au fisc fédéral. En d'autres termes, si votre revenu avait augmenté de 100 %, les impôts exigibles auraient subi une hausse de 140 %.

Cela illustre bien l'importance de la répartition du revenu. Si le mari et la femme avaient chacun un revenu imposable de 20 000 $, les impôts à payer totaliseraient 2 x 3 624 $, soit 7 248 $, ce qui est considérablement plus bas que si un seul des conjoints gagnait

40 000 $. (Ils pourraient également bénéficier de plus de déductions, ce qui résulterait encore en une baisse des impôts.) Le gouvernement a pris des mesures pour tenter de limiter les avantages du fractionnement du revenu, mais comme nous le verrons plus loin dans le chapitre (et dans d'autres chapitres), il reste encore certaines possibilités à explorer.

Deuxièmement, comme le tableau est progressif, les taux d'imposition augmentent à certains niveaux. Chaque tranche de revenu imposable est connue sous le nom de tranche d'imposition. Donc, si votre revenu imposable se situe entre 7 918 $ et 13 197 $, vous vous trouveriez, au fédéral, dans la tranche des 19 %. (Mais comme nous l'expliquerons plus tard, vous devez tenir compte des impôts provinciaux, qui peuvent vous faire grimper au niveau des 39 %.) Vous êtes dans la tranche la plus élevée lorsque votre revenu imposable excède 63 347 $ – votre taux d'imposition fédéral est alors de 34 %.

Troisièmement, remarquez que chaque dollar que vous gagnez est imposé au pourcentage applicable à votre tranche d'imposition. Ainsi, si votre revenu imposable est de 25 000 $ et que vous ayez la possibilité de gagner 1 000 $ de plus, le taux d'imposition sur cette dernière somme serait d'environ 25 % au fédéral, plus l'impôt provincial, soit un total probable d'environ 50 %. Ce taux représente le taux d'imposition marginal, c'est-à-dire le taux qui s'applique à la dernière portion de votre revenu imposable.

(Vous pouvez quand même tirer parti de ce fait. En effet, la valeur d'une déduction en espèces est équivalente au montant de la déduction multiplié par votre taux d'imposition marginal. Alors, si votre revenu imposable est de 26 000 $ et que vous ayez la possibilité de déduire 1 000 $, votre économie d'impôt serait de 1 000 $ x 50 %, soit 500 $.)

Une fois les impôts fédéral et provincial calculés, un certain nombre de crédits d'impôt peuvent être soustraits de votre impôt à payer. Il y a par exemple les contributions à un parti politique (maximum de 140 $ au Québec), le crédit d'impôt relatif à l'achat de parts dans le Fonds de solidarité des travailleurs du Québec (crédit d'impôt de 20 % du montant investi au provincial et au fédéral), le crédit d'impôt applicable aux dividendes (16,66 % et 11,08 % des dividendes reçus majorés de 33 %, au fédéral et au provincial, respectivement), le crédit d'impôt pour la taxe à la consommation (Québec seulement), le crédit d'impôt relatif aux sociétés d'entraide économique et la déduction générale au Québec, qui correspond à 3 % de l'impôt à payer.

Notons en outre deux autres crédits d'impôt au fédéral, soit le crédit d'impôt pour enfants et pour la taxe de vente fédérale. Ces crédits sont déduits *après* impôts provinciaux, puisqu'il s'agit des deux seuls crédits d'impôt qui sont remboursables. Cela signifie que si vous ne devez qu'un petit montant d'impôts, ou pas du tout, le gouvernement vous renverra un chèque pour le montant qu'il vous doit au titre de ces deux derniers crédits. Ce qui *n'est pas le cas* pour les autres crédits d'impôt, qui peuvent ramener votre charge fiscale à zéro, mais ne donnent pas droit à un remboursement.

(Bon nombre de contribuables touchant un faible revenu et de mères de famille, qui peuvent déduire le crédit d'impôt pour enfant, ne produisent de déclaration que pour obtenir le remboursement de crédits lorsqu'ils n'ont aucune autre dette fiscale.)

L'impôt initial à payer moins les crédits d'impôt des deux paliers de gouvernement vous donne le montant final d'impôts à payer pour l'année. Au fédéral, vous devez ajouter la surtaxe de 3 %. Ensuite, faites la somme de l'impôt final à payer au Québec et au fédéral (y compris la surtaxe de 3 %). Vous obtenez alors le montant global d'impôts que vous devrez payer en tant que contribuable québécois.

La dernière partie de votre déclaration sert à établir si vous avez payé trop d'impôts au cours de l'année (soit que votre employeur en a trop retenu à la source, soit que vos acomptes provisionnels étaient trop élevés, si vous ne tiriez pas principalement votre revenu d'un emploi), auquel cas vous pouvez exiger un remboursement. Si vous devez de l'argent, calculez alors le montant de votre dette et envoyez un chèque.

Bien que vous préfériez probablement recevoir de l'argent, le fait de rechercher un remboursement constitue *une mauvaise planification fiscale!* En effet, si vous recevez un remboursement, cela signifie que vous avez trop payé d'impôts au cours de l'année et que vous ne recevrez aucun intérêt sur votre argent jusqu'au 30 avril ou jusqu'au moment où vous produirez votre déclaration. Il vaut toujours mieux devoir de l'argent au fisc à la fin de l'année, bien qu'il soit prudent de mettre de l'argent de côté dans un compte portant intérêts, de sorte que vous aurez l'argent en main au 30 avril.

Si vous prévoyez recevoir un remboursement, produisez votre déclaration de revenus le plus tôt possible. Ainsi, Revenu Canada et Revenu Québec traiteront votre déclaration plus tôt, et vous recevrez rapidement votre chèque de remboursement. Souvent, si vous envoyez votre déclaration au début de mars (vous devriez alors avoir tous les renseignements dont vous avez besoin), vous recevrez votre remboursement avant même que d'autres aient produit leur déclaration. La longue période d'attente dans le traitement des déclarations se produit après le 30 avril, car les deux gouvernements sont alors assaillis par tous ceux qui ont attendu à la dernière minute.

De plus, si vous devez de l'argent au fisc et que vous ne puissiez lui remettre un chèque tout de suite, envoyez quand même votre déclaration à temps. Il y a une pénalité pour les retards. Toutefois, si vous produisez votre déclaration sans paiement, vous n'aurez à payer que des intérêts, mais pas de pénalité.

Quelques mois après avoir produit votre déclaration, vous recevrez soit un avis de cotisation soit un avis de nouvelle cotisation. Le premier indique que votre déclaration a été acceptée telle quelle. Si vous devez recevoir un remboursement, vous l'obtiendrez peu de temps après. Toutefois, la situation se complique dans le cas d'un avis de nouvelle cotisation. Dans certaines circonstances, il peut indiquer qu'il y a eu un nouveau calcul. Si on vous demande de payer plus d'impôts, informez-vous des raisons. En cas de désaccord, vous pouvez contester la nouvelle cotisation, et vous devriez alors consulter un avocat ou un comptable.

Maintenant que nous avons examiné la déclaration d'impôts, qui nous donne une idée générale du fonctionnement du régime, attardons-nous à un certain nombre de situations courantes, où l'incidence fiscale doit être prise en considération en vue de la planification. (Les facteurs fiscaux sont exposés plus en détail ailleurs dans le livre.)

Revenus d'emploi

La plupart des contribuables canadiens sont à l'emploi d'une autre personne. Si vous n'avez que votre revenu d'emploi à déclarer, la planification financière dans votre cas sera minimale. En effet, c'est à votre employeur qu'il incombe de retenir le montant approprié d'impôts sur chacun de vos chèques de salaire. À la fin de l'année, il doit vous remettre un formulaire T4, qui établit les montants que vous devez déclarer et qui indique combien d'impôts ont été retenus en votre nom. Dans la plupart des cas, l'obligation de calculer vos impôts incombe à l'employeur.

Par exemple, si vous recevez de lui un prêt sans intérêt ou à faible intérêt, l'employeur calculera ce qu'on appelle «un revenu présumé», c'est-à-dire le montant de l'avantage que vous êtes présumé avoir tiré du prêt. Vous êtes essentiellement présumé avoir reçu un avantage équivalant au «taux d'intérêt prescrit» (établi trimestriellement par le gouvernement) sur le prêt. Ainsi, si vous avez reçu un prêt sans intérêt de 10 000 $ de votre employeur, vous auriez à déclarer 900 $ au titre d'avantages liés à l'emploi. Ce montant figurerait sur votre formulaire T4.

Si l'employeur vous fournit une automobile pour votre travail, l'automobile serait considérée comme un avantage relié à l'emploi. Cet avantage serait évalué en fonction du coût de la voiture, de la proportion dans laquelle vous utilisez la voiture pour votre usage personnel (s'il y a lieu) et pour votre travail, du fait que l'automobile est achetée ou louée par votre employeur, et du montant (le cas échéant) que vous devez payer pour utiliser l'automobile. Bien que *vous* soyez responsable d'informer votre employeur de l'usage personnel que vous faites de la voiture, c'est lui qui doit déclarer cet avantage sur votre T4.

De façon générale, la quasi-totalité des avantages que vous recevez de votre employeur sera entièrement imposable à votre taux marginal d'imposition. Toutefois, certains avantages ne sont pas imposables, et d'autres bénéficient d'un traitement spécial. Par exemple, si vous participez à un régime d'assurance-frais médicaux privé comme la Croix-Bleue et que votre employeur paie les primes, cet avantage ne vous est pas imposable. Si vous participez à un régime d'assurance temporaire collective au travail qui est payé par votre employeur, vous *ne serez* pas imposé sur les primes applicables à la première tranche de 25 000 $ de la garantie, mais uniquement sur les primes qui s'appliquent à la garantie en sus de ce montant. Les remises raisonnables accordées sur la marchandise que vous achetez de votre employeur ne sont pas imposables. Mais si votre employeur vous verse une somme fixe, sans obligation de rendre de compte, pour vos frais de déplacement et de représentation, cette somme sera imposable. (Il vaut mieux, du point de vue fiscal, même si cela est moins pratique, vous faire rembourser les dépenses spécifiques que vous avez assumées à titre d'employé.)

La liste est presque illimitée. Si votre employeur exige que vous deveniez membre d'un club, vous *ne serez pas* imposé sur cet avantage. Si vous participez à un régime d'options d'achat d'actions, vous *pouvez* être imposé à la levée de ces options, mais sans doute à un taux préférentiel. (Revenu Canada a publié le *Bulletin d'interprétation* IT470 qui établit les règles pour nombre d'avantages courants. Vous pouvez en obtenir un exemplaire auprès du bureau de Revenu Canada le plus proche.)

Si vous êtes cadre supérieur et que vous puissiez négocier vos avantages sociaux, il serait utile de consulter un avocat ou un comptable avant la négociation, afin de déterminer les avantages les plus souhaitables et d'évaluer leur incidence fiscale.

À titre d'employé, vous ne pouvez généralement déduire de votre revenu d'emploi aucune somme autre que les déductions expressément permises par le gouvernement. Tous les employés, par exemple, peuvent automatiquement déduire le moindre de 20 % de leur revenu d'emploi ou de 500 $ lorsqu'ils calculent leur revenu net. Les cotisations nécessaires à l'exercice d'une profession (comme les cotisations au barreau des avocats en exercice) sont déductibles, tout comme les cotisations syndicales. Bien entendu, dans les limites permises, vous pouvez déduire votre quote-part des cotisations à un régime de retraite, et vous n'êtes pas imposé sur la part versée par l'employeur. Vos cotisations au Régime de pensions du Canada et au Régime des rentes du Québec ainsi que les cotisations à l'assurance-chômage sont également déductibles.

Il n'en reste pas moins que si vous êtes un vendeur rémunéré au pourcentage et que vos dépenses ne vous soient pas remboursées, vous pourrez déduire de vos revenus de commission une bonne partie de vos frais. Si vous devez déménager à plus de 40 kilomètres de votre ancien domicile pour occuper un nouvel emploi (même auprès du même employeur), vous pouvez déduire vos dépenses de déménagement dans la mesure que votre employeur ne vous les rembourse pas. (Le remboursement de ces dépenses n'est d'ailleurs pas imposable.)

Si vous êtes chef de famille monoparentale ou que vous gagniez le plus petit revenu des deux conjoints, vous pouvez déduire les frais de garde d'enfant. La déduction maximale est de 2 000 $ par enfant de moins de 14 ans, jusqu'à concurrence de quatre enfants. La déduction ne peut excéder les 2/3 du revenu admissible du parent qui la demande. Le revenu admissible comprend le revenu d'emploi ou d'entreprise et, si le parent est étudiant, les bourses qu'il a reçues. Si l'enfant est physiquement ou mentalement handicapé, la restriction à l'égard de l'âge est levée. Selon les règles, vous devez obtenir de votre gardienne un reçu indiquant son numéro d'assurance sociale. Certaines gardiennes ne sont pas admissibles, par exemple, vos personnes à charge. Les frais de camps d'été, de garderies et autres frais analogues peuvent être admissibles.

Au Québec, les contribuables peuvent déduire des frais de garde pour enfant jusqu'à concurrence de 3 510 $ par enfant de moins de six ans et de 1 755 $ pour les enfants de plus de six ans. Les déductions sont limitées à un pourcentage du moindre des revenus gagnés par les deux conjoints. Tout soutien de famille dont le revenu net dépasse 4 800 $ doit rembourser intégralement l'allocation familiale du Québec versée pour chaque enfant.

Revenus d'entreprise

Lorsque vous exploitez une entreprise, vous n'en déclarez au fisc que le bénéfice net, calculé en déduisant du bénéfice brut de l'entreprise toutes les dépenses qu'elle a engagées.

Il existe toutefois une myriade de règles applicables au calcul des dépenses d'entreprise, et il est très improbable que vous les connaissiez toutes. Par conséquent, vous devriez vous adresser à un comptable d'expérience qui pourra également vous aider à tenir vos livres comptables, vous conseiller sur des questions de fiscalité et vous aider à préparer vos déclarations d'impôts.

En fait, avant de vous établir, vous devriez obtenir des conseils de professionnels, puisque le fait même de savoir si vous exploitez une entreprise ou non peut être remis en question par les ministères du Revenu. L'aide d'un professionel peut vous guider à cet égard.

Supposons par exemple que vous soyez collectionneur de pièces de monnaie, et que, à l'instar de la plupart des collectionneurs, vous achetiez et vendiez des pièces pour améliorer votre collection. Il vous arrivera de vous déplacer pour assister à des foires, par exemple. Si vous exploitiez une entreprise, vous pourriez déduire le coût de vos déplacements. Vous ne pourrez cependant pas le faire s'il ne s'agit pour vous que d'un simple passe-temps. Le critère fondamental afin de déterminer si vous êtes en affaires est la mesure dans laquelle vous avez des perspectives raisonnables de profits, et c'est là que votre comptable peut vous aider.

(Souvenez-vous toutefois que si vous êtes en affaires, votre bénéfice est assujetti à l'impôt et que, s'il ne s'agit que d'un passe-temps, vous ne serez probablement pas imposé sur vos profits. Ce facteur peut s'avérer important du fait que bon nombre d'activités donnent lieu à des pertes. Si vous êtes en affaires, ces pertes peuvent être imputées à d'autres revenus. Dans le cas contraire, les pertes sont personnelles et ne peuvent être déduites aux fins de l'impôt.)

De toutes les dépenses d'entreprise admissibles, le bureau à domicile demeure l'élément le plus courant de toutes les petites entreprises. Il est possible, lorsque vous êtes en affaires, d'établir votre bureau à la maison et de déduire des dépenses. Pour ce faire, une fois que vous avez établi que vous êtes en affaires, vous devez prouver que l'espace en question est destiné exclusivement à l'exercice de votre travail. En d'autres termes, si vous déclarez simplement que, chaque soir après le souper, vous vous installez sur la table de la salle à manger pour travailler, vous aurez des problèmes. Cependant, si vous avez aménagé une pièce distincte qui n'est utilisée pour aucune autre fin (il est possible qu'une partie de votre logement soit admissible), il se peut que vous puissiez déduire certains coûts.

Supposons qu'il s'agit d'une des pièces de votre maison, qui en compte sept. Vous pourrez déduire le un-septième de vos paiements d'hypothèque, de chauffage, d'électricité et autres frais directs. (On recommande toutefois d'avoir un téléphone distinct. Cela vous permettra de séparer les coûts, et un numéro de téléphone différent de celui de la maison est une indication claire que vous exploitez votre propre entreprise.)

Il *n'est pas* conseillé de déduire l'amortissement du coût en capital à l'égard du un-septième de votre maison. En effet, bien que vous puissiez techniquement le faire, cela aura pour effet de réduire les gains en capital exonérés d'impôts dont vous pourriez vous servir lorsque vous vendrez la maison avec profit, et vous devrez peut-être à ce moment-là ajouter à votre revenu les montants que vous aurez déjà déduits. L'avantage relatif aux déductions annuelles ne compense habituellement pas l'inconvénient des impôts supplémentaires qui seront alors exigibles à la vente de votre maison.

Revenus de retraite

Vous ne devez pas nécessairement être une personne âgée pour toucher un revenu de retraite. Bien que la plupart des gens pensent avec raison qu'une pension de retraite représente une somme versée à une personne à la retraite, aux fins de l'impôt, cette expression peut comprendre egalement les sommes forfaitaires versées en vertu d'un régime de retraite, que vous pouvez recevoir lorsque vous quittez votre emploi ou que vous êtes congédié – ce qui peut arriver lorsque vous êtes jeune – ainsi que les prestations reçues du Régime de pensions du Canada à 60 ans ou même plus tôt à la suite du décès de votre conjoint. Techniquement, en vertu de la Loi de l'impôt sur le revenu, les prestations reçues d'un Régime enregistré d'épargne-retraite (REÉR), d'un Régime de participation différée aux bénéfices (R.P.D.B.) ou d'un Fonds enregistré de revenu de retraite (FERR) ne sont pas des «revenus de retraite»; toutefois, puisqu'elles sont traitées de façon similaire, nous les examinerons également dans la présente section.

(Pour plus de détails concernant le provisionnement des régimes de retraite et des diverses options disponibles, consultez le chapitre 8. Nous ne traiterons ici que des dispositions fiscales applicables.)

Le fait que les revenus de retraite, peu importe leur provenance, y compris les régimes de retraite étrangers, soient imposables au même titre que le revenu régulier, constitue un premier point fondamental. Toutefois, il existe de nombreuses dispositions fiscales spéciales qui réduisent la part de ces revenus qui revient au fisc.

La plus importante de ces dispositions est la déduction au titre du revenu de retraite. Si vous êtes âgé de 65 ans et plus, vous pouvez déduire de votre revenu imposable le moindre de votre revenu de retraite (tel qu'il est défini) ou de 1 000 $. Dans ce contexte, le revenu de retraite comprend les rentes versées en vertu d'un régime de retraite, d'un REÉR ou d'un FERR, les paiements reçus d'un R.P.D.B. ou la part que représentent les intérêts d'une rente provenant d'une autre source que ces régimes enregistrés. (Vous pouvez décider d'inclure ces intérêts à titre de revenus de placement. Reportez-vous au chapitre 5.)

Certains types de prestations de retraite *ne sont pas* admissibles comme revenus de retraite. L'exclusion la plus importante concerne les prestations de la Sécurité de la vieillesse et les prestations du Régime de pensions du Canada et du Régime des rentes du Québec.

Quand vous vous rendez compte que chacun des conjoints âgés de 65 ans et plus peuvent se prévaloir de ces déductions, vous comprenez pourquoi il est important que *les deux* conjoints épargnent en vue de leur retraite. De plus, si un des conjoints n'a pas de revenu lui permettant d'assurer sa retraite, l'utilisation d'un REÉR à l'intention du conjoint (dont nous traitons au chapitre 8) est une étape presque obligatoire de la planification. En vertu d'un tel régime, vous pouvez cotiser au régime au nom de votre conjoint, et non en votre nom personnel. Vous pouvez utiliser personnellement la déduction (dans les mêmes limites que s'il s'agissait de votre propre régime), mais les prestations de retraite seront versées à votre conjoint. Vous bénéficierez quand même tous les deux des avantages fiscaux qui en découlent.

Il existe toutefois un ensemble de règles distinctes pour ceux qui sont âgés de moins de 65 ans.

• Si vous avez entre 60 et 65 ans, vous pouvez déduire les 1 000 $ au titre du revenu de retraite, mais non en vertu des autres régimes de retraite, telle une rente achetée au moyen d'un REÉR. Si vous recevez une rente pour invalidité ou des prestations de survivant du R.P.C./R.R.Q., la même règle s'applique.

• Si vous recevez un revenu de retraite à la suite du décès de votre conjoint, vous pourrez déduire tout montant qui serait admissible à une déduction régulière à 65 ans, même si vous avez moins de 60 ans.

• Si vous avez moins de 60 ans et recevez des prestations d'un régime de retraite, vous pouvez utiliser la déduction de 1 000 $ au titre du revenu de retraite, à condition de ne pas vous être prévalu de la disposition de roulement du paragraphe 60 j) de la Loi de l'impôt sur le revenu. (Nous en traiterons un peu plus loin dans ce chapitre.)

Ces règles plus complexes ont été établies en guise d'allégement fiscal à l'intention des contribuables qui recevaient un revenu de retraite pour des raisons essentiellement indépendantes de leur volonté. Cependant, comme n'importe qui peut prendre des dispositions pour recevoir des prestations d'un REÉR à volonté, ce genre de paiement ne sera pas admissible à une déduction, à moins que vous ne l'obteniez à la suite du décès de votre conjoint ou du fait que vous soyez devenu handicapé, avant que vous n'atteigniez 65 ans, bien entendu.

En outre, en vertu du paragraphe 60 j) mentionné ci-dessus, vous pouvez prendre des mesures pour transférer votre revenu de retraite à un REÉR. Ce virement s'ajoute à la déduction régulière au titre d'un REÉR dont vous pouvez vous prévaloir. De ce fait, le revenu de retraite comprend tout montant que vous recevez d'un régime de retraite, les prestations de la sécurité de la vieillesse ainsi que du R.P.C./R.R.Q. Pour être admissibles, les montants doivent être transférés avant la fin de février de l'année en question.

Supposons, par exemple, que vous preniez votre retraite à 65 ans et que vous receviez des prestations du régime de retraite de votre employeur, des prestations de la Sécurité de la vieillesse et du R.P.C./R.R.Q., qui totalisent 25 000 $ par année. À la fin de l'année, il vous en reste 5 000 $. Si vous conservez cet argent tel quel, il sera assujetti à l'impôt. Mais si vous utilisez le roulement (c'est ainsi que l'on désigne la technique selon laquelle vous pouvez transférer la propriété de biens sans subir de charge fiscale), vous pouvez déposer cet argent dans un REÉR et réduire votre revenu de 5 000 $.

Bon nombre de femmes qui n'ont jamais eu de revenu commencent à recevoir leurs prestations de Sécurité de la vieillesse à l'âge de 65 ans. Si une femme n'a pas besoin de cet argent, les spécialistes en planification financière suggèrent qu'elle transfère l'argent dans un REÉR. Cela augmente les déductions dont peut se servir son mari (en réduisant son revenu à elle) et fait fructifier l'argent en son nom. À l'âge de 71 ans, lorsque le REÉR doit être encaissé, les fonds peuvent servir à acheter une rente dont la première tranche de 1 000 $ sera admissible à la déduction au titre du revenu de retraite à la fois au fédéral et au provincial.

Les règles ont été modifiées le 1er janvier 1987 pour permettre à un couple marié de répartir les prestations du R.P.C/R.R.Q. Supposons, par exemple, que Paul puisse recevoir jusqu'à 500 $ par mois en prestations du R.P.C., et que Virginie, qui a travaillé à la maison toute sa vie, n'ait droit à aucune somme. Les deux peuvent répartir les prestations pour que chacun reçoive 250 $ par mois. L'avantage est double : premièrement, ce que reçoit Virginie n'est pas imposable à Paul, ce qui peut permettre d'épargner quelques dollars. Mais, et c'est sans doute ce qui est le plus important, s'ils n'ont pas besoin de cet argent, Virginie peut le transférer dans un REÉR à son nom, ce qui lui permet d'utiliser le revenu de retraite de Paul pour se constituer un revenu de retraite pour les années à venir. Prenez toutefois note qu'à partir du 1er janvier 1990, le roulement du revenu de pension dans un REÉR ne sera plus permis.

Bien qu'il soit malheureusement vrai que nombre de Canadiens plus âgés aient besoin de chaque cent qu'ils reçoivent pour vivre, il reste à espérer qu'une bonne planification financière vous permettra de disposer d'un peu plus d'argent pour vos vieux jours. Si tel était le cas, vous devriez réfléchir soigneusement à la possibilité d'utiliser les roulements pour protéger votre revenu de retraite.

Rappelez-vous que, dans notre exposé sur les déductions possibles dans le calcul du revenu imposable, nous avons mentionné que certaines de ces déductions étaient transférables du conjoint à charge au soutien de famille. Il s'agit des déductions qui sont applicables lorsque vous atteignez 65 ans et plus et des déductions au titre du revenu de retraite. Lorsque votre conjoint est financièrement à votre charge, ses déductions au titre du revenu de retraite peuvent se révéler utiles même s'il n'a pas à payer d'impôts. Nous ne soulignerons jamais assez l'importance, aux fins de la planification de la retraite, de s'assurer que chaque conjoint dispose d'un revenu. Deux revenus de retraite permettent de bénéficier de deux déductions, d'avoir un revenu qui est imposé à un taux marginal plus faible et d'accroître la capacité de recourir aux roulements. Prendre les premières mesures afin de s'assurer que les deux conjoints disposent de revenus de retraite importants peut être fait dès le début de la vie à deux. Même si vous avez de nombreuses années à vivre avant votre retraite, vous devriez songer à effectuer ce genre de planification.

Revenus de placement

La Loi de l'impôt sur le revenu possède de nombreuses dispositions qui tendent à réduire les impôts sur les revenus tirés des placements. Dans l'évaluation d'un placement, le facteur clé n'est pas uniquement le produit qu'on peut en tirer, mais ce qui en reste *après impôts*. Pour établir cette valeur, vous devez bien connaître les dispositions de base qui contribuent à l'allégement fiscal.

La déduction au titre du revenu de placement : La disposition qui procure le plus d'avantages à l'égard de certains types de placements est la règle qui vous permet de déduire de votre revenu imposable 1 000 $ de revenus sous forme d'intérêts et de dividendes au fédéral, et 500 $ au Québec (la déduction peut atteindre 1 000 $ au provincial si vous ne recevez aucun revenu d'emploi), si les intérêts et les dividendes proviennent d'une source canadienne. (Il s'agit de la déduction au titre des revenus de placement.) Encore une fois, il existe un certain nombre d'exceptions à cette règle générale. La plus importante est celle stipulant que, si les intérêts et les dividendes proviennent d'une source avec laquelle vous entretenez un lien de dépendance (par exemple, un membre de la famille ou une entreprise dont vous avez le contrôle), vous n'avez pas droit à la déduction. En outre, si les intérêts proviennent d'une rente, et que vous les intégriez à votre déduction au titre du revenu de retraite, vous ne pouvez pas les utiliser aussi dans le cadre de la déduction pour revenu de placement.

Lorsque vous appliquez la règle relative à la déduction pour revenu de placement, prenez note de trois points. Premièrement, la déduction pour dividendes doit être calculée en fonction des dividendes majorés, et non des dividendes reçus. (Nous expliquerons ce point en détail un peu plus loin dans le chapitre.)

De plus, l'effet de cette déduction est d'assurer que des petits revenus de placement seront exonérés d'impôt. Cela suppose que votre programme de placement doit en toute priorité pouvoir produire annuellement au moins 1 000 $ (500 $ au Québec) de revenu de placement admissible. (Il serait peut-être utile de relire l'exemple donné à la page 50 du chapitre 3 concernant les placements à intérêts composés.)

En dernier lieu, il est souhaitable que les deux conjoints tentent de tirer parti de la déduction pour revenu de placement grâce à des opérations ou à des épargnes distinctes. Si un conjoint est à la charge de l'autre, la déduction est transférable.

L'imposition des dividendes provenant de sociétés canadiennes : Les dividendes représentent la distribution des bénéfices d'une société à ses actionnaires. Comme nous l'avons fait remarquer au chapitre 5, ces dividendes peuvent provenir d'actions privilégiées ou d'actions ordinaires; s'ils sont versés par une société canadienne imposable, ils sont soumis à un régime particulier.

Ainsi, au lieu de déclarer le montant que vous avez effectivement reçu, vous devez déclarer un tiers de plus. Vous obtenez ensuite un crédit égal au montant supplémentaire que vous avez déclaré. Supposons, par exemple, que vous ayez reçu 600 $ en dividendes et que votre taux marginal combiné fédéral/provincial soit de 40 %. Vous devrez calculer les impôts de la façon suivante :

Dividendes	600 $
Majoration	
(33⅓ % x 600 $)	200 $
Dividendes majorés	800 $

Impôts à payer		
(0,40 x 800 $)		320 $
Moins :		
– crédit d'impôt		
– fédéral		
(0,1666 x 800 $)	133,28 $	
– au Québec		
(0,1108 x 800 $)	88,64 $	
		– 221,92 $
Impôts nets à payer		98,08 $
Dividendes nets restant		
dans vos poches		
(600 $ – 98,08 $)	501,92 $	

Ce mode de calcul peut sembler complexe, mais il tient compte du fait que l'entreprise verse des dividendes à partir de son bénéfice après impôts, et tente de créditer à l'actionnaire certains des impôts qui ont déjà été versés.

Il faut se rappeler d'un certains nombre de règles générales :

• Si vous vous situez dans la plus haute tranche d'imposition marginale, le taux d'imposition effectif appliqué à vos dividendes, au Québec, sera d'environ 41,87 %. Comme la plupart des autres formes de revenu seraient imposables à 56,57 %, voilà qui rend le revenu de dividendes plus attrayant.

• Si votre taux marginal combiné est de 41,87 % (au Québec), vous ne paierez effectivement aucun impôt. S'il se situe en deçà de ce pourcentage, vous disposerez d'un excédent de crédits d'impôt au titre des dividendes, c'est-à-dire que vous disposerez de plus d'argent que ce dont vous avez besoin pour payer les impôts sur les dividendes, et cet excédent pourra être porté en réduction d'autres charges fiscales. Cependant, si vous n'avez aucune dette fiscale, vous ne pourrez utiliser l'avantage que vous procure ce crédit d'impôt.

• Comme nous l'avons mentionné plus tôt, aux fins de la déduction pour revenu de placement, vous devez déclarer des dividendes majorés. C'est ainsi que, dans notre exemple, vous aurez à déclarer 800 $ de dividendes. Mais si vous n'aviez aucun autre revenu de placement, vous pourriez en tirer un double avantage.

D'un côté, les dividendes mêmes seraient exonérés d'impôts, puisqu'ils seraient couverts par la déduction et, d'un autre côté, vous bénéficieriez du crédit d'impôt pour dividendes d'un montant de 200 $, qui pourra être imputé à une autre dette fiscale.

• Le crédit d'impôt pour dividendes ne peut être transféré directement entre conjoints. Mais il est possible au soutien de famille de déduire de ses dividendes le crédit de son conjoint à charge. (Vous devez déduire *tous* les dividendes, et pas uniquement une partie.) Voilà qui réduirait le revenu du conjoint à charge (ce qui augmenterait probablement l'exemption de personne mariée) et donnerait au soutien de famille l'avantage de la déduction pour revenu de placement et des crédits d'impôt pour dividendes. Cette façon de procéder procure quelquefois des avantages, mais pas toujours. Si votre conjoint est à votre charge et possède un revenu sous forme de dividendes, essayez de remplir votre déclaration deux fois, la première fois, en ajoutant les dividendes sur la déclaration de votre conjoint et la seconde, sur la vôtre. Ensuite, choisissez la méthode la plus avantageuse.

• Les dividendes provenant de pays étrangers sont imposés comme un revenu ordinaire. Ils ne sont pas admissibles à la déduction pour revenu de placement et ne sont pas majorés; par ailleurs, ils ne donnent pas droit à des crédits d'impôt comme les dividendes versés par des sociétés canadiennes.

Le revenu d'intérêts : Aucune règle spéciale ne procure d'allégement fiscal pour le revenu d'intérêts autre que la déduction pour revenu de placement. Tous les intérêts sont imposables au taux d'imposition marginal après que cette déduction ait été appliquée.

Dans de nombreuses situations, vous pouvez avoir le choix entre un placement rapportant des dividendes (des actions) et un placement portant intérêts. Vous pouvez utiliser le truc suivant pour faire votre choix. Pour obtenir un même rendement après impôts, vous devez obtenir 1⅓ fois plus d'intérêts que de dividendes. Par exemple, si vous pouvez acheter une action qui verse un dividende de 6 %, vous auriez à placer votre argent à 8 % d'intérêt pour obtenir le même montant net après impôts. Il serait encore plus avantageux pour vous d'obtenir plus de 8 %, mais si tel n'était pas le cas, vous devriez opter pour les actions.

Immobilier : Lorsque vous examinez vos placements immobiliers, vous devez distinguer entre ce que vous recevez effectivement chaque année et le montant qui est assujetti à l'impôt. Normalement, vous prenez d'abord votre revenu de location brut, dont vous déduisez toutes vos charges, comme les intérêts sur votre hypothèque, vos impôts fonciers, vos frais de chauffage, de réparation, etc. Supposons, par exemple, que vous touchez 6 000 $ par année de revenu locatif et que vos charges totalisent 4 000 $. Votre profit est donc de 2 000 $. Toutefois, vous pouvez déduire l'amortissement du coût en capital (l'ACC, qui représente l'amortissement) de votre immeuble, habituellement selon un taux de 5 ou 10 %. Si l'immeuble vous a coûté 100 000 $ et que vous calculiez l'amortissement à 5 %, vous pouvez déduire 5 000 $. Une règle spéciale limite cependant votre déduction au montant de votre revenu locatif net; en d'autres termes, vous ne pouvez subir une «perte non matérialisée» en déduisant l'amortissement du coût en capital. Ainsi, dans notre exemple, vous pouvez déduire un amortissement de 2 000 $, et le «revenu» provenant de votre bien aux fins de l'impôt sur le revenu est considéré comme nul même si vous en avez réellement tiré 2 000 $.

L'année suivante, vous pourrez déduire (sous réserve de la règle interdisant les pertes non matérialisées) 5 % de 98 000 $, soit les 100 000 $ du coût initial moins les 2 000 $ déduits l'année précédente. Le montant sur lequel vous calculez votre déduction chaque année constitue la fraction non amortie du coût en capital (F.N.A.C.C.) de votre bien. Toutefois, si vous vendez l'immeuble à un prix qui dépasse la F.N.A.C.C., vous serez assujetti à la récupération, ce qui signifie que l'excédent du prix de vente sur la F.N.A.C.C., jusqu'à concurrence du prix d'achat initial, sera ajouté à votre revenu.

Supposons que vous ayez acheté l'immeuble pour 100 000 $ et que, pendant huit ans, vous avez déduit un ACC de 25 000 $; votre F.N.A.C.C. s'établit donc à 75 000 $. Vous vendez votre immeuble 95 000 $. Vous devrez ajouter à votre revenu de l'année de vente la somme de 20 000 $ (soit 95 000 $ – 75 000 $). Cette somme sera imposée comme un revenu ordinaire, au taux régulier. Si vous vendez l'immeuble pour 100 000 $ ou plus, le montant de l'amortissement récupéré est de 25 000 $. En d'autres termes, le régime tient compte du fait que vous avez obtenu un allégement fiscal pour une dépréciation qui ne s'est pas réalisée (puisque la valeur du bien a augmenté, ou qu'elle n'a du moins pas chuté de la façon dont vous l'aviez déclaré) et vous impose maintenant pour les bénéfices «excédentaires».

De façon générale, les placements en immobilier sont attrayants parce que la déduction de l'amortissement du coût en capital peut servir d'abri fiscal pour le profit qu'ils peuvent produire. De plus, à long terme, les biens immobilisés tendent à prendre de la valeur, ce qui permet d'envisager des gains en capital.

Encore une fois, si vous prévoyez effectuer des placements immobiliers, consultez un comptable, et voyez ensemble quelles en sont toutes les incidences en ce qui concerne le revenu et la fiscalité. Une autre remarque sur l'immobilier. La plupart des gens ne considèrent pas leur maison comme un placement, mais, à vrai dire, il s'agit souvent du meilleur investissement que vous puissiez faire. Le profit annuel correspond à l'utilisation et à la jouissance du logement, ce qui constitue un rendement non imposable sur votre placement. (En effet, si vous aviez placé ailleurs l'argent que vous avez consacré à votre maison, les intérêts ou les dividendes que vous en tireriez seraient assujettis à l'impôt.) En outre, le gain réalisé à la vente de la maison que vous habitez est exonéré d'impôts, grâce aux règles qui régissent les résidences principales, puisque la maison dans laquelle vous vivez est considérée aux fins de l'impôt comme une résidence principale. Bon nombre de gens astucieux considèrent que l'achat d'une maison (et le paiement rapide de l'hypothèque, à moins que le taux hypothécaire ne soit bien inférieur aux taux d'emprunt courants) constitue le meilleur investissement qui soit.

Vous ne pourrez toutefois pas posséder plus *d'une* résidence principale à la fois par couple marié, ce qui signifie que vous ne pouvez bénéficier de l'exonération d'impôts à la fois sur votre maison et sur votre chalet. Si vous comptez louer votre maison pour un certain temps (disons, parce que vous êtes muté dans une autre ville temporairement) ou en sous-louer une partie, vérifiez auprès de votre comptable ou de votre avocat fiscaliste avant de prendre une décision. Il existe des moyens qui vous permettent d'utiliser votre maison comme résidence principale (et de bénéficier de l'exonération d'impôts) même si vous n'habitez pas toute la maison tout le temps. Les techniques diffèrent selon vos intentions – et obtenir des conseils éclairés avant d'agir peut vous épargner une somme considérable d'impôts.

Gains en capital : Un gain en capital est un profit que vous réalisez lorsque vous cédez un actif immobilisé comme des actions, des obligations, de l'immobilier, des oeuvres d'art, etc. Un gain découle habituellement de la vente du bien, mais il existe des cas où il y aurait disposition présumée, auquel cas la règle régissant les gains en capital s'applique. En vertu de la Loi de l'impôt sur le revenu, une disposition présumée est traitée comme s'il y avait réellement eu vente du bien à sa juste valeur marchande, même si le bien en question a été donné en cadeau, reçu en héritage ou apporté à l'extérieur du Canada.

En général, vous ne déclarez que la moitié des gains en capital aux fins de l'impôt sur le revenu. Ainsi, si vous aviez acheté 10 000 $ d'actions de la Société Meu-Meu limitée et que vous les ayez revendues 25 000 $, vous auriez réalisé un gain en capital de 15 000 $. Cependant, vous n'en déclareriez que la moitié, soit 7 500 $, sur votre formulaire d'impôts (ce montant constituant le gain en capital imposable), ce qui signifie que le taux d'imposition maximal (en supposant que votre revenu imposable dépasse environ 63 000 $) serait de 28,3 % environ. Cette règle est en vigueur depuis 1972.

En 1985, toutefois, une règle supplémentaire a été introduite. Ainsi, dans le calcul de votre revenu imposable, vous pouvez déduire le montant de gains en capital imposables réalisés au cours de l'année. L'application de cette règle est échelonnée sur un certain nombre d'années, ce qui fait qu'en 1985, la déduction maximale était de 10 000 $, puis, en 1986, de 25 000 $; elle se chiffre à 50 000 $ en 1987. Selon la réforme fiscale du ministre des Finances fédéral, M. Michael Wilson, annoncée le 18 juin 1987, ce dernier montant constituera la déduction maximale cumulative à vie pour un contribuable. Avant la réforme, il avait été prévu que la déduction maximale passerait à 100 000 $ en 1988, à 150 000 $ en 1989 et à 250 000 $ en 1990. (Rappelez-vous que ces chiffres représentent les gains en capital imposables; ils doivent donc être multipliés par deux pour correspondre au montant des gains effectivement réalisés.)

La possibilité d'utiliser cette déduction est cumulative. Disons que vous avez réalisé un gain de 10 000 $ en 1986 et que vous avez déduit de votre revenu une somme de 5 000 $ cette année-là. En 1986, vous avez réalisé un autre gain de 10 000 $ et déduit encore 5 000 $. (N'oubliez pas : la déduction couvre en réalité le double du gain en capital.) Comme le maximum disponible en 1987 est de 50 000 $ et que vous avez déjà utilisé 10 000 $ par le passé, il ne vous reste que 40 000 $ d'exemption.

Si vous avez des gains en capital excédentaires, vous ne pouvez pas les reporter. Par exemple, supposons qu'en 1987 vous ayez réalisé un gain en capital de 100 000 $; vous devriez indiquer un gain de 50 000 $ sur votre déclaration et, comme vous auriez déjà utilisé 10 000 $ de déduction en 1985 et 1986, vous ne pourriez déduire que 40 000 $ en 1987; vous devriez donc payer des impôts sur 10 000 $.

Intérêts, pertes et autres dépenses : Il existe un autre aspect des placements que vous devriez connaître, soit les coûts que vous aurez à engager.

De façon générale, si vous empruntez de l'argent à des fins de placement, vous pouvez déduire les intérêts débiteurs au moment du calcul de votre revenu. Par exemple, si vous empruntez 100 000 $ à 11 % pour investir à la Bourse, vous pouvez déduire les 11 000 $ que vous paierez en intérêts. Cette règle comporte toutefois certaines limites. Par exemple, si vous empruntez à 11 % pour acheter des actions privilégiées qui versent un dividende de 6 %, vous ne pourrez déduire que 8 000 $ (jusqu'à concurrence de vos dividendes majorés). Par contre, si vous achetez des actions ordinaires, vous pouvez déduire tous les intérêts, même si aucun dividende n'est versé. (Si vous empruntez des sommes importantes pour investir ou pour vous établir, il serait utile de consulter votre comptable pour obtenir son opinion quant à la déductibilité des intérêts.)

Si vous payez des honoraires à un conseiller en placement pour ses services, ces frais sont déductibles. Il en va de même des frais de location d'un coffret à la banque.

Quant aux frais de courtage, ils sont tout simplement ajoutés au coût du bien. Par exemple, si vous achetez 100 actions pour 1 000 $, et que les frais de courtage soient de 75 $, le coût des actions aux fins du calcul du gain ou de la perte en capital sera de 1 075 $. Lorsque vous vendez vos titres et que vous recevez de l'argent, vous pouvez déduire, pour le calcul des gains en capital, les frais de courtage du montant que vous avez reçu.

Si vous vendez à perte des biens immobilisés, le montant de ces pertes est imputé aux gains en capital que vous avez réalisés dans le courant de l'année. Par la suite, vous pourrez les reporter rétrospectivement sur les gains que vous avez réalisés au cours des trois années antérieures. (Pour ce faire, vous devez demander au ministère du Revenu de «rouvrir» les déclarations de revenus des années précédentes.) Si vous disposez encore par la suite de pertes non déduites, vous pouvez les reporter indéfiniment pour les déduire des gains en capital. Il sera toujours dans votre intérêt de reporter vos pertes sur des années antérieures – ce qui vous permettra d'obtenir un remboursement des impôts que vous aviez alors payés.

(Si vous aviez subi des pertes en capital en 1985 ou avant, 2 000 $ de ces pertes peuvent être déduites du revenu ordinaire. Si c'est votre cas, vous aurez besoin d'un comptable pour vous aider à remplir votre déclaration d'impôts.)

Abris fiscaux : Bon nombre de gens utilisent l'expression «abri fiscal» à toutes les sauces. Ils font référence, par exemple, au traitement fiscal spécial accordé aux dividendes ou aux gains en capital. Par souci de précision, cependant, un abri fiscal peut être défini comme une dépense qui donne lieu à une réduction des impôts qui seraient autrement payables pour l'année d'imposition. Les abris fiscaux les plus fréquents sont bien entendu les régimes de retraite ou les REÉR, qui sont à la fois un placement et qui donnent droit à une déduction au moment du calcul du revenu. Ces formes de placement sont évidemment très sûres et font partie intégrante de la planification financière.

De façon générale, ceux qui utilisent des abris fiscaux (autres que les abris qui sont reliés aux dividendes ou à l'épargne-retraite) n'ont pas de programme arrêté de planification financière. Il existe de nombreux moyens de réduire au minimum les impôts sans avoir recours aux abris fiscaux. Si vous pouvez garder vos impôts à un seuil minimal sans utiliser d'abri fiscal, faites-le.

Malgré tout, si vous recherchez un abri fiscal, les trois plus courants sont les placements dans les films, dans le pétrole et le gaz, ainsi que dans des actions accréditives de sociétés minières. Le point commun de ces abris est qu'ils vous donnent droit, au moment du calcul de votre revenu, à une première déduction beaucoup plus importante que le montant que vous avez versé. Bien qu'ils fonctionnent différemment, ces abris vous procurent les avantages liés aux déductions qui reviendraient autrement à la société de capitaux ou à la société de personnes dans laquelle vous investissez.

Prenez ainsi le placement dans un film ou dans une émission de télévision. Le placement est normalement offert sous la forme d'une «unité», c'est-à-dire la plus petite participation que vous pouvez acquérir. Supposons que vous voulez acheter une unité de 100 000 $ (les unités sont toutefois souvent beaucoup moins onéreuses). Vous devrez verser un minimum de 5 % du prix d'acquisition (soit 5 000 $) et signer un billet à ordre vous engageant à payer le solde dans les quatre ans. Pour l'année où vous achetez l'unité, vous pouvez vous prévaloir d'une déduction (dans ce cas, il s'agit d'un amortissement du coût en capital) de 50 000 $ et vous bénéficierez d'une deuxième déduction de 50 000 $ l'année suivante. (La déduction est répartie sur deux ans du fait que, normalement, vous ne pouvez déduire que la moitié de l'amortissement du coût en capital au cours de l'année d'acquisition du bien.)

Pour la première année, vous versez 5 000 $ et obtenez une déduction de 50 000 $. Si votre taux d'imposition marginal est de 50 % (ce qui devrait être le cas avant que vous songiez à recourir à ce type d'abri fiscal), vous réalisez une économie d'impôts de 25 000 $ pour un profit net de 20 000 $. Vous obtiendrez une autre déduction de 50 000 $ pour la deuxième année, soit une économie d'impôts additionnelle de 25 000 $. Donc, pour une dépense de 5 000 $, vous aurez épargné 50 000 $ d'impôts.

Toutefois, faites attention : les apparences de simplicité sont trompeuses. Premièrement, vous devez 95 000 $, qui doivent être versés. Deuxièmement, si le film réalise des gains, les recettes serviront habituellement à rembourser la dette, *mais vous serez imposé sur cet argent.* Par conséquent, vous serez imposé au cours des années qui suivent sur des sommes que vous n'avez pas réellement reçues.

Il est également important de se rappeler que les avantages fiscaux bénéficient à l'investisseur initial. Cela signifie que, dans bien des cas (mais pas toujours), il peut être difficile, voire impossible, de revendre le placement plus tard. Beaucoup de gens qui avaient investi dans des immeubles servant d'abri fiscal (soit des immeubles résidentiels à logements multiples) par le passé se sont rendu compte avec déplaisir qu'ils ne pouvaient pas revendre leur participation dans ces immeubles du fait que ceux-ci étaient surévalués (pour tenir compte des avantages fiscaux) et qu'ils ne pouvaient concurrencer les immeubles ne servant pas d'abri fiscal.

N'oubliez pas, les films sont des investissement risqués – c'est pourquoi le gouvernement leur accorde un traitement fiscal si avantageux. Très peu de films permettent à l'investisseur de regagner son placement; c'est pourquoi, à long terme, vous pourriez vous retrouver perdant.

Rappelez-vous ces deux conseils. D'abord, si le placement même ne semble pas prometteur, n'y touchez pas. Contrairement à ce que bien des gens mal informés croient, vous n'avez rien à gagner d'un placement qui ne produit pas *au moins* un montant égal à votre investissement. Ensuite, n'effectuez pas ce genre d'investissement sans consulter un fiscaliste. Les experts dans ce domaine peuvent souvent déceler les fausses prétentions dans les documents envoyés aux investisseurs. Ce n'est pas parce que le promoteur vous assure que votre placement jouira d'un certain traitement fiscal que ses prétentions se réaliseront effectivement.

Impôt minimum : En 1986, le Canada a introduit un régime d'impôt minimum. Lorsqu'il a annoncé la mise en place de ce régime, le ministre des Finances a déclaré qu'il visait à ce que les contribuables à revenu élevé paient «leur part équitable» des impôts sur le revenu. Il semble toutefois que ce régime n'aura qu'une faible influence sur la grande majorité des Canadiens, y compris ceux qui gagnent un salaire élevé.

Voici comment ce régime fonctionne :

Premièrement, vous calculez vos impôts de la façon normale. Vous devez ensuite refaire vos calculs, en partant de votre revenu et en ajoutant certains éléments éventuellement déduits. Par exemple, vous ajoutez les déductions que vous avaient procurées les abris fiscaux : films, placements dans le secteur pétrolier et gazier, et actions accréditives de sociétés minières. Vous devez également ajouter la moitié de vos gains en capital (ce qui signifie qu'aux fins de l'impôt minimum, vous incluez la totalité des gains en capital réalisés et la moitié des gains couverts par l'exonération au titre des gains en capital) de même que vos cotisations à des régimes de retraite et à un REÉR. Vous pouvez déduire les dividendes majorés.

De votre revenu imposable, vous excluez certains éléments comme la déduction de 1 000 $ au titre de revenus de placement et de revenus de retraite.

Une fois ces calculs effectués, vous déduisez une «exemption» de base de 40 000 $. Vous obtenez alors votre revenu imposable aux fins de l'impôt minimum. Vous appliquez ensuite un taux d'imposition fédéral de 17 %, ce qui, allié au taux de l'impôt provincial, peut donner environ 27 %. Vous devez payer le montant le plus élevé de l'impôt «régulier» ou de l'impôt «minimum».

Bien que cela semble effroyablement compliqué, ce sont essentiellement ceux qui utilisent principalement les abris fiscaux (y compris les régimes de retraite et les REÉR) qui sont assujettis à l'impôt minimum. De façon générale, si, lorsque vous calculez votre revenu imposable, vos déductions comprennent plus de 40 000 $ de déductions provenant d'abris fiscaux, il serait utile de consulter un comptable quant à la possibilité d'encourir une dette au titre de l'impôt minimum.

Même si cela a pour résultat de vous faire payer un certain impôt minimum, ne désespérez pas. L'impôt pourra vous être remboursé ultérieurement (jusqu'à sept années plus tard) s'il arrivait que votre dette fiscale régulière dépasse votre dette au titre de l'impôt minimum. Par conséquent, si vous utilisez les abris fiscaux de telle sorte que, disons, en 1987, vous devez payer un impôt minimum, et que vous n'y ayez pas recours en 1988, vous pourriez bien obtenir le remboursement de la différence entre votre dette fiscale régulière en 1987 et l'impôt minimum que vous avez effectivement payé cette année-là.

Récapitulatif

Tout au long de notre exposé sur la fiscalité et les revenus de placement – qui ne présente que les faits saillants d'un domaine très complexe – nous avons fréquemment souligné l'importance de consulter un comptable ou toute autre personne qui connaît bien le domaine de la fiscalité. Une fois que vous avez commencé à investir, c'est votre argent que vous risquez. Les sommes que vous consacrez en vue de recevoir les meilleurs conseils possibles en fiscalité et de vous assurer que vous utilisez le régime fiscal de façon à en tirer le maximum d'avantages sont utilisées à bon escient. En outre, comme nous l'avons mentionné au début de ce chapitre, les règles changent constamment, et différents types de placements sont créés, qui sont souvent destinés à tirer parti des dernières modifications fiscales. Entretenir de bonnes relations avec un spécialiste de la fiscalité devrait constituer une priorité.

Financement des études

Pour de nombreux parents, l'éducation des enfants occupe une place prépondérante dans toute planification financière. Mais, outre l'épargne permettant d'assurer l'éducation post-secondaire de vos enfants, prenez en considération certains aspects fiscaux.

Le régime fiscal canadien est généreux en ce sens qu'il permet la déduction des frais de scolarité aux niveaux secondaire (à partir de la 9e année ou du secondaire III) et post-secondaire, ainsi que pour des cours pris séparément (dont les frais atteignent au moins 100 $) et qui ne mènent pas nécessairement à un diplôme. La déduction appartient toutefois à l'étudiant, et non au parent. Une bonne planification financière permet donc de transférer une partie de vos revenus à l'étudiant afin que celui-ci puisse utiliser ses déductions.

Il est bon également de rappeler que, si vous avez un enfant à charge qui étudie à l'université ou dans une institution post-secondaire, vous pouvez déduire au fédéral, en 1987, une somme de 1 200 $ si l'étudiant a un revenu inférieur ou égal à 1 820 $. Au Québec, un enfant aux études post-secondaires peut se prévaloir d'une déduction de 1 450 $ par trimestre (maximum de 2 trimestres par année). Cette déduction est toutefois réduite du revenu net de l'étudiant. N'oubliez pas que le revenu est net, c'est-à-dire que les dépenses déductibles ont été retranchées. Par exemple, si les frais de scolarité se montaient à 1 500 $, l'enfant pourrait gagner 3 320 $ sans que cela ne nuise à sa déduction au fisc fédéral. Si l'enfant a un revenu qui dépasse 1 820 $, mais inférieur à 4 220 $, il est possible de réclamer une exemption partielle au fédéral. Si vous possédez une entreprise et donnez un emploi à votre enfant, vous pouvez transférer une partie de votre revenu en lui versant un salaire raisonnable et en lui laissant payer ses frais de scolarité.

Si l'enfant est âgé de plus de 18 ans et que vous disposiez d'assez d'argent, vous pouvez lui prêter une somme importante et le laisser l'investir. Par exemple, si vous lui prêtez 50 000 $ qui sont investis, l'enfant pourrait en tirer 4 000 $ par année à 8 %. Ce produit serait imposé à l'enfant, mais les frais de scolarité pourraient alors être déduits. (Cette façon de procéder *ne fonctionne pas* dans le cas d'un enfant qui atteint 18 ans dans l'année, puisque les règles d'attribution du revenu cessent de s'appliquer l'année où l'enfant atteint ses 18 ans.) Habituellement, ces prêts ne portent pas intérêts, mais sont garantis par un billet remboursable sur demande, ce qui vous permet d'exiger le remboursement de l'argent lorsque vous le désirez.

Vous pouvez avoir placé votre argent dans un Régime enregistré d'épargne-études (REÉÉ). Il s'agit d'un régime enregistré par le gouvernement qui vous permet de cotiser au nom de l'enfant – les cotisations ne sont pas déductibles, mais le revenu que le régime produit est exonéré d'impôts. Si l'enfant fréquente un établissement scolaire post-secondaire, les fonds lui sont versés à titre de «bourse», et c'est lui qui est imposé. Par conséquent, l'enfant reçoit un revenu à un moment où son taux d'imposition est faible et où il peut utiliser la déduction des frais de scolarité.

Il existe de nombreux REÉÉ au Canada, et chacun prévoit ses propres règles de cotisation et d'attribution de bourses, bien que tous satisfassent aux critères généraux exigés par les dispositions fiscales. Certains mettent l'accent plutôt sur de petites cotisations qui peuvent être versées pendant de nombreuses années, tandis que d'autres prévoient des cotisations bien plus importantes qui peuvent être versées quand l'enfant est adolescent. Si votre enfant fréquente un établissement post-secondaire, ces régimes sont extrêmement avantageux. Sinon, on vous remet votre capital après déduction de certains frais, ce qui signifie que votre mise diminue de façon marquée pendant que l'argent se trouve dans un tel régime. Certains régimes autogérés offerts par les courtiers en valeurs mobilières accordent plus de latitude dans l'éventualité où l'enfant interrompt ses études.

Afin de tirer le meilleur parti des dispositions fiscales, l'étudiant doit gagner un certain revenu. C'est pourquoi, au moment de votre planification, rappelez-vous que vous devez transférer un revenu à l'étudiant, que ce soit sous forme de planification à court terme (salaire ou prêt sans intérêt) ou de planification à long terme (REÉÉ).

(Les mêmes règles s'appliquent dans le cas d'établissements d'enseignement secondaire, comme des écoles privées. Toutefois, dans un tel cas, la planification est plus complexe, car ni les REÉÉ, ni les prêts sans intérêt ne fonctionnent. D'ailleurs, il peut être difficile de verser un salaire «raisonnable» à un jeune qui fréquente un tel établissement.)

Si l'enfant fréquente une école qui dispense une éducation à la fois religieuse et laïque, une partie de frais de scolarité peut être considérée comme un don de charité déductible. Les règles vous permettant de déterminer, le cas échéant, l'admissibilité des frais à ce titre sont complexes. Si vous envisagez d'inscrire votre enfant dans une école de ce genre, demandez aux directeurs quel traitement fiscal s'appliquera à vos paiements.

Les étudiants qui fréquentent un établissement post-secondaire à temps plein obtiennent une déduction spéciale de 50 $ par mois de fréquentation, normalement huit ou neuf mois par année. Si l'étudiant ne peut utiliser sa déduction parce qu'il n'a aucune dette fiscale, elle peut être utilisée par le parent. Si votre enfant est dans cette situation, assurez-vous que vous tirez parti de cette déduction. Toutes les universités du Canada ont en main les formules requises en mars ou avril.

Séparation et divorce
Lorsqu'un couple se sépare légalement ou divorce, il y a habituellement un règlement financier qui peut avoir des implications fiscales importantes.

Si une somme forfaitaire est versée à un des conjoints, elle ne sera pas déductible pour la personne qui paie ni imposable pour celle qui la reçoit. Des règles spéciales permettent que des fonds soient transférés du REÉR d'une personne au REÉR de son ex-conjoint sans incidence fiscale. Si une partie verse une pension alimentaire en vertu d'une ordonnance du tribunal ou d'une entente de séparation écrite (et il est crucial qu'il s'agisse de l'une ou l'autre), les versements sont déductibles pour le payeur et imposables pour le bénéficiaire. Tout versement additionnel (volontaire) qui n'est pas exigible en vertu de l'entente ne sera ni déductible pour le payeur ni imposable pour le bénéficiaire.

Il existe également des règles fiscales spéciales qui peuvent être utilisées afin de transférer des biens immobilisés d'un conjoint à l'autre dans le cadre d'un règlement, sans coût fiscal immédiat. Si vous planifiez de transférer ou de recevoir des biens immobilisés qui peuvent avoir réalisé une plus-value dans le cadre d'un règlement global, assurez-vous que vos conseillers en ont examiné tous les aspects fiscaux avant que le transfert n'ait lieu.

Une personne qui verse une pension alimentaire à son ex-conjoint pour les besoins de l'enfant peut effectivement déduire ces versements (s'ils satisfont les critères énoncés ci-dessus), mais elle *ne peut pas* déclarer l'enfant comme personne à charge. Normalement, c'est le conjoint qui reçoit la pension alimentaire qui prend l'enfant à sa charge. Un parent célibataire peut se prévaloir d'une déduction appelée «exemption équivalente à une personne mariée» pour un enfant. Cette déduction offre les mêmes exemptions de base au parent et à l'enfant qu'à un couple marié. S'il y a plus d'un enfant, la déduction peut habituellement se faire au nom du plus jeune, tandis que la déduction pour enfant à charge pourrait être applicable à tous les autres enfants.

Il y a plus de litiges en matière de déductibilité des versements par suite d'une séparation ou d'un divorce qu'en toute autre matière. Les règles sont complexes, et les enjeux, élevés, puisque, très souvent, le fait de ne pas satisfaire aux critères aura pour résultat que le conjoint qui verse de l'argent n'aura droit à aucune déduction et que la personne qui en reçoit ne sera pas imposée. *Nous ne répéterons jamais assez* que, dans le cas d'une séparation ou d'un divorce, vous devez examiner attentivement l'incidence fiscale de tout règlement avant de vous y engager. Vous devrez sans aucun doute retenir les services d'un avocat et vous assurer qu'il comprend les aspects fiscaux du règlement. Si vous avez quelque doute que ce soit, insistez pour obtenir l'avis d'un expert, même si cela vous occasionne des coûts supplémentaires. Une erreur dans ce domaine peut vous coûter des milliers de dollars en impôts, sans que vous ayez la moindre possibilité de modifier les dispositions.

Règles d'attribution du revenu

Tout au long de ce chapitre, nous avons souligné maintes fois les avantages liés au fait de répartir les revenus entre les membres de la famille plutôt que de les concentrer entre les mains d'une seule personne. La répartition du revenu aura pour effet de réduire les taux d'imposition et de permettre plus de déductions. En fait, comme nous l'avons vu dans le cas des étudiants, certaines déductions ne sont offertes qu'à une catégorie de personnes et, si ces personnes n'ont aucun revenu, il n'y aura pas de déduction.

Ce phénomène est connu du gouvernement depuis de nombreuses années, et c'est pourquoi il a pris des mesures pour limiter la capacité du contribuable de transférer une partie de son revenu à d'autres membres de la famille. Ces mesures, connues sous le nom de «règles d'attribution du revenu», passent outre le bénéficiaire légal de l'argent et l'attribuent à une autre personne, qui est ensuite imposée sur la somme ainsi attribuée. Les règles s'appliquent lorsqu'un bien est transféré à un conjoint, à un enfant, à un petit-enfant, à une nièce ou à un neveu qui n'a pas encore 18 ans dans l'année en question. Nous examinerons ces groupes séparément. Notons d'abord que le terme «transférer» s'applique tout aussi bien à un cadeau qu'au prêt d'un bien (et l'argent est un bien) ou à la vente du bien à une valeur autre qu'à sa juste valeur marchande.

Dans le cas du transfert d'un bien à un conjoint, tout revenu produit par ce bien – y compris les gains en capital – est imposé au propriétaire initial. Cela s'applique également si le bien est cédé ou si on lui substitue un autre bien. La règle cesse de s'appliquer en cas de décès, de séparation légale ou de divorce, ou lorsque le conjoint quitte le pays. Elle ne s'applique pas si le conjoint achète le bien à sa juste valeur marchande ou s'il emprunte de l'argent au taux d'intérêt alors prescrit, non plus que dans le cas du produit tiré du revenu attribué.

Un exemple permettrait d'éclaircir cette question. Supposons que Maurice soit disposé à prêter 100 000 $ à Denise, son épouse. Il fait face à divers problèmes et possibilités :

• S'il n'exige aucun intérêt et que les 100 000 $ produisent 10 000 $, il sera imposé sur ce dernier montant. Rappelons-nous toutefois que les 10 000 $ appartiennent légalement à Denise.

• Si les 110 000 $ sont investis et produisent 11 000 $ dans la deuxième année, 10 000 $ sont attribuables à Maurice et 1 000 $, à Denise, puisque cette dernière tranche représente les intérêts gagnés sur les 10 000 $ qui avaient été attribués à Maurice.

• Si Maurice demande à Denise de lui verser des intérêts au taux prescrit (disons, 8 %), aucune attribution de revenu ne se produira. Denise obtiendra plutôt 10 000 $, qui représentent un revenu. Mais elle doit verser 8 000 $ à Maurice (et ces intérêts *doivent être versés,* Maurice ne peut pas les annuler), intérêts qu'elle pourra déduire. Maurice doit alors ajouter les 8 000 $ reçus à son revenu. Par conséquent, cette technique est attrayante si Denise peut investir cet argent à un taux de rendement plus élevé que le taux d'intérêt courant prescrit. (Vous avez sûrement entendu parler des prêts sans intérêt accordés au conjoint en tant que technique de planification fiscale. La loi a été modifiée en mai 1985 pour éliminer ce que d'aucuns considéraient comme une technique d'évitement fiscal.)

Dans le cas d'un enfant, les règles d'attribution du revenu s'appliquent uniquement jusqu'à ce que l'enfant ait 18 ans. Les gains en capital ne sont pas attribués à la personne qui a transféré l'argent, comme dans le cas d'un conjoint.

Il existe toutefois un certain nombre de situations où l'attribution du revenu peut être évitée, que ce soit grâce à une bonne planification ou parce que la Loi de l'impôt sur le revenu prévoit des exceptions à la règle générale. Lorsque cela s'applique, vous devriez utiliser ces exceptions dans votre planification.

• Si vous cotisez à un REÉR au nom de votre conjoint, aucune attribution de revenu ne s'appliquera sauf, si le régime est liquidé dans les trois années qui suivent la cotisation. Même cette disposition cesse de s'appliquer si le couple se sépare légalement ou si le REÉR est converti en une rente.

• Une cotisation à un REÉÉ n'est pas techniquement exonérée de l'attribution lorsque l'étudiant reçoit l'argent, mais puisque cela ne se produira pas dans la plupart des cas avant que l'étudiant ait au moins 18 ans, l'attribution n'est pas un problème.

• Le fait de répartir une rente versée dans le cadre du Régime de pensions du Canada ne donnera pas lieu à une attribution du revenu.

• Si le montant des chèques d'allocation familiale est épargné ou investi au nom de l'enfant, le revenu *n'est pas* attribué à la mère.

• Si vous effectuez un placement pour votre enfant, par exemple, dans un certificat de placement garanti où les intérêts sont composés (voir le chapitre 3), et que le certificat vienne à échéance dans l'année où l'enfant atteint 18 ans, aucune attribution ne s'appliquera.

• L'attribution ne s'applique pas si un salaire raisonnable est versé au conjoint ou à l'enfant. Le caractère «raisonnable» tient au fait que la personne effectue un travail pour le salaire qui lui est versé.

• L'attribution ne s'applique pas si le bien provient d'un non-résident ou d'une personne décédée. Si un de vos parents qui vit à l'étranger lègue de l'argent à votre enfant, il n'y a donc aucun problème d'attribution de revenu.

• En pratique, si l'enfant reçoit régulièrement des petits cadeaux à son anniversaire ou à Noël, et qu'il épargne cet argent, Revenu Canada ne tentera pas d'attribuer ce revenu aux personnes qui ont fait ces cadeaux.

• L'attribution ne s'appliquera que si les biens transférés produisent un revenu ou un gain en capital. Si vous achetez au nom de l'enfant des actions qui prennent de la valeur, mais qui versent peu ou pas de dividendes, l'attribution n'est pas un problème.

• Si votre conjoint possède 10 000 $ d'économies et veut s'acheter une nouvelle voiture, mais que vous préfériez qu'il effectue plutôt un placement, vous pouvez lui acheter la voiture (sans attribution, puisqu'il n'y a aucun revenu produit), et le conjoint peut ensuite utiliser son propre argent à des fins de placement.

• Si vous travaillez tous les deux, mais que votre revenu soit beaucoup plus élevé que celui de votre conjoint, envisagez de payer toutes les dépenses de la maison personnellement et de demander à votre conjoint d'investir ses fonds. De façon générale, les placements devraient être effectués par le conjoint dont les revenus sont les moins élevés, et il est sensé de prendre toutes les mesures nécessaires pour que ces fonds ne soient pas érodés (par exemple par les dépenses du ménage). Certains conjoints dont le revenu est le plus élevé paient même les impôts de l'autre pour maximiser les revenus.

• Vous et votre conjoint devriez avoir des comptes en banque distincts pour réaliser vos propres objectifs de placement. Cela vous permettra de prouver, si nécessaire, d'où provenait votre argent utilisé aux fins de placement.

Un des rôles principaux d'un conseiller en planification fiscale est de vous aider, vous et votre famille, à optimaliser les possibilités de répartition des revenus. Si vous trouvez que la quasi-totalité des revenus de votre famille se retrouve entre vos mains et que seule une petite partie est imposée entre les mains de votre conjoint ou de votre enfant, vous devriez demander l'aide d'un professionnel afin, principalement, de répartir légalement vos revenus entre les membres de votre famille.

Échéancier fiscal

Dans la présente section, nous avons noté les dates importantes de l'année d'imposition. Elles ne s'appliqueront pas à tous, mais tous seront touchés par certaines d'entre elles.

Échéancier fiscal 1987

1er janvier :	Début de l'année d'imposition. Gardez les documents justifiant tout revenu gagné et toutes les dépenses qui pourraient être déductibles, ainsi que les reçus d'organismes de charité et de frais médicaux.

De janvier à mars :	Vos formulaires d'impôt, comme les T4, devraient vous parvenir. Assurez-vous que vous les recevez tous. Rappelez-vous que vous avez l'obligation de déclarer tous vos revenus même si vous n'avez pas de reçu.
28 février :	Dernière journée pour cotiser à un REÉR, et pour recourir à la disposition de roulement. (En 1986, la date limite avait été reportée au 2 mars.)
31 mars :	Premier versement trimestriel (acompte provisionnel) pour ceux dont plus de 25 % des revenus ne sont pas assujettis aux retenues à la source, c'est-à-dire les retraités, les investisseurs et les travailleurs autonomes. Aucun paiement n'est nécessaire si l'impôt fédéral de l'année précédente (ou l'estimation pour l'année courante) est de moins de 1 000 $. Le paiement représente le quart de la dette fiscale estimée ou le quart des impôts de l'année précédente.
30 avril :	La déclaration d'impôts doit être portée, et les impôts exigibles payés avant minuit pour éviter de payer une pénalité ou des intérêts.
30 juin :	Deuxième versement trimestriel.
30 septembre :	Troisième versement trimestriel.
20 décembre :	La vente de titres à la Bourse devrait être effectuée au plus tard aujourd'hui pour que l'opération soit reconnue comme ayant été effectuée au cours de l'année d'imposition 1987.

31 décembre :	Dernier versement trimestriel. Dernière journée pour effectuer des dons à des organismes de charité, pour acquitter les frais médicaux (avez-vous besoin de nouvelles lunettes?) ou pour effectuer tout autre paiement déductible d'impôts pour l'année d'imposition 1987. L'enfant qui naît aujourd'hui pourra être pris en charge en 1987.
29 février 1988 :	Dernière journée pour payer les cotisations à un REÉR pour l'année d'imposition 1987.

Conclusion

Bien que ce chapitre soit le plus long et probablement le plus complexe du livre, il est loin d'avoir épuisé la question. Nous avons tenté d'aborder tous les aspects fiscaux qui ont une incidence sur votre planification financière. Nous n'avons toutefois certainement pas réussi à traiter de toutes les questions liées à la planification fiscale.

La bonne planification fiscale exige un travail réel et une étude constante. Il existe de nombreux livres que l'on peut se procurer à un prix raisonnable et qui sont destinés à des profanes; bien que certains soient meilleurs que d'autres, presque tous vous donneront au moins quelques idées quant aux mesures à prendre.

Chaque dollar que vous économisez en impôts peut être utilisé à des fins de placement ou autres. Voilà pourquoi il est sensé d'utiliser une bonne planification fiscale grâce au recours judicieux à des conseillers expérimentés et à la lecture de bons livres et de bons articles de magazines et de journaux. Le fait de se tenir au courant des questions fiscales exige peut-être certains efforts, mais le jeu en vaut certainement la chandelle.

CHAPITRE 7 | Assurances

Une bonne planification financière vous permet non seulement de financer vos objectifs, mais également de vous assurer que vous disposez des fonds nécessaires pour faire face à des imprévus. Ces imprévus – lorsque vous avez besoin d'argent rapidement – sont les raisons pour lesquelles vous désirez conserver une partie de vos épargnes sous forme liquide, afin de pouvoir vous en servir rapidement. Cependant, certains imprévus sont tellement graves que vos propres ressources ne peuvent suffire à répondre aux besoins du moment. C'est dans ces conditions qu'il est crucial d'avoir contracté des assurances.

Une assurance est un contrat conclu entre vous (le propriétaire de la police) et une compagnie d'assurances, contrat en vertu duquel celle-ci s'engage à vous verser (ou à verser à une personne que vous avez désignée) une certaine somme d'argent lorsque survient un événement déterminé. Il peut s'agir de votre décès, de l'incendie de votre maison ou du fait d'avoir à payer certains frais médicaux. Vous versez périodiquement des primes à la compagnie afin de conserver votre assurance et, si la compagnie refuse de payer lorsque l'événement déterminé survient, vous pouvez intenter des poursuites contre elle en vertu du contrat que vous avez conclu.

Bien que nombre de gens considèrent que l'assurance est un choix, ils ont tort : c'est une nécessité. Souvent, une personne qui n'est pas assurée prend conscience trop tard de l'importance d'être assuré. Mais attention : comme pour les autres fondements de la planification financière, vous devez choisir votre assurance en fonction d'objectifs particuliers. Si vous achetez de l'assurance sans avoir de «stratégie», il est presque certain que vous paierez trop cher un produit qui ne satisfait pas vos besoins.

Assurance-vie

Vous aurez probablement besoin de tous les types d'assurance. Néanmoins, l'achat d'une assurance-vie appropriée devrait être prioritaire. Il est bon en outre de vous rappeler que les besoins en assurance varient en fonction de l'évolution de votre famille et de votre situation financière.

Pour bien saisir l'importance de l'assurance-vie, considérez que son acquisition s'apparente à celle d'un ordinateur. Tous les ordinateurs accomplissent certaines fonctions de base – vous avez toutefois le choix d'acheter l'appareil que vous désirez, à partir du modèle très bon marché (à moins de mille dollars) jusqu'à l'ordinateur ultra-perfectionné qui coûte des dizaines de milliers de dollars. De plus, très souvent, vous pouvez ajouter toutes sortes d'accessoires à votre appareil bon marché afin d'améliorer sa capacité (et son coût). À un certain stade, cependant, il devient plus sensé d'acheter un ordinateur plus cher que d'en modifier un qui est bon marché. Lorsque vous achetez un ordinateur, le facteur fondamental que vous devez garder à l'esprit est donc le rôle qu'il jouera dans votre vie. S'agira-t-il essentiellement du jouet par excellence que vous ou vos enfants utiliserez pour des jeux ou pour votre correspondance? Ou bien sera-t-il l'élément intégré à votre bureau qui assure le déroulement sans heurts des activités ? Il est évident que, dans ce dernier cas, vous aurez besoin d'un appareil beaucoup plus complexe et perfectionné.

Il en est ainsi de l'assurance-vie.

L'assurance peut être classée en deux catégories fondamentales. Premièrement, il y a l'assurance temporaire. C'est ce qu'on appelle une assurance pure, dont le but unique est, à la suite de votre décès, de remettre à votre succession (ou à tout autre bénéficiaire) une somme d'argent déterminée. De façon générale, les tarifs sont fixés au moment de l'achat pour un certain nombre d'années – cinq, habituellement, mais quelquefois dix. À la fin de chaque période, les taux augmentent. (Ils sont établis en fonction de votre âge, de votre sexe et du fait que vous fumiez ou non.) Si vous ne payez pas vos primes, la police tombe en déchéance, et vous vous retrouvez les mains vides.

Généralement, une assurance temporaire «vient à expiration». Cela signifie que, à un âge déterminé (souvent 70 ans), vous ne pourrez plus en acheter. Toutefois, comme nous le verrons plus loin, il existe d'autres types d'assurances temporaires dont vous pouvez disposer pour la quasi-totalité de votre vie.

La deuxième catégorie d'assurance que vous pouvez acheter s'appelle l'assurance vie entière, qui est également nommée assurance permanente. Cette assurance possède certaines des caractéristiques d'un placement. Ainsi, une partie de vos primes annuelles est investie par la compagnie d'assurances, et le revenu qui en est tiré s'ajoute à la valeur de votre contrat. Au fil des années, la partie attribuable au placement (connue sous le nom de valeur de rachat) augmentera. Il serait possible pour vous d'emprunter sur la garantie de votre contrat, ou vous pourriez encore annuler votre police et encaisser sa valeur en espèces. Les primes versées en vertu d'un contrat d'assurance vie entière sont déterminées à l'achat et ne sont pas modifiées par la suite.

D'abord, quelques précisions. Premièrement, une assurance vie temporaire coûte toujours moins cher au début (peu importe votre âge) qu'une assurance vie entière. Toutefois, si vous gardez la même police, au fil des ans, les primes d'une assurance vie entière deviendront moindres que pour celles d'une assurance vie temporaire. Deuxièmement, lorsque vous souscrivez une assurance vie entière, l'agent d'assurance peut faire certaines projections à l'égard du revenu de placement. Souvenez-vous *toujours* cependant qu'il s'agit d'estimations et que le rendement n'est pas garanti.

De nombreux agents d'assurance vous diront qu'il serait plus avantageux – au titre d'un placement – d'acheter une assurance temporaire et d'investir la différence vous-même : les résultats dépendent toutefois de vos talents en tant qu'investisseur. (N'oubliez pas non plus que le but d'une assurance est de vous assurer, et non de placer votre argent. En achetant une assurance vie entière, vous préétablissez vos taux de primes et vous disposez d'assurance lorsque vous en avez besoin.)

(De nombreux parents et grands-parents contractent une assurance vie de jeunes enfants. Lorsque cet achat constitue un cadeau pour l'enfant, une assurance vie entière est habituellement préférable. Le fait d'assurer un enfant dès son jeune âge procure deux avantages : les tarifs seront peu élevés pendant toute la vie de l'enfant et la valeur du placement s'accroîtra sur une longue période.)

Les prestations de décès de toute assurance vie entière sont exonérées d'impôt, ce qui fait de cette assurance un achat particulièrement attrayant s'il vise à produire des fonds à des fins déterminées à votre décès. Si vous achetez une assurance vie entière et que vous l'encaissiez avant votre décès, la partie attribuable au placement, soit l'argent que vous avez gagné à l'aide de ce contrat (qui n'est pas normalement assujetti à l'impôt chaque année), sera imposable l'année de la résiliation.

Retournons brièvement à l'assurance temporaire. Normalement, on peut se la procurer soit auprès d'un agent d'assurance (mais comparez les prix, qui varient), soit sous forme d'assurance temporaire collective. Celle-ci désigne un contrat dont peuvent se prévaloir tous les membres d'un groupe. Le plus souvent, ce groupe sera constitué des employés d'une entreprise, mais il peut s'agir également des membres d'un club, des diplômés d'une même université ou des membres d'une association professionnelle. En règle générale, mais pas toujours, une assurance de groupe coûte un peu moins cher qu'une assurance individuelle. Avant d'acheter de l'assurance temporaire, vérifiez si vous n'êtes pas admissible à une assurance temporaire collective et voyez quels sont les taux. (Si vous êtes admissible à l'assurance temporaire de groupe au travail, il est possible que votre employeur paie les primes relatives à la première tranche de 25 000 $ – et cet avantage ne sera pas assujetti à l'impôt.)

Nombre d'assurances spéciales qui sont offertes sont de l'assurance temporaire. Par exemple, l'assurance-voyage, que vous pouvez acheter à l'aéroport, ou encore l'assurance-hypothèque, qui peut être offerte par l'établissement qui détient une hypothèque sur votre propriété. *Il est possible* que ces assurances représentent un bon achat, mais il est plus probable qu'elles coûtent très cher. Avant d'acheter, assurez-vous que vous ne pouvez pas obtenir ailleurs une meilleure garantie moins cher.

Examinons maintenant certaines caractéristiques qui peuvent être offertes avec votre assurance temporaire. Rappelez-vous que, à moins d'indication contraire, n'importe laquelle d'entre elles augmente le prix de base de votre assurance.

Droit de conversion : Vous pouvez prévoir une clause qui vous permettra de transformer votre assurance temporaire en une assurance vie entière à un moment déterminé. Cette option est rarement avantageuse puisque vous devriez acheter une assurance vie entière dès le début si c'est ce genre d'assurance que vous désirez.

Assurabilité garantie : Dans la plupart des cas (sauf certains contrats plus petits ou des régimes d'assurance temporaire), vous devez vous soumettre à un examen médical avant d'être assuré. L'assurabilité garantie signifie que vous pourrez renouveler votre assurance même si vous avez des problèmes de santé entre l'achat de votre assurance et l'échéance. Vous pouvez souvent également augmenter la garantie de votre assurance, ce qui représente généralement une caractéristique utile.

Échéance reportable : Bien que la plupart des assurances temporaires prennent fin lorsque l'assuré atteint 70 ans (c'est-à-dire qu'il ne peut renouveler son contrat), certaines compagnies offrent de l'assurance temporaire pour des périodes beaucoup plus longues, y compris certaines polices connues sous le nom de «échéance à 100 ans». Comme le laisse entendre cette expression, vous pouvez être assuré jusqu'à votre 100ᵉ anniversaire.

Vous devez connaître également les options telles que l'assurance conjoint survivant et l'assurance à capital décroissant. La première ne verse le montant de la garantie qu'après le décès du conjoint de l'assuré. Cette forme d'assurance est moins chère que l'assurance ordinaire parce que les primes sont basées sur l'âge du plus jeune des deux conjoints. Cette assurance est idéale si les deux époux travaillent – le but visé étant de prévoir des fonds pour un enfant après le décès des deux parents.

L'assurance à capital décroissant verse un montant moins élevé au décès au fur et à mesure que les années passent, et coûte moins cher que l'assurance temporaire ordinaire. Elle est adoptée généralement par les jeunes dont la carrière débute et qui veulent mettre de l'argent de côté pour leur famille, mais qui prévoient également que, dans dix ou quinze ans, ils auront acquis assez de biens pour subvenir à la majeure partie des besoins de leur famille. Il existe un vaste éventail d'options d'assurance disponibles et un bon agent pourra vous en parler. Néanmoins, peu importe le genre d'assurance, vous devez déterminer *la raison* qui vous pousse à contracter une assurance, et la façon dont celle-ci s'inscrit dans votre planification financière. En outre, même si nous avons tous des facteurs différents à prendre en considération, il est probablement exact de dire que l'assurance joue trois rôles principaux dans la planification financière.

Création de votre patrimoine : Ce terme plutôt pompeux qu'utilisent les vendeurs d'assurance-vie désigne une assurance qui servira à établir un fonds pour subvenir aux besoins des personnes à charge après le décès du principal soutien de famille. De ce point de vue, on peut donc dire que l'assurance présente un attrait pour ceux qui ont de jeunes enfants ou dont le conjoint ne travaille pas, ou pour ceux qui ont des obligations envers des tiers, par exemple les parents. Très fréquemment, il y a une période critique où le besoin d'un soutien financier est très important, mais cette période sera plus ou moins longue selon vos objectifs.

Supposons ainsi que vous ayez un emploi qui rapporte bien et que votre conjoint travaille à la maison. Vous avez trois enfants âgés de cinq à dix ans. Si votre obligation principale est d'assurer l'éducation post-secondaire de vos enfants, vous aurez probablement besoin d'assurance «seulement» pour un maximum de vingt ans – c'est-à-dire jusqu'à ce que le plus jeune atteigne 25 ans. (Vous voudrez donc obtenir une garantie élevée non permanente; l'assurance temporaire serait ici idéale.)

À moins que vous ne possédiez d'autres biens importants, vous pouvez toutefois désirer que l'assurance serve à subvenir aux besoins de votre conjoint, peu importe à quel âge survient votre décès. Vous pourriez donc ajouter à votre assurance temporaire une assurance vie entière en sa faveur.

Pour les jeunes qui ont des obligations mais peu de biens, et qui prévoient cependant un avenir financier favorable, l'achat d'assurance destinée à créer un patrimoine est important. L'approche habituelle d'un agent d'assurance à l'encontre de ce problème aura fréquemment pour conséquence de vous surassurer. Voici comment cela pourrait se passer : vous déterminez d'abord les besoins financiers annuels de votre famille, disons 25 000 $. À un taux d'intérêt raisonnable, disons, 8 %, vous calculez que vous devrez disposer d'un capital de 312 500 $ pour produire cette somme annuellement. En tenant compte de l'inflation, l'agent vous suggère d'acheter, par exemple, 400 000 $.

Il existe pourtant une faille dans ce raisonnement. En effet, on suppose non seulement que vous aurez besoin de produire 25 000 $ indéfiniment, mais que vous voudrez également conserver intact votre capital, soit 400 000 $. Mais qu'arrive-t-il si vous avez évalué que votre famille n'aura besoin des 25 000 $ que jusqu'à ce que le plus jeune enfant aie 25 ans? Dans ce cas, vous devriez plutôt considérer que les 25 000 $ nécessaires seront constitués à la fois d'intérêts et de capital. Si vous estimez qu'il n'est pas nécessaire de garder un capital une fois que le plus jeune aura atteint 25 ans, il est probable qu'une assurance de 200 000 $ suffirait à produire les rentrées de fonds nécessaires durant les années critiques.

(Lorsque vous souscrivez une assurance, vous pourriez également examiner les tarifs à l'égard des rentes. De combien de capital auriez-vous besoin pour acheter une rente qui produirait le revenu nécessaire pour la période que vous avez déterminée?)

Nous avons déjà mentionné l'assurance à capital décroissant. N'oubliez pas que, au fur et à mesure que les enfants grandissent, les besoins de garantie diminuent. Dans cinq ans, vous n'aurez besoin que d'une garantie de 15 ans, et non de 20 ans. Une façon de bénéficier des coûts peu élevés, c'est d'obtenir de l'assurance qui, dans cinq ans, n'offrira que 75 % de la garantie actuelle. (D'un autre côté, *il est possible* que vous préfériez être surassuré pour obtenir plus de sécurité. C'est là un choix personnel.)

Bien que la création d'un patrimoine soit principalement un but que visent les jeunes, elle peut également constituer un objectif pour les plus âgés qui n'ont pas pu accumuler de biens importants.

À plus d'une occasion, des veuves se sont retrouvées dans une situation financière plus avantageuse après le décès de leur mari qu'avant. Dans la plupart des cas, l'époux avait été incapable d'épargner et d'investir à profit, mais il avait *effectivement* toujours payé les primes d'une assurance substantielle.

Liquidité : La liquidité est liée à la disponibilité de l'argent, à ce qu'on peut rapidement s'en servir, et une assurance possède cette caractéristique, contrairement à d'autres biens qui se trouvent bloqués. Par exemple, le prix des maisons a connu une poussée phénoménale dans le centre de l'Ontario au cours des dernières années. Il n'est pas rare que quelqu'un meure en laissant une maison relativement modeste qui vale 400 000 $. Voilà qui constitue une bonne somme à léguer à un conjoint, mais pour que celui-ci s'en tire, il faut soit que la maison soit vendue (auquel cas, il faut trouver une autre demeure) soit que le survivant dispose d'une certaine somme d'argent supplémentaire pour subvenir à ses besoins – d'où la nécessité d'avoir une assurance.

Il existe d'autres situations. Par exemple, si une grande partie de votre argent est investie dans des biens qui ne peuvent être vendus rapidement, vous pouvez songer à recourir à l'achat d'assurance vie à des fins de liquidité. Il y a l'histoire de cet homme très riche qui possédait des parts dans huit immeubles à logements différents. Son problème était que, même si ses participations représentaient un avoir excédant 2 millions de dollars, lui (et ses héritiers) n'ont pu trouver qui que ce soit d'intéressé à acheter 5 % de tel immeuble, ou 7½ % de tel autre. Sa veuve a donc dû emprunter de l'argent de son père pour nourrir ses enfants, même si *sur papier* elle avait hérité de biens valant des millions.

Bien que les impôts sur les successions ne constituent plus un problème aussi grave qu'autrefois (puisque les droits successoraux ont été abolis il y a longtemps), il arrive fréquemment – surtout dans le cas de veuves qui héritent de leur mari – qu'il soit nécessaire de payer des impôts élevés au moment du décès. La garantie de l'assurance peut être utilisée pour faire face à ces obligations – ce qui nous amène à un point important. Dans certaines situations, c'est le décès du deuxième conjoint qui crée de graves difficultés financières, et non la mort du premier. Certaines raisons expliquent ce fait : d'abord, il est possible que les impôts ne deviennent exigibles qu'après le décès du deuxième conjoint, comme nous le verrons au chapitre 9; ensuite, il n'y a aucun problème financier majeur tant et aussi longtemps qu'il y a une même source de revenu, ce qui serait le cas si les deux époux avaient un revenu. Pour déterminer vos objectifs en matière d'assurance, essayez de déterminer à quel moment l'argent deviendra le plus nécessaire. Vous vous rendrez compte alors si l'assurance conjointe ou l'assurance sur la vie de votre conjoint uniquement est la plus valable.

Si vous êtes associé ou actionnaire d'une entreprise ou actionnaire avec une ou plusieurs autres personnes, vous devriez absolument établir une convention d'actionnaires ou un contrat de société où, entre autres, vous détermineriez ce qu'il adviendra de la part de l'entreprise d'une personne qui décède. Très souvent, la convention ou le contrat exigera que les membres survivants achètent les actions ou la participation du décédé. Cette disposition vise à protéger les survivants contre un «étranger» qui se joindrait à eux et à s'assurer que la famille du décédé pourra vendre la part et obtenir ainsi de l'argent. Habituellement, ces conventions (souvent désignées comme des conventions de rachat de parts d'associés) sont provisionnées par une assurance vie entière. Si vous faites partie d'une telle convention d'affaires et que vous *n'ayez pas* d'entente écrite, faites-en votre priorité – et veillez à ce que, au besoin, une assurance soit prévue pour fournir l'argent nécessaire au rachat des parts.

Protection des biens : Ce terme désigne fréquemment l'achat d'assurance pour payer des dettes. La question fondamentale que vous devez vous poser est de savoir comment votre famille pourrait rembourser vos diverses dettes s'il vous arrivait quoi que ce soit. Cet aspect des besoins familiaux *peut* avoir été prévu lorsque vous avez fait vos calculs dans le cadre de la création de votre patrimoine : vous pouvez avoir inclus, par exemple, les paiements hypothécaires dans votre évaluation des besoins financiers annuels de votre famille. Cependant, nombre de gens ne veulent pas tenir compte de leurs dettes importantes dans ces calculs. Ils veulent plutôt que leurs dettes soient immédiatement remboursées après leur décès, pour que leur famille puisse repartir à neuf.

Une des premières dettes que vous voudriez voir remboursée sera l'hypothèque sur votre maison. Si vous avez également emprunté une somme importante pour acheter votre voiture, pour investir ou pour les besoins de votre entreprise, prenez aussi ces sommes en compte. Il convient évidemment de créer un fonds séparé pour rembourser la totalité de vos dettes, afin que votre famille dispose de tous vos biens sans aucune charge, ainsi que d'une somme qui produira le revenu dont elle aura besoin.

Une autre raison qui milite en faveur de contrats distincts, chacun servant à rembourser une dette particulière, est le fait que vous jouirez de la liberté de modifier aisément la garantie en fonction de votre endettement, selon les circonstances. Par exemple, si vous avez remboursé toute votre hypothèque, vous pourriez très bien envisager de réduire votre assurance-vie; par contre, si vous achetez une maison plus grande et plus chère, il serait préférable d'augmenter votre garantie. Nombre de gens achètent presque automatiquement de l'assurance temporaire lorsqu'ils contractent une dette importante, ce qui est très sensé. Mais souvenez-vous du point que nous avons soulevé plus tôt : l'assurance offerte par le créancier hypothécaire dans le cadre de l'emprunt hypothécaire peut être une bonne idée, mais il est possible que vous puissiez obtenir une meilleure garantie, et moins chère, en achetant simplement de l'assurance temporaire ailleurs.

Qui devrait être le bénéficiaire? Lorsque vous souscrivez une assurance, on vous demande de nommer un bénéficiaire du contrat, c'est-à-dire la personne qui recevra l'argent à votre décès. Trois options fondamentales s'offrent à vous.

Premièrement, vous pouvez nommer votre succession, ce qui veut dire qu'à votre mort l'argent sera versé à votre succession et distribué conformément à vos dernières volontés. Dans votre testament, vous pouvez soit désigner une ou des personnes en particulier à qui vous voulez léguer l'argent de l'assurance, et considérer cet argent comme un legs à titre universel (c'est-à-dire la somme qui reste après distribution des legs particuliers), soit demander qu'il soit versé à une fiducie constituée à cette fin. Les modalités de la fiducie détermineront qui reçoit quoi et quand. (Voir le chapitre 9 pour plus de détails concernant les testaments.)

En désignant votre succession comme bénéficiaire, vous pouvez répartir l'argent de la manière qui vous convient et assortir le paiement de certaines conditions – ce qui est impossible si vous désignez une personne à titre de bénéficiaire.

D'un autre côté, si votre succession est nommée bénéficiaire, les créanciers auront le droit de réclamer après votre décès l'argent que vous leur devez. Comme les droits de succession sont calculés d'après la valeur de la succession, le versement d'argent à celle-ci peut donner lieu à des coûts sensiblement plus importants.

Deuxièmement, vous pouvez désigner une personne (ou un groupe de personnes) comme bénéficiaire. Ce faisant, l'argent lui ou leur revient directement, ce qui veut dire qu'il sera versé rapidement avec un minimum de problèmes. Cela constitue un avantage si vous avez des dettes personnelles importantes, puisque l'argent de l'assurance appartient à la personne désignée et ne peut être saisi pour rembourser vos dettes. Cette technique pourrait être également utile si vous voulez qu'une personne reçoive de l'argent après votre décès, mais si vous ne voulez pas la nommer dans votre testament. Cela arrive souvent, par exemple, dans le cas d'enfants illégitimes. Bien que vous puissiez presque toujours changer le bénéficiaire d'un contrat d'assurance, vous ne pouvez pas imposer de conditions à l'égard du paiement de l'argent. C'est donc dire que si vous voulez que votre enfant reçoive l'argent, par exemple, mais uniquement s'il termine ses études universitaires, vous ne devriez pas le désigner comme bénéficiaire direct.

Vous pourriez plutôt, dans un tel cas, recourir à la troisième option, c'est-à-dire établir une fiducie et la désigner bénéficiaire. Les fiduciaires seraient avisés que l'argent doit être versé à votre enfant lorsqu'il aura terminé ses études universitaires et que, si tel n'est pas le cas, l'argent devra être remis à une autre personne. En ayant recours à une fiducie, vous pouvez imposer presque n'importe quelle condition, sous réserve qu'elle ne soit pas contraire à l'ordre public. (Par exemple, si vous exigez que l'argent soit versé seulement si votre enfant ne se marie jamais, cette condition sera annulée parce qu'elle va à l'encontre de l'ordre public, et l'enfant recevra probablement l'argent directement.)

Bien entendu, les bénéficiaires ne sont pas tous des membres de la famille. Certains désignent les organismes de charité qu'ils préfèrent comme bénéficiaires, d'autres, leurs associés d'affaires ou leur entreprise même, conformément aux dispositions d'une convention d'associés ou d'actionnaires. Si vous ne savez pas qui devrait être le bénéficiaire, désignez votre succession. Vous pouvez toujours par la suite nommer une personne en particulier ou une fiducie, si cela devient souhaitable. En outre, si vous planifiez à long terme lorsque vous êtes jeune – lorsque vous pouvez tirer parti de petites primes sur une assurance vie entière – le fait de nommer votre succession vous assure une grande souplesse si vous vous mariez.

Bien que l'assurance vie constitue probablement le type d'assurance le plus important dans le cadre de la planification financière, il ne faut pas oublier les autres types d'assurance dont il faut également tenir compte.

Assurance sur les biens personnels

Il est important d'avoir une assurance qui porte sur les biens que vous possédez, depuis votre maison jusqu'à la quasi-totalité de vos autres biens. Gardez cependant deux points fondamentaux à l'esprit : vous devez disposer d'une garantie *suffisante* et établir la *liste de vos biens* et de leur valeur.

La plupart des gens ne savent pas que la garantie est normalement fonction de la valeur du bien, compte tenu de la dépréciation. Supposons par exemple que le téléviseur que vous avez acheté 1 000 $ en 1986 soit volé en 1987. Vous devrez payer 1 100 $ pour acheter un téléviseur neuf, mais si vous possédiez votre bien depuis un an, la compagnie d'assurances ne paiera que la valeur du bien au moment où il a été volé ou détruit. Supposons qu'un téléviseur de 1 000 $ ne vaille plus après un an que 500 $ ou 600 $, et que vous allez probablement acheter un nouvel appareil; même si vous êtes assuré, vous devrez alors verser 500 $ de plus pour compenser la perte de valeur.

C'est pour cette raison que vous devriez envisager de payer des primes plus élevées pour obtenir une assurance valeur à neuf, qui vous rembourse le montant de la valeur à neuf du bien. Vous pourriez de la sorte aller acheter votre téléviseur à 1 100 $ aux frais de votre assurance. (Notez toutefois que vous ne pouvez acheter une assurance valeur à neuf pour votre maison. C'est pourquoi *chaque année,* vous devez veiller à ce que la garantie à l'égard de votre maison suffise à vous permettre d'acheter ou de construire une maison semblable.)

La plupart des assurances sur les biens prévoient également une franchise (c'est-à-dire un montant préétabli qui est déduit de la valeur de votre perte) que vous devrez assumer avant que votre assureur ne vous verse une somme quelconque. Une franchise peut normalement osciller entre 100 et 250 $, mais plus la franchise est élevée, plus la prime est faible.

Lorsque le malheur frappe, par exemple au moment d'un incendie, les experts en sinistre (ceux qui déterminent le montant de votre perte) s'aperçoivent généralement que la plupart des gens ne savent pas ce qu'ils ont réellement perdu. Pourriez vous, au moment où vous lisez les présentes lignes, dire exactement combien de disques ou de disques laser vous possédez? Savez-vous également quels vêtements vous et les membres de votre famille possédez? Pouvez-vous nommer toutes les pièces de vos équipements sportifs? Probablement pas. Et si vous ne pouvez pas remettre une liste complète à votre compagnie d'assurances, vous ne pourrez pas être remboursé de la pleine valeur de vos biens. Nombre de gens prennent des photos de leurs meubles et des toiles qu'ils ont dans leur maison. Tenir à jour de telles listes peut être un travail long et pénible, mais il ne faut qu'une seule catastrophe pour vous en faire apprécier tous les avantages.

Certains biens de grande valeur (comme les bijoux, les appareils-photo, les collections de pièces de monnaie et de timbres, et le matériel électronique de valeur) devraient être assurés séparément. Toutefois, si vous jugez le coût de l'assurance adéquate trop élevé, il pourrait être préférable de les conserver dans un coffret à la banque.

Soyez certain de posséder, en sus de votre assurance sur les biens personnels, une assurance responsabilité civile. En fait, nombre de contrats d'assurance sur les biens, sinon la plupart, comportent une option permettant d'ajouter une garantie responsabilité civile. Elle coûte relativement peu cher et constitue à coup sûr une nécessité du point de vue de la planification financière. Ainsi, si un livreur se fracture une jambe en trébuchant sur la marche d'escalier que vous étiez censé réparer depuis un certain temps, vous pourriez vous retrouver avec une poursuite colossale sur le dos. C'est là que l'assurance responsabilité civile peut devenir, financièrement, votre bouée de sauvetage.

Assurance automobile

Vous tenez probablement votre assurance automobile pour acquise. Mais rappelez-vous que les tarifs varient d'une compagnie à l'autre et que vous pouvez souvent réaliser des économies assez importantes si vous comparez les diverses offres. Vous pouvez économiser ainsi des sommes considérables, notamment sur la franchise de votre assurance; cela signifie que, si vous avez un accident, votre contrat d'assurance exige que vous payiez la première tranche du coût des réparations, qui peut atteindre, par exemple, entre 25 et 500 $. Si vous avez rarement eu à présenter une demande de remboursement à votre assureur, une franchise très élevée et, par le fait même, des primes plus faibles, peut être une bonne idée dans votre cas.

Il est également important que la responsabilité civile fasse partie de votre garantie – et prévoyez un montant important. Les dommages accordés par les tribunaux de nos jours sont considérables et, si vous êtes impliqué dans un accident, même une garantie de 500 000 $ peut se révéler insuffisante.

Dans certaines provinces, les conducteurs sont couverts par une assurance sans responsabilité souscrite par le gouvernement. Ces régimes remboursent les dommages corporels sans qu'aucune partie ne porte le blâme. De façon générale, l'assurance dans ces provinces coûte moins cher que dans d'autres, mais des limites strictes sont imposées et restreignent grandement le droit de poursuite si vous subissez des blessures ou des dommages matériels à la suite de la négligence d'un tiers. Si vous vivez dans une de ces provinces (dont le Québec), vérifiez auprès de votre agent d'assurance pour savoir si vous devriez envisager d'acheter de l'assurance privée additionnelle, voire même si vous en avez légalement le droit.

Voici un autre truc pratique si vous voyagez beaucoup et utilisez des voitures de location. L'assurance représente une part importante des profits des sociétés de location de voitures. Si vous voulez une garantie complète lorsque vous conduisez une voiture de location, il se peut que vous ayez à payer entre 6 et 12 $ de frais supplémentaires par jour. Cependant, la plupart des contrats d'assurance automobile vous couvrent lorsque vous conduisez une voiture de location. Par conséquent, si vous prenez l'assurance de la société de location, cela revient à payer deux fois pour la même assurance. Vérifiez d'abord auprès de votre agent d'assurance que votre contrat s'applique lorsque vous conduisez l'automobile d'un tiers. Dans le cas contraire, vous devriez sans doute prévoir une assurance supplémentaire. Si vous utilisez une voiture de location ne serait-ce que deux ou trois fois par année, vous épargnerez plus que les coûts de l'assurance supplémentaire.

Assurance frais médicaux et soins dentaires

De nombreux Canadiens ne souscrivent à aucune assurance frais médicaux puisqu'ils sont admissibles aux vastes programmes d'assurance-maladie provinciaux. Mais vous devriez sérieusement songer à contracter de l'assurance frais médicaux pour votre sécurité financière, de même que de l'assurance soins dentaires. Généralement, un programme étendu de ce type d'assurance vous remboursera la totalité des frais médicaux et des soins dentaires qui ne font pas partie du programme provincial. Beaucoup de gens achètent également de l'assurance frais médicaux temporaire lorsqu'ils voyagent, afin d'être protégés contre les coûts très élevés des soins médicaux à l'étranger (particulièrement aux États-Unis), en cas de besoin.

Comme l'assurance frais médicaux est en général très onéreuse, peu de gens en achètent à titre personnel. Toutefois, l'assurance frais médicaux et soins dentaires représente un des avantages sociaux les plus populaires qui soient offerts dans le cadre de la rémunération des employés d'une entreprise. Dans la mesure où votre employeur paie une partie des cotisations du régime (la plupart des régimes exigent une cotisation égale de l'employeur et de l'employé), cet avantage ne sera pas assujetti à l'impôt. (Cela *n'est pas* le cas lorsque l'employeur paie une partie des primes du programme d'assurance-maladie de la province.) En outre, dans la mesure également où vous cotisez à un régime privé, les primes sont traitées comme des dépenses médicales aux termes de la Loi de l'impôt sur le revenu. Lorsque vos frais médicaux sont remboursés, l'argent que vous recevez n'est pas imposable, mais vous ne pouvez déduire que le montant *net* de vos frais médicaux (c'est-à-dire compte tenu du remboursement) aux fins de l'impôt.

Assurance-invalidité

L'assurance-invalidité prévoit le versement de certains montants si vous devenez incapable de travailler en raison de votre mauvaise santé ou d'une blessure. Nombre d'employeurs offrent de tels régimes, mais il vous est également possible d'acheter de l'assurance à ce titre. Toutefois, l'assurance-invalidité privée est onéreuse, et certains problèmes graves peuvent surgir lorsqu'il s'agit de déterminer si votre incapacité vous empêche de travailler. Normalement, vous devez prouver que vous ne pouvez effectuer aucune de vos fonctions à cause de votre blessure ou de votre maladie. Et si votre travail est essentiellement sédentaire, et que, par exemple, votre incapacité consiste en une difficulté de concentration, vous pouvez éprouver des problèmes à recevoir le montant de votre assurance.

Les primes qui sont payées pour une assurance-invalidité ne sont pas déductibles d'impôt, mais les indemnités versées ne sont pas imposables. Si vous envisagez de prendre une assurance invalidité, tenez compte de ce facteur, puisque le montant d'argent dont vous aurez besoin durant votre incapacité ne sera pas réduit par les impôts.

Conclusion

Comme nous l'avons dit en début de chapitre, l'assurance devra constituer un élément clé de votre planification financière. À tout le moins, l'assurance vie, l'assurance sur les biens et l'assurance automobile (si vous conduisez) sont fondamentales. Les assurances frais médicaux, soins dentaires et invalidité sont souhaitables, mais ne représentent pas une nécessité absolue.

Voici quelques points à garder à l'esprit.

• L'assurance devrait faire partie de votre planification financière globale. Sachez *à quel besoin* répond chaque contrat et assurez-vous qu'il y satisfait effectivement.

• Essayez de déterminer avec une certaine précision le montant de garantie dont vous avez besoin. C'est du gaspillage que d'être trop assuré, mais le fait d'être insuffisamment assuré peut tourner au désastre. Jouez sûr : mieux vaut quand même, jusqu'à un certain point, pécher par excès.

• Déterminez la garantie que vous offre votre assurance. Cela est important pour tous les types d'assurance. Si vous craignez que vos bijoux ne soient volés, par exemple, demandez à votre agent de vérifier que la garantie est suffisante. Veillez également à ce que l'assurance sur vos biens couvre tout ce que vous possédez. (Ainsi, lorsque vous assurez votre domicile et son contenu, la garantie s'étend-elle aux objets qui se trouvent dans votre automobile, au chalet ou à votre bureau?) Votre assurance propriétaire-occupant vous assure-t-elle contre les inondations, les ouragans et les orages violents? L'assurance soins dentaires que vous payez si cher couvre-t-elle l'orthodontie pour vos enfants? La garantie est-elle complète ou partielle? Le coût d'un bridge pour votre conjoint est-il inclus? (De nombreux contrats excluent ces réclamations.) Les questions possibles sont innombrables, mais il vaut mieux que vous consacriez du temps à en trouver les réponses au lieu de vous rendre compte des lacunes lorsque vous avez essuyé une perte.

• Trouvez un agent en qui vous avez confiance. Il se peut en effet que vous décidiez de prendre un agent pour l'assurance vie, l'assurance soins médicaux et l'assurance-invalidité, et un autre pour les autres types d'assurance. (Voir le chapitre 11 concernant le choix d'un agent.) Rappelez-vous toujours que l'agent est rémunéré à la commission. Il y va de son intérêt que vous achetiez l'assurance la plus chère – ce qui ne veut pas dire que vous ne devriez pas le faire, mais uniquement que vous devriez y réfléchir au préalable.

• Il se peut que vous ne fassiez jamais de demande d'indemnité auprès de votre assureur. Cela ne fait pas de vous un perdant. Les gens chanceux sont ceux *qui ne font pas* de demande d'indemnité. Mais les gens prudents ne tiennent pas pour acquis qu'ils seront nécessairement chanceux.

CHAPITRE 8
Planification de la retraite

Il n'y a pas si longtemps, prendre sa retraite était presque impensable. Les gens travaillaient jusqu'à leur mort ou jusqu'à ce que leur santé les oblige à se retirer du marché du travail. Quand vous ne pouviez plus travailler, vous deveniez une charge pour votre famille et, le plus souvent, les gens quittaient leur emploi pour entrer dans une vie d'indigence. Tout cela a changé. De nos jours, nombre de personnes envisagent la retraite comme une occasion de faire les nombreuses choses qu'ils n'ont jamais eu le temps de faire auparavant. Certains s'adonnent à des passe-temps, d'autres voyagent, d'autres encore retournent aux études. Essentiellement, une génération de personnes âgées en meilleure santé et plus riches est responsable de cette évolution du mode de vie.

La meilleure situation financière des Canadiens âgés découle de deux sources distinctes, mais reliées. Tout d'abord, au fil des ans, toute une gamme de programmes ont été conçus par les autorités fédérale et provinciales en vue de fournir un revenu aux personnes âgées. Les gouvernements ont également encouragé les employeurs du secteur privé à créer des régimes de retraite – en leur en donnant l'exemple et en les incitant par voie législative.

Ensuite, au moment où ils commencent à travailler, on invite les gens à épargner en vue de leur retraite, soit de concert avec leurs employeurs (dans le cadre de régimes de retraite parrainés par l'employeur), soit à titre personnel.

Nombre de personnes épargnent d'elles-mêmes, étant donné qu'elles croient qu'il s'agit là de la meilleure protection contre un effondrement éventuel des programmes sociaux généraux, malgré les mesures qu'a récemment prises le gouvernement fédéral (particulièrement l'accroissement du montant des cotisations requises dans le cadre du Régime de pensions du Canada) en vue de renforcer ses programmes sociaux. Il n'est donc pas surprenant que l'on accorde la priorité à la planification de la retraite. Et même si l'ordre de priorité de cette planification fluctue au cours des diverses étapes de la vie, pour la plupart des gens, l'épargne-retraite constitue une priorité permanente dans le domaine de la planification financière.

Il est important de s'adonner le plus tôt possible à cette forme de planification, principalement parce que plus vous laissez votre argent fructifier pendant une longue période, plus vous accumulerez d'argent. Par conséquent, si vous mettez de côté 1000 $ à l'âge de 25 ans et que les intérêts se composent au taux de 10 % par année, vous disposerez de 45 249 $ à l'âge de 65 ans. Toutefois, si vous mettez de côté ces mêmes 1000 $ à l'âge de 40 ans, vous ne disposerez que de 10 834 $ à 65 ans. Si l'on poursuit avec le même exemple, précisons qu'il vous faudrait investir 4 000 $ à l'âge de 40 ans pour jouir d'une caisse de retraite à peu près équivalente à celle dont vous disposeriez si vous aviez mis de côté 1000 $ à l'âge de 25 ans. Un tel exemple montre clairement pourquoi il est tellement important de commencer à épargner tôt en vue de la retraite. N'oubliez pas que l'argument suivant lequel vous ne pouvez vous permettre d'épargner en vue de la retraite quand vous êtes jeune ne tient pas. Si vous désirez vous assurer un avenir financièrement sûr, la meilleure façon consiste à mettre de l'argent de côté *maintenant* plutôt que de prévoir le faire plus tard.

Malgré tout, comment savez-vous quelle quantité d'argent sera nécessaire pour que votre retraite soit confortable? Comme dans le cas de toute question de ce genre, la réponse diffère suivant votre situation, et elle tient pour une bonne part à ce que vous désirez faire au moment de votre retraite. Prévoyez-vous voyager beaucoup? Prévoyez-vous continuer de demeurer dans une maison coûteuse ou souhaitez-vous déménager dans un appartement moins onéreux? Quel est votre état de santé? La façon dont vous répondrez à ces questions et à bien d'autres déterminera, en fin de compte, la quantité d'argent dont vous aurez besoin.

Néanmoins, si l'on en croit la plupart des spécialistes, 70 % de votre salaire avant la retraite devrait suffire à vous permettre de maintenir le mode de vie auquel vous êtes habitué. Non seulement nombre des dépenses liées à votre emploi disparaîtront-elles, mais vos obligations financières seront susceptibles d'être moindres. Ces 70 % du revenu que vous touchez avant la retraite devraient provenir principalement de régimes généraux et de régimes exempts d'impôt, et toute somme supplémentaire devrait, provenir de vos placements et autres actifs (qui ne sont pas directement intégrés à la planification financière).

Maintenant que nous avons jeté un coup d'oeil sur les principes de base de la planification de la retraite, penchons-nous sur les principaux mécanismes de financement. Ces derniers se répartissent en deux grandes catégories : les régimes généraux et les régimes de retraite privés.

Les régimes généraux

Il existe deux grands régimes parrainés par l'État à l'intention des Canadiens âgés. Il s'agit du programme de la Sécurité de la vieillesse (S.V.) et du Régime de pensions du Canada (R.P.C.). (Le Québec possède son propre régime, le Régime des rentes du Québec (R.R.Q.), qui est étroitement associé à celui du fédéral. Étant donné que les cotisations et les prestations peuvent être transférées de l'un à l'autre, au gré des déménagements du Québec à une autre province ou vice-versa, vous n'avez pas à vous inquiéter de déterminer à quel régime vous cotisez.)

Le programme de Sécurité de la vieillesse est un régime dans le cadre duquel il n'existe aucune cotisation. Toute personne, ou presque, touchera une «pension» de la S.V. à l'âge de 65 ans, même si certaines règles particulières s'appliquent aux personnes qui ont passé une partie importante de leur vie adulte (entre 17 et 66 ans) dans un autre pays. Les gens qui entrent dans cette catégorie peuvent recevoir des prestations réduites correspondant au nombre d'années de leur vie adulte qu'ils ont passées au Canada.

Les prestations sont indexées en fonction de l'inflation et, lorsque le taux d'inflation le justifie, sont augmentées tous les trimestres. La S.V. est particulièrement importante pour les gens qui peuvent n'avoir jamais fait partie de la population active, par exemple les femmes qui ont passé toute leur vie à la maison. Les prestations sont imposables, mais, au moment où elles commencent à être versées, une déduction particulière prévue dans la Loi de l'impôt sur le revenu réduit partiellement le montant qui est imposable. Les prestations de S.V., tout comme les paiements effectués dans le cadre du R.P.C./R.R.Q., ne sont pas visées par la déduction de 1000 $ pour revenu de pensions. La Sécurité de la vieillesse est une caractéristique de la vie canadienne depuis des décennies, et il n'existe aucune raison de croire qu'elle ne sera pas versée à l'avenir. Il est donc réaliste de s'attendre à toucher des prestations de S.V. à l'âge de 65 ans.

Le Régime de pensions du Canada et le Régime des rentes du Québec, contrairement à la S.V., constituent un véritable régime de retraite, étant donné que les prestations que vous recevrez seront directement liées aux cotisations. Les cotisations se fondent sur le revenu provenant de votre emploi et de vos entreprises commerciales – le revenu provenant d'autres sources, comme des placements, ne compte pas. (Ainsi, les gens qui n'ont pas fait partie de la population active rémunérée, comme les femmes qui ont toujours travaillé à la maison, n'auront pas droit à une pension dans le cadre du régime, sauf si elles sont veuves d'un bénéficiaire du R.P.C ou du R.R.Q.).

(Remarque : Le R.P.C/R.R.Q. est en constante évolution, et certaines règles peuvent changer. Par exemple, on parle beaucoup d'étendre le régime aux ménagères, mais au moment où nous écrivons le présent ouvrage, aucune modification réelle n'est envisagée.)

Presque tous les employés et les travailleurs autonomes au Canada cotisent au R.P.C/R.R.Q. Cette année, le taux de cotisation s'établissait à 1,9 % des gains assurables. (Les gains assurables englobent tout salaire ou toute rémunération, tout boni, pourboire et tout revenu résultant d'un travail autonome, à l'exclusion des premiers 2500 $. Par ailleurs, le montant maximal de ces gains assurables correspond à 25 900 $.) Par conséquent, en 1987, le montant net s'établit à 23 400 $, et la cotisation maximale que peut verser un employé donné se calcule de la façon suivante : 1,9 % de 23 400 $, soit 444,60 $. L'employeur doit fournir un montant équivalent. Si vous êtes travailleur autonome, vous devez payer les deux composantes de la cotisation, jusqu'à un maximum de 889,20 $. Il importe de se rappeler que le taux (c'est-à-dire les 1,9 %) s'accroîtra légèrement chaque année jusqu'en 2011. Le montant de la cotisation s'accroîtra au moins un peu chaque année, de sorte que la cotisation annuelle maximale augmentera aussi de façon marquée au cours des prochaines années.

Les paiements que vous faites dans le cadre du régime sont déductibles d'impôt, mais toute somme reçue du régime est imposable intégralement, et l'on ne peut se prévaloir, à cet égard, de la déduction pour revenu de pensions. Toutefois, vous pouvez prendre des dispositions pour que les prestations soient partagées avec votre conjoint, de façon à réduire le fardeau fiscal global. Si, par exemple, vous êtes admissible aux prestations du R.P.C./ R.R.Q., mais non votre conjoint, vous pouvez choisir de partager avec lui les prestations, ce qui réduit d'autant le fardeau fiscal, étant donné que chaque conjoint paie des impôts sur le montant touché.

Les prestations de R.P.C/R.R.Q. sont habituellement versées à l'âge de 65 ans, mais depuis le 1er janvier 1987, vous pouvez toucher des prestations réduites entre 60 et 65 ans, ou retarder le versement des prestations jusqu'à un moment qui vous convient (mais pas plus tard que le moment où vous aurez 70 ans) et recevoir, à ce moment-là, un montant accru. Comme nous l'avons mentionné, les prestations proprement dites sont fonction de la période pendant laquelle vous avez cotisé et des montants que vous avez versés au régime. Comme le régime est relativement jeune (il a tout juste un peu plus de vingt ans), le montant de la prestation maximale s'accroît chaque année : en d'autres termes, si vous prenez votre retraite en 1987 et touchez ces prestations maximales, vous touchez un montant de base supérieur à celui que touchait une personne qui a pris sa retraite en 1986 ou en 1985. En outre, les prestations sont indexées en fonction de l'inflation, de sorte qu'elles s'accroîtront tant et aussi longtemps que l'indice du coût de la vie s'accroîtra. En ce qui concerne les gens qui prennent leur retraite en 1987, la prestation maximale s'établit à 521,52 $ par mois. Bien sûr, si vous ne prévoyez pas prendre votre retraite avant un certain nombre d'années, vous pouvez vous attendre à toucher des prestations bien plus élevées. Par contre, si vous prenez votre retraite en 1987, à l'âge de 65 ans, et touchez les prestations maximales de R.P.C./R.R.Q., le montant de ces prestations, allié aux versements de la S.V., vous fournira un revenu de retraite d'environ 10 000 $ par année, ce qui n'est probablement pas suffisant pour vivre, mais qui constitue une bonne base pour votre planification.

De plus, le R.P.C./R.R.Q. offre une vaste gamme d'autres avantages, notamment des prestations de conjoint survivant (dans le cas des veufs et des veuves de bénéficiaires des régimes), des prestations d'orphelin, des prestations d'invalidité ainsi qu'une prestation de décès destinée à couvrir une partie des frais funéraires. En cas de divorce ou de séparation, les prestations ou éléments de retraite (sur lesquels se fondent le calcul des prestations) sont répartis également entre les conjoints.

Un certain nombre d'autres régimes généraux (tant fédéraux que provinciaux) servent principalement à aider les Canadiens âgés qui touchent un revenu faible et ceux qui, sans être encore admissibles à des prestations ou à des paiements de S.V., touchent un revenu réduit. Pour de plus amples renseignements concernant tous ces régimes, communiquez avec Santé et Bien-être social Canada, qui possède des bureaux dans la plupart des grands centres.

Les régimes de retraite privés

Bien que les régimes généraux constituent une sorte de sécurité financière de base, la composante la plus importante de la planification de la retraite se retrouve au sein du secteur privé et, dans une large mesure, à votre disposition. Dans le secteur privé, les principaux régimes sont le régime d'entreprise et le régime enregistré d'épargne-retraite (REER). Il est probable que vous devrez recourir à l'un ou à l'autre pour financer votre retraite, ou peut-être même utiliser une combinaison des deux.

Les deux régimes ont certains éléments en commun. Tout d'abord, les cotisations que vous y versez (compte tenu de certaines limites) sont déductibles d'impôt. En outre, le revenu généré par ces régimes est exonéré d'impôt. Lorsque vous touchez de l'argent venant de ces régimes, les prestations sont imposables. Il n'en reste pas moins que les prestations de ces régimes peuvent vous permettre de vous prévaloir de la déduction de 1000 $ pour revenu de pensions.

Cependant, il convient de noter que les règles fiscales relatives à ces régimes sont susceptibles de changer de façon marquée en 1988. L'annonce de tels changements a déjà été faite, mais les dispositions législatives servant à enchâsser ces modifications n'ont pas encore été déposées devant le Parlement. Aux fins du présent ouvrage, nous aborderons les règles en vigueur en 1987 et mettrons en lumière certaines des modifications proposées. Tout de même, vous devez vous tenir à l'affût des changements qui peuvent survenir l'an prochain.

Les régimes de retraite enregistrés : Des centaines de milliers de travailleurs canadiens sont assujettis à des régimes d'entreprise, mais une poignée seulement sait en quoi consistent ces régimes. De façon générale, tous les employés d'une société sont assujettis au régime de l'entreprise (il est possible que *ce ne soit pas* le cas des travailleurs à temps partiel, des personnes qui viennent de commencer à travailler ou, à l'occasion, des cadres qui peuvent être assujettis à d'autres régimes) auquel ils cotisent sous forme de déductions à la source. (Dans la plupart des cas, vous n'avez pas le choix : si l'entreprise possède un tel régime, vous devrez probablement commencer à y cotiser peu après votre engagement.) Le montant des cotisations varie suivant le régime : certains exigent que l'employé ne verse que 2 ou 3 % de son salaire, tandis que d'autres prélèvent jusqu'à 7 %. En outre, l'entreprise verse une cotisation habituellement égale à celle de l'employé.

Il existe essentiellement deux types de régimes. Le premier s'appelle le régime de retraite à cotisations déterminées. Dans ce type de régime, les cotisations de l'employeur et de l'employé sont gardées en dépôt et investies. Au moment de la retraite, l'argent sert à l'achat d'une rente de retraite à l'intention de l'employé. Manifestement, le montant de la rente dépend du succès qu'ont connu les administrateurs du régime lors du placement des fonds (qui, en retour, détermine le montant disponible pour acheter la rente), ainsi que du taux qu'offrent les rentes au moment ainsi que du taux qu'offrent les rentes au moment où l'employé prend sa retraite. (Lequel, en retour, est fonction de l'ensemble des taux d'intérêt en vigueur à l'époque.) Ce type de régime est un peu un coup de dés. Si les politiques en matière de placement sont bonnes, l'employeur peut se retrouver avec une rente substantielle. Toutefois, si l'employé doit prendre sa retraite au moment où la valeur des investissements dans le cadre du régime est faible (disons, parce que la Bourse est à la baisse), il s'ensuivra que la rente sera moins généreuse. Dans la plupart des cas, on engage des gestionnaires professionnels pour prendre les décisions en matière de placements.

Le second type de régime s'appelle le régime de retraite à prestations déterminées. Environ 95 % des membres de la population active cotisant à un régime de retraite cotisent à un régime de ce genre. Dans le cadre de ce dernier, les prestations que touche un employé se fondent sur une formule. La formule habituelle tient compte du nombre d'années où la personne a travaillé multiplié par un pourcentage (habituellement de 1 à 2 %), multiplié par le salaire moyen des trois meilleures années. Supposons que le pourcentage en question s'établisse à 2 %, que vous ayez travaillé pendant 32 ans et que votre salaire moyen, au cours de vos trois meilleures années, se soit établi à 40 000 $. La formule correspondrait donc à 32 x 2 %, ce qui correspond à 64 % de 40 000 $, soit 25 600 $.

Un régime de retraite à prestations déterminées est généralement le meilleur régime auquel on puisse cotiser. Non seulement pouvez-vous déterminer à l'avance le montant de la pension, mais en outre, le régime est garanti par l'employeur, qui verse également ment une cotisation.

La plupart des conseillers en planification financière affirment que la chose qui les surprend le plus quand ils parlent à des clients cotisant à des régimes de retraite, c'est de constater à quel point ces gens connaissent peu de choses au sujet de leurs régimes. Si vous ne comprenez pas la façon dont fonctionne votre régime d'entreprise, vous ne pourrez jamais l'intégrer à votre programme global de planification financière. À tout le moins, vous devriez pouvoir répondre aux questions suivantes :

• S'agit-il d'un régime de retraite à cotisations déterminées ou à prestations déterminées?

• S'il s'agit d'un régime de retraite à prestations déterminées, quelle en est la formule?

• Quel est le montant de votre cotisation annuelle, et comment arrivez-vous à l'établir?

• Qui touchera l'argent ou les prestations si vous décédez avant la retraite?

• Si vous mourez après avoir pris votre retraite et que vous ayez droit à une pension, votre conjoint la touchera-t-il? Si tel est le cas, recevra-t-il le montant intégral ou seulement une partie?

• Qu'adviendra-t-il de vos éléments de retraite si vous changez d'emploi?

• La pension est-elle indexée en fonction de l'inflation?

• Les prestations seront-elles réduites quand vous commencerez à recevoir des prestations de S.V. ou de R.P.C./R.R.Q., comme c'est souvent le cas dans le cadre de régimes d'entreprise?

• Y a t-il des mesures que vous pouvez prendre, compte tenu des clauses du régime, pour accroître le montant de vos prestations, disons en versant volontairement des cotisations supplémentaires?

• Pouvez-vous racheter le service auprès d'un autre employeur en versant des cotisations supplémentaires? (Il n'est pas rare que ce soit possible. Par exemple, si vous étiez dans les Forces armées et que vous commenciez à travailler pour le gouvernement fédéral, vous pourriez prendre les mesures voulues pour que les années que vous avez passées dans les Forces armées soient prises en compte dans le calcul de votre pension de retraite fédérale.)

Chaque régime est unique, de sorte que les réponses aux questions précitées varient. Il n'en reste pas moins que vous devriez être en mesure d'obtenir tous les renseignements que vous voulez en vous adressant aux administrateurs du régime (que l'on appelle habituellement les fiduciaires) ou au service du personnel de l'entreprise.

Il importe que vous puissiez connaître sur le bout des doigts ces renseignements généraux, ainsi que certaines données concernant le fonctionnement du régime, le montant de la pension à laquelle vous pouvez vous attendre (compte tenu du fait que, plus vous êtes jeune, plus il sera difficile d'estimer ce chiffre avec exactitude) et quelle protection le régime offrira à votre conjoint et(ou) à vos enfants si vous mourez. Par ailleurs, vous devriez également connaître vos éléments de retraite, au cas où vous décidiez de changer d'emploi.

Si vous cotisez à un régime de retraite à prestations déterminées, à la longue, le fait de changer d'emploi peut réduire d'autant votre pension de retraite. Il est bien possible que les règles qui s'appliquent dans le cadre de votre régime de retraite et celles qui s'appliquent dans le cadre du régime de l'entreprise où vous envisagez de travailler détermineront si le changement d'emploi est attrayant, au plan de l'ensemble des prestations de retraite.

Supposons, par exemple, que, sur une période de trente ans, vous ayez travaillé pour trois entreprises : quinze ans à la société A, où votre revenu maximal s'établissait à 25 000 $; dix ans à la société B, où votre revenu maximal se chiffrait à 40 000 $; et cinq ans à la firme C, où votre revenu maximal atteignait 50 000 $. Et supposons que chacune vous verse une pension de 2 % par année en fonction de l'année où votre revenu était le plus élevé.

Exemple 1
Si vous ne faites que toucher une pension de chaque société, le montant combiné de cette pension s'établirait à 20 500 $.
La pension versée par la société A s'établirait à :
$$15 \times 2 \% \ = \ 30 \% \times 25\ 000 \$, \text{ soit } 7\ 500 \$.$$
La pension versée par la société B s'établirait à :
$$10 \times 2 \% \ = \ 20 \% \times 40\ 000 \$, \text{ soit } 8\ 000 \$.$$
La pension versée par la firme C s'établirait à :
$$5 \times 2 \% \ = \ 10 \% \times 50\ 000 \$, \text{ soit } 5\ 000 \$.$$

Exemple 2
Toutefois, si, plutôt que de passer d'une société à une autre, vous demeuriez à l'emploi de la société A pendant toutes les trente années, et que votre salaire, au cours de la meilleure année, s'établissait à 40 000 $? Dans un tel cas, votre pension se calculerait de la façon suivante : $30 \times 2 \% \ = \ 60 \% \times 40\ 000 \$,$ soit 24 000 $. Cela prouve que, pour les seuls motifs fondés sur la pension de retraite, vous seriez mieux inspiré de demeurer au sein de la même société, même si on vous offre un meilleur salaire plus tard dans votre carrière.

Exemple 3

Toutefois, voyez ce qui se produit si vous pouvez faire reconnaître les années que vous avez passées au sein d'une société dans la nouvelle société. Supposons que la firme C possède un régime de retraite qui vous permet de faire virer les fonds de la société A et de la société B et reconnaît les années que vous avez passées au sein de ces sociétés. Votre pension s'établirait alors à 30 x 2 % = 60 % x 50 000 $, soit 30 000 $.

Bien sûr, vous devez également connaître vos éléments de retraite quand vous commencez à envisager sérieusement votre retraite. Si vous envisagez de quitter le marché du travail à l'âge de, disons, 65 ans, à un moment donné, entre 55 et 60 ans, vous devriez rencontrer le préposé au personnel pour déterminer quel type de pension vous recevrez et quelles mesures, s'il en existe, vous pouvez prendre pour accroître vos prestations. Si vous n'avez pas versé de cotisations intégrales à un REÉR (nous en parlons plus bas), le temps est venu de le faire.

Bien que tous les régimes d'entreprise doivent satisfaire à des normes établies par Revenu Canada pour être enregistrés (ce qui est nécessaire pour que les cotisations soient déductibles d'impôt), les régimes varient considérablement d'une industrie à l'autre. Ils doivent également satisfaire à des normes législatives, provinciales ou fédérales, suivant la compétence dont ils relèvent. Dans le cas de tous les régimes fédéraux (et les provinces sont susceptibles d'emboîter le pas au fédéral à ce titre), les prestations ou éléments de retraite doivent être répartis au moment d'un divorce ou d'une séparation. Les règles fédérales stipulent également que la plupart des employés à temps partiel doivent être assujettis à de tels régimes et qu'une pension doit être versée au conjoint survivant d'un bénéficiaire du régime. Seuls les régimes fédéraux sont tenus de se conformer à ces règles, mais on exerce des pressions marquées pour inciter les provinces à adopter les mêmes règles.

Les régimes enregistrés d'épargne-retraite

Bien qu'une proportion substantielle de la population active cotise à des régimes d'entreprise, il est probable qu'un nombre encore plus grand de personnes cotisent à des régimes enregistrés d'épargne-retraite. Les REÉR sont devenus un mécanisme d'épargne populaire du fait que les régimes sont offerts à tous – qu'il s'agisse d'employés qui ne cotisent pas à des régimes de retraite, de travailleurs autonomes ou même, dans certains cas, d'employés qui cotisent déjà à un régime d'entreprise. Néanmoins, il va sans dire qu'une explication complète des caractéristiques des REÉR dépasse la portée du présent ouvrage. En fait, les dispositions qui régissent ces régimes connaîtront des changements majeurs en 1988. Par conséquent, nous ne nous préoccuperons que des éléments fondamentaux.

Où établir un tel régime : De façon générale, vous pouvez établir un REÉR à n'importe quel genre d'établissement financier, notamment une banque, une société de fiducie, une compagnie d'assurances et par l'entremise d'un courtier en valeurs. Tous les régimes se présentent plus ou moins de la même façon. Vous (le titulaire d'une rente) concluez une entente avec le fiduciaire en vertu de laquelle vous versez une cotisation au régime. Le fiduciaire prend l'argent et l'investit, en vue de vous fournir une rente au moment de votre retraite. Vous pouvez verser une seule cotisation ou, comme le font la plupart des gens, verser une cotisation chaque année.

Tant que les fonds demeurent dans le cadre du régime, le revenu produit est exempt d'impôt. Quand les fonds vous sont versés, vous devez payer de l'impôt, que les fonds soient versés sous forme d'un montant forfaitaire (disons, parce que vous avez résilié le contrat) ou que vous bénéficiiez d'une rente viagère. Dans le cas d'une rente, la personne touchant ces versements sera habituellement admissible à la déduction pour revenu de pensions.

Bien que certaines règles fiscales limitent les placements que peuvent faire les fiduciaires d'un REÉR, la gamme de placements qu'ils peuvent effectuer demeure imposante. En fait, lorsque vous choisissez un régime, vous le choisissez habituellement en fonction du genre de placements que vous désirez faire. Par conséquent, la plupart des fiduciaires offrent plusieurs genres de régimes. Par exemple, une forme de placement courante, au sein des banques ou des sociétés de fiducie, est un dépôt à terme ou un certificat de placement garanti pour une période allant de un à cinq ans. Cependant, vous pouvez trouver un régime qui investit, entre autres, dans des actions ordinaires, des actions privilégiés, des obligations, des fonds mutuels et dans des sociétés de capital de risque. En fait, vous pouvez même prendre des dispositions pour établir un régime auto-géré dans le cadre duquel vous choisissez précisément la forme des placements. Comme il n'y a pas de limite au nombre de REÉR que vous pouvez établir, vous pouvez choisir d'en établir plusieurs – chacun faisant des placements différents.

Bien que de nombreux investisseurs chevronnés recourent à des régimes auto-gérés, ces derniers ne conviennent certes pas à tous. Le coût de tels régimes a tendance à être élevé, et vous devrez acquitter la commission du courtier (et quelquefois d'autres frais) à l'égard de chaque achat ou vente d'un bien dans le cadre du régime. De tels régimes sont donc recommandés uniquement à ceux qui connaissent très bien les placements à la Bourse et qui ont le temps – ainsi que le désir – de contrôler étroitement, chaque jour, leur REÉR.

De façon générale, la plupart des gens investissent leurs fonds placés dans un REÉR sous forme de biens qui assurent le rendement le plus élevé possible tout en étant un placement sûr. Mais n'oubliez pas que comme les REÉR sont exonérés d'impôt, vous ne pouvez pas vous prévaloir d'avantages fiscaux comme le crédit d'impôt pour dividendes ou les règles particulières relatives aux gains en capital. Il demeure qu'un REÉR doit être considéré comme un mécanisme de planification financière en vue de la retraite *ainsi* qu'un investissement – par conséquent, les choix que vous ferez en matière de placements doivent être conformes à vos objectifs.

Limites imposées à l'égard des cotisations : Un grand attrait des REÉR est le fait que vous pouvez déduire une cotisation l'année même où vous l'avez versée, dans la mesure où vous ne dépassez pas les limites imposées. En fait, vous avez jusqu'à 60 jours après la fin de l'année pour faire une telle cotisation. Par exemple, vous pouvez verser une cotisation jusqu'au 1er mars 1988 pour bénéficier d'une déduction en 1987.

Toutefois, il convient de se rappeler un certain nombre de choses. Premièrement, si le montant de vos cotisations est supérieur à la limite permise, *il est possible* que vous soyez assujetti à une amende fiscale. Par conséquent, la plupart des gens s'efforcent de demeurer en-deçà des limites. Deuxièmement, même si la plupart des gens versent leurs cotisations le plus tard possible, (c'est-à-dire en janvier ou en février suivant l'année d'imposition en question) il est bien préférable de verser cette cotisation *le plus tôt possible.* Si l'argent n'est pas disponible au début de l'année, envisagez de virer mensuellement un montant régulier de votre compte d'épargne à votre REÉR. Plus vous cotiserez tôt, plus vous retirerez de revenu exempt d'impôt dans le cadre du régime.

En 1987, vous pouvez verser des cotisations égales à la moins élevée des sommes suivantes : 7 500 $ ou 20 % de vos gains, si vous n'êtes pas assujetti, à un moment ou à un autre dans l'année, à un régime de retraite. (Les gains englobent toute somme reçue sous forme de salaire, de revenu d'entreprise, de pension alimentaire. Il *n'englobe pas* les intérêts, les dividendes, ni les gains en capital.) Si vous êtes assujetti à un régime de retraite, vous pouvez déduire 20 % de vos gains jusqu'à concurrence de 3 500 $, *moins* toute somme versée au cours de l'année dans votre régime. Ainsi, nombre de personnes se servent du REÉR pour suppléer à leur fonds de retraite en versant la différence entre leur cotisation donnant droit à pension et 3 500 $.

En 1988, les règles changent. La limite globale sera fixée à 9 500 $, et s'élèvera par la suite de 2 000 $ par an, pour atteindre un maximum de 15 500 $ en 1991. Toutefois, la limite des cotisations passera à 18 % des gains, et la définition des gains sera plus stricte. Par exemple, en vertu des règles qui seront en vigueur en 1988, le montant de la pension alimentaire versée à un ex-conjoint ou à un enfant réduira d'autant le montant des gains aux fins du calcul du REÉR, ce qui n'est pas le cas à l'heure actuelle. À compter de 1990, le revenu de pensions sera également exclu du calcul des gains. Si vous êtes assujetti à un régime de retraite, les règles relatives au montant de votre cotisation seront beaucoup plus complexes, à un point tel qu'en novembre 1988, Revenu Canada commencera à informer les contribuables du montant qu'ils peuvent cotiser et déduire chaque année.

Il est également possible d'utiliser ce qu'on appelle un régime de conjoint. Il s'agit d'un REÉR établi en faveur de son conjoint, habituellement une personne qui a un revenu réduit, voire nul. Le conjoint qui touche le revenu le plus élevé verse une partie ou la totalité de ce qu'il aurait pu verser à son propre régime dans le régime du conjoint. Il peut ensuite se prévaloir de la déduction de la même façon que s'il avait versé la somme dans son propre régime. L'attrait de cette formule réside dans le fait que les fonds versés dans un tel REÉR sont imposables au taux probablement plus bas qui s'applique au revenu de votre conjoint lorsqu'ils sont retirés au moment de la retraite.

Options disponibles à l'échéance : Comme nous l'avons mentionné plus tôt, tous les fonds retirés d'un REÉR sont imposables intégralement. Toutefois, les régimes offrent une gamme d'options qui doivent être prises en compte. Tout d'abord, un REÉR peut être liquidé à n'importe quel moment. Lorsque c'est le cas, tous les fonds sont immédiatement imposables par le bénéficiaire. Cette éventualité est habituellement peu avantageuse, mais dans certains cas, peut être logique. Par exemple, nombre de femmes au travail qui prévoient quitter le marché du travail pour élever une famille liquident leur régime au moment où elles quittent leur emploi (à un moment où, par conséquent, sa charge fiscale imposée à l'égard du montant reçu sera faible) et utilisent souvent l'argent en vue d'acheter une maison plus grande.

En outre, le REÉR *doit* arriver à échéance au plus tard à la fin de l'année au cours de laquelle vous atteignez l'âge de 71 ans. Si vous attendez ce moment, vous pouvez transférer l'argent à un fonds enregistré de revenu de retraite (FERR), sur lequel nous nous pencherons un peu plus tard, ou encore utiliser les fonds pour acheter une rente viagère.

Il existe un vaste éventail de rentes. La rente de base vous assure un revenu mensuel pendant le reste de votre vie. Si vous mourez six mois après l'avoir acheté, vous perdez le solde impayé, qui revient à la société émettrice de la rente. Comme une telle option n'est manifestement pas intéressante, nombre de gens achètent une rente dont le versement est garanti pour une période donnée, disons dix ou quinze ans. Ainsi, si vous mourez après un an, la rente sera versée à votre succession ou à votre conjoint pendant le reste de la période.

L'exemple 1 fait état du versement mensuel relatif à diverses rentes viagères dont le versement est garanti sur une période différente. (N'oubliez pas que le taux offert par les rentes varie suivant l'évolution des taux d'intérêt. Dans l'exemple, le taux en vigueur était celui de mars 1987.) Vous remarquerez que le taux décroît au fur et à mesure que la période où le versement est garanti s'allonge. En outre, une rente versée à une femme est moins importante que celle versée à un homme, étant donné que la femme a une espérance de vie plus longue.

Exemple 1

Voici les versements mensuels relatifs à une rente de 50 000 $ achetée au moyen d'un REÉR. Le taux était celui en vigueur en mars 1987.

	ÂGE	HOMME	FEMME
RENTE VIAGÈRE Versement non garanti	60 65 71	482,36 $ 528,28 615,63	455,39 $ 487,13 552,37
RENTE VIAGÈRE Versement garanti 10 ans	60 65 71	467,87 495,44 536,50	448,11 470,17 512,61
RENTE VIAGÈRE Versement garanti 15 ans	60 65 71	455,37 473,99 493,69	442,45 457,41 491,91

Vous pouvez également acheter une rente conjointe pour vous et votre conjoint, ce qui signifie que la rente sera versée jusqu'au décès des deux conjoints. Encore une fois, vous pouvez acheter une telle rente en veillant à ce que le versement soit garanti sur une certaine période. L'exemple suivant indique le rendement d'une telle rente en mars 1987.

Exemple 2

Voici les versements mensuels relatifs à une rente conjointe de 50 000 $ achetée au moyen d'un REÉR. Le calcul se fonde sur l'âge du plus jeune des deux conjoints.

	ÂGE	HOMME & FEMME
RENTE VIAGÈRE Versement garanti 10 ans	60 65 71	430,36 $ 446,07 478,60

RENTE VIAGÈRE	60	429,50
Versement garanti	65	443,63
15 ans	71	467,24
	60	424,80
RENTE CERTAINE	65	436,35
Versée jusqu'à l'âge de 90 ans	71	472,54

Plutôt que d'acheter une rente viagère, vous pouvez également acheter une rente certaine, qui vous sera versée jusqu'à l'âge de 90 ans. Il existe également d'autres possibilités, dans le cas des rentes, par exemple la possibilité d'une indexation du revenu généré par la rente, en fonction de l'inflation. Cette caractéristique, tout comme les autres, coûte cher en termes de revenu auquel vous devez renoncer. Comme l'indiquent les exemples, toutes les fois où vous optez pour un type de rente autre qu'une rente viagère ordinaire, votre revenu mensuel s'en trouve réduit. En d'autres termes, chaque option offerte a un coût qui se traduit par le montant que vous toucherez vraiment.

En outre, les fonds versés dans un REÉR peuvent être transférés à n'importe quel moment dans un fonds enregistré de revenu de retraite (FERR). Essentiellement, ces fonds sont offerts par les mêmes établissements qui administrent les REÉR et, en général, se fondent sur des placements analogues. Bien que les FERR existent depuis environ 10 ans, ils n'ont connu une vague de popularité qu'au cours des dernières années, à la suite des modifications fiscales annoncées en 1985.

À l'origine, dans le cadre d'un FERR, le bénéficiaire touchait annuellement un montant calculé d'après une formule. Cette formule se fondait sur le pourcentage auquel on parvenait en divisant le chiffre 1 par 90 moins l'âge du bénéficiaire. Ainsi, si une personne établissait un FERR à 70 ans, 1 était divisé par (90 − 70), soit 20. Étant donné qu'un vingtième correspond à 5 %, elle devait retirer au moins 5 % des fonds accumulés à la fin de l'année précédente. L'année suivante, le chiffre 1 était divisé par (90 − 71), soit 19. Étant donné que 1/19 correspond à environ 5,26 %, la personne devait retirer au moins cette proportion. Ainsi, dans les faits, au fil des ans, elle recevait un montant croissant sous forme de revenu de pensions – alors que, compte tenu de ses besoins, cela aurait dû être le contraire.

Quand les dispositions réglementaires ont été modifiées, on a permis au rentier de retirer *au moins le minimum* chaque année. Ainsi, le FERR est devenu (dans la mesure où le montant minimal était nécessairement retiré) une sorte de banque où l'on pouvait conserver un revenu de retraite exempt d'impôt, suivant les besoins. La souplesse qu'offrait le régime, à l'encontre de la plupart des régimes de rente, a contribué à la popularité de la formule. L'exemple suivant est révélateur.

Exemple 3
Voici un exemple des sommes versées dans le cadre d'un FERR, lorsque 50 000 $ ont été virés dans le régime et que le fonds rapporte 10 % d'intérêt par année. Les versements indiqués sont les montants minimaux, mais il est possible de retirer des montants supérieurs.

Âge	Versement mensuel	Versement annuel	Solde
71	–	–	50 000 $
72	219,25 $	2631 $	52 480
75	298,33	3580	59 540
80	500,92	6011	66 759
85	852,33	10 228	57 087
90	1667,33	20 008	0

Comme l'indique cet exemple, le rentier retire chaque année le montant minimal, et le régime rapporte 10 % d'intérêt. En se fondant sur ces hypothèses, le fonds de retraite continue à s'accroître plus de dix ans après avoir été établi, même si des fonds en sont retirés.

Les REÉR/FERR au moment du décès

Si vous mourez et que des fonds soient toujours conservés dans un REÉR, cet argent peut être transféré, exempt d'impôt, dans le régime de votre conjoint et ensuite utilisé pour acheter une rente qui sera immédiatement versée ou encore il peut être épargné en vue d'une utilisation future. Si vous mourez sans laisser de conjoint, la valeur des fonds est intégrée à votre revenu pour l'année du décès avant d'être imposée intégralement.

Si vous avez déjà converti votre REÉR en une rente, cette rente peut cesser d'être versée au moment de votre décès, à moins que la période où le versement en est garanti ne soit pas terminée ou qu'il s'agisse d'une rente conjointe.

Si vous avez versé de l'argent dans un FERR, et qu'il reste de l'argent dans le fonds au moment de votre décès, le montant est imposé intégralement à votre succession, et le solde est ensuite versé au bénéficiaire conformément aux dispositions de votre testament.

Quelques considérations générales

Le REÉR (et plus tard, le FERR) est extrêmement avantageux au titre de la planification fiscale, du fait que, d'une part, les cotisations sont déductibles d'impôt et que, d'autre part, les régimes eux-mêmes sont exonérés d'impôt. En outre, les types de régime, de placements et d'options offerts au moment de la retraite, sont extraordinairement variés. À moins que vous ne cotisiez déjà «à pleine capacité» à un régime de retraite, il convient de recourir dans la plus large mesure possible à un REÉR dans le cadre de votre planification financière. En outre, ce genre de planification devrait commencer dès que vous touchez un revenu pouvant servir au calcul de vos cotisations.

Conclusion

Dans le présent chapitre, nous avons fait porter l'accent sur certains éléments fondamentaux de la planification de la retraite. Les options qui s'offrent sont nombreuses et variées. Certains des régimes, notamment les REÉR, sont des formules sur lesquelles vous avez beaucoup de contrôle; d'autres, comme les régimes de retraite et les régimes généraux, sont susceptibles d'être imprévisibles, mais vous pouvez toujours baser votre planification sur ce qu'ils sont censés vous offrir.

Si vous êtes comme la vaste majorité des gens, à une certaine étape de votre vie, la planification de votre retraite sera en tête de votre ordre de priorité. Cependant, un conseil : commencez tôt!

Quand vous êtes jeune, vous pouvez être tenté d'accorder peu d'importance à la planification de la retraite. Mais comme nous l'avons souligné dès le début, une retraite financièrement sûre et confortable finit par devenir un objectif primordial aux yeux de chacun. Si vous commencez tôt, l'objectif sera beaucoup plus facile à atteindre, et il vous en coûtera moins.

CHAPITRE 9

Planification successorale

Nous avons déjà maintes fois répété que la protection de vos personnes à charge est la raison d'être de la planification financière. Comme le décès d'un conjoint ou d'un parent est habituellement la crise la plus grave qui puisse survenir dans une famille, une partie de votre planification financière devrait être orientée de façon à ce que votre décès ne cause pas à la fois une catastrophe émotive et financière. Bien que personne n'envisage avec plaisir son décès, la plupart des gens se sentent plus à l'aise en sachant que leur famille est suffisamment protégées financièrement.

Il n'existe pas de définition parfaite de la planification successorale, mais on peut dire qu'elle désigne les démarches que vous entreprenez afin de vous assurer que, à votre décès, votre famille disposera de ressources suffisantes pour subvenir à ses besoins financiers, que vos biens iront aux «bonnes» personnes et que le fardeau fiscal sera minimal.

Le testament constitue le document fondamental de la planification successorale. Il s'agit d'un document juridique exécutoire qui indique à votre exécuteur testamentaire à qui vos biens doivent être distribués après votre décès. Si vous *n'avez pas rédigé* de testament (c'est-à-dire si vous mourez *ab intestat*), la distribution s'effectuera en vertu d'une formule établie par la province où vous résidiez; il est donc possible qu'elle ne respecte que peu ou pas du tout vos volontés.

Prenons le cas d'un homme d'affaires célibataire qui se disait satisfait de savoir que ses biens seraient remis à ses parents s'il décédait sans testament. Il a par la suite appris avec horreur que, s'ils mouraient avant lui, la totalité de ses biens serait divisée entre ses deux soeurs, qu'il détestait. Il a donc immédiatement rédigé un testament afin de s'assurer que ses biens seraient remis aux personnes qu'*il* désignerait.

Prenez également l'exemple d'un homme marié avec deux enfants qui meurt sans testament. Dans nombre de provinces, son épouse recevra une première mince tranche (entre 20 000 et 75 000 $, selon la province), puis un tiers du solde. Ses enfants recevront les deux tiers restants. Si l'homme n'a pas d'enfant, *il est possible* que son épouse hérite de tout, mais s'il a des enfants, elle ne pourra jamais avoir droit à plus de la moitié des biens de son mari, peu importe la province. Comme la grande majorité des couples mariés tend à léguer la totalité des biens au conjoint, on peut affirmer sans crainte de se tromper qu'une formule imposée par la province respecte rarement les désirs des gens.

En outre, si la formule fait en sorte qu'une partie de vos biens revienne à un enfant de moins de 18 ans, ces biens seront probablement administrés par un curateur public de la province, et non par le conjoint, au nom des enfants. Par conséquent, toutes les personnes âgées de 18 ans ou plus (généralement l'âge minimum nécessaire pour avoir le droit de rédiger un testament) et qui ont un emploi ou des biens devraient rédiger leur testament.

La rédaction du testament est un procédé extrêmement complexe. Bien que certaines provinces reconnaissent la validité d'un testament holographe (qui est *entièrement* écrit de la main du testateur, c'est-à-dire la personne qui lègue ses biens) il est infiniment préférable de recourir aux services d'un avocat (ou d'un notaire, au Québec) si vous voulez vous assurer que votre testament respecte les critères établis par la loi quant à la forme et à la précision du libellé. Les services d'un avocat pour la rédaction d'un testament ne sont pas très onéreux, la plupart exigeant des frais peu élevés (entre 50 et 200 $, selon la complexité du testament) en comparaison du temps qu'ils doivent y consacrer;

toutefois, si le testament n'est qu'une partie de la prestation de services juridiques plus vastes, vous pourriez avoir à payer plus cher. C'est à cause de la concurrence importante que les honoraires sont peu élevés (en effet, presque tous les notaires ou avocats acceptent de rédiger un testament; mais ce n'est qu'un certain nombre qui s'occupe, par exemple, de divorces) et du fait que l'avocat ou le notaire estime qu'il pourra exercer des fonctions plus lucratives comme la gestion de votre succession après votre décès.

Avant de nous pencher sur les diverses dispositions du testament, attardons-nous à certains autres points :

• Vous pouvez modifier votre testament en tout temps. En fait, au fur et à mesure que votre famille et votre situation financière évoluent, il est même recommandé de le faire. La plupart des avocats et notaires recommandent de le réviser tous les trois ans.

• Vous pouvez apporter des changements limités à votre testament par de simples ajouts ou retraits grâce à un document d'amendement appelé un codicille. Demandez toutefois à votre avocat de le rédiger.

• Les formalités juridiques du libellé et de la forme du testament sont importantes. En effet, un testament qui n'est pas signé de la bonne façon ou qui ne comporte pas de témoins, par exemple, est invalide – et à votre décès, ce sera comme si vous n'en aviez jamais rédigé.

• Vous devez être sain d'esprit pour rédiger un testament. Si vous prenez des dispositions afin que quelqu'un d'autre le fasse pour vous (disons, un parent), il faudrait que votre avocat s'assure que cette personne possède la capacité mentale (c'est-à-dire la capacité testamentaire) de donner les instructions nécessaires.

• Un divorce *n'invalide pas un testament*. Si vous êtes séparé de façon permanente de votre conjoint ou divorcé, rédigez un nouveau testament.

• Le mariage annule tous les testaments antérieurs, à moins que le testament n'indique expressément qu'il est rédigé à des fins de mariage. Après votre mariage, vous devriez en toute priorité rédiger un nouveau testament.

• Les deux époux devraient avoir un testament, même si la plupart des biens ne sont qu'au nom d'un des deux. Les deux testaments devraient être rédigés en même temps par le même avocat, bien qu'ils ne doivent pas nécessairement être identiques. Toutefois, il arrive souvent que les deux testaments s'harmonisent pour permettre d'économiser en impôts et pour que les deux se complètent. Rien de pire, par exemple, que la situation où les deux parents meurent au cours du même accident et où les deux testaments nomment un différent tuteur pour les enfants.

Vos instructions

Avant de faire appel à un avocat pour rédiger votre testament, il est important que vous déterminiez ce que vous voulez. Vous devriez ainsi être en mesure de lui donner les informations suivantes :

Les données concernant votre situation personnelle et financière : Votre avocat voudra savoir si vous êtes marié, si vous avez des enfants, si vous avez déjà été marié ou si vous avez eu des enfants d'un mariage antérieur, ou des enfants envers lesquels vous avez certaines responsabilités juridiques, etc. Comme nous le verrons plus loin dans ce chapitre, la loi impose certaines restrictions quant au contenu de votre testament à l'égard des responsabilités que vous avez de subvenir aux besoins d'autres personnes. Contrairement à ce que beaucoup de gens pensent, vous ne pouvez pas simplement déshériter votre conjoint ou un enfant à charge sans que cette disposition ne soit contestée ou qu'un tribunal n'ordonne aux héritiers que vous avez désignés de mettre des fonds de côté pour vos personnes à charge.

Vos volontés relatives à la distribution de vos biens : L'objectif d'un testament est de répartir vos biens après votre décès. Vos instructions peuvent être simples : vous léguez tout à votre conjoint, par exemple. Mais qu'arrivera-t-il si vous et votre conjoint décédez dans le même accident? Voulez-vous que vos biens soient remis à vos enfants? Dans ce cas, les biens doivent-ils être divisés également ou d'une autre façon? Qu'arrivera-t-il si un de vos enfants meurt avant vous, ou s'il a des enfants? Voulez-vous que certains de vos biens soient légués à un organisme de charité? Certains biens particuliers doivent-ils être distribués à certaines personnes? Êtes-vous lié par un contrat (comme une convention d'actionnaires) qui vous oblige de disposer de vos biens d'une façon préétablie? Déterminez le mode de distribution de vos biens à l'avance et soyez en mesure de remettre cette information à l'avocat ou au notaire. Une liste des noms et adresses complets qui sont nécessaires pourrait également s'avérer utile.

Qui sera l'exécuteur testamentaire? L'expression exécuteur testamentaire désigne la personne, ou les personnes, qui doivent veiller à l'exécution des obligations figurant dans le testament. Ces obligations comprennent notamment : des mesures concernant l'enterrement, le remboursement de vos dettes et impôts, la production de votre déclaration d'impôt, le recouvrement des sommes que l'on vous doit, la distribution de vos biens conformément à vos dernières volontés. (Nombre de testateurs donnent expressément à l'exécuteur le pouvoir de recourir aux services de professionnels.) Le rôle de l'exécuteur peut être facile et court (tout revient au conjoint) ou complexe et exigeant, si vous possédez un vaste patrimoine et un testament détaillé établissant une succession qui ne pourra être réglée qu'après bien des années.

L'exécuteur sera le plus souvent le conjoint, un enfant, un membre de la famille, un conseiller professionnel, un ami ou un exécuteur rémunéré, comme une société de fiducie. (Tous les exécuteurs ont le droit d'être rémunérés, mais les non professionnels, comme les amis de la famille, ne le sont que rarement.) Avant de nommer votre exécuteur, assurez-vous auprès de la personne choisie qu'elle accepte d'agir à ce titre; vous ne pouvez la forcer à le faire. Vous devriez en outre désigner plusieurs exécuteurs au cas où le premier meurt ou refuse plus tard d'exercer ces fonctions.

Le choix d'un exécuteur est une décision personnelle. Vous voudrez désigner quelqu'un en qui vous avez confiance et qui peut, en même temps, accomplir les tâches demandées. Nombre de testateurs nomment une combinaison d'exécuteurs. Par exemple, ils nomment leur conjoint ou leurs enfants qui agiront à titre d'exécuteurs de concert avec une société de fiducie ou un conseiller professionnel. Encore une fois, plus votre succession est importante et complexe, plus vous devriez nommer une personne extérieure à votre famille au moins à titre de co-exécuteur.

Tuteurs : Si vous avez des enfants âgés de moins de 18 ans, vous devriez nommer au moins une personne devant agir comme tuteur dans l'éventualité où votre conjoint et vous mourriez au même moment. Il est évident que c'est là une décision qui doit être prise à deux, et que vous devriez consulter les tuteurs éventuels. Si vos enfants ont moins de 18 ans et que vous ayez désigné les tuteurs, assurez-vous que le testament prévoit un mécanisme quelconque pour que des fonds soient mis à leur disposition pour les frais d'entretien des enfants.

Bien qu'une clause à l'égard des tuteurs soit fortement recommandée, il n'est pas garanti que la garde des enfants soit accordée effectivement aux personnes que vous avez désignées, car la décision finale revient aux tribunaux. Cependant, si les tuteurs que vous avez choisis satisfont à la totalité ou à la quasi-totalité des critères, les tribunaux n'auront aucune raison de leur refuser la garde des enfants. Mais comme leurs décisions sont fondées sur ce qu'ils estiment être les meilleurs intérêts des enfants, il peut arriver qu'ils ne respectent pas votre choix. Si, par exemple, vous désignez des tuteurs qui habitent dans une autre province et qu'il y ait une autre famille dans votre province d'attache qui peut fournir un milieu adéquat pour les enfants, la garde peut lui être accordée par le tribunal. Celui-ci rejettera probablement plus rapidement vos dernières volontés si les enfants doivent aller habiter dans une autre province ou, pire encore du point de vue judiciaire, dans un autre pays.

L'utilisation des fiducies : Une fiducie est une entité juridique qui détient les biens d'une personne au profit d'une autre. Supposons que vous donniez 25 000 $ à votre frère et que vous lui demandiez d'utiliser le revenu qu'il en tirera pour subvenir aux besoins de votre mère. Au décès de celle-ci, l'argent doit être remis à votre neveu. Dans cet exemple, vous auriez créé une *fiducie entre vifs* (créée de votre vivant). Vous êtes l'auteur de la fiducie (la personne qui l'a créée); votre frère est le fiduciaire; votre mère est l'usufruitière, puisqu'elle reçoit un revenu pendant toute sa vie, et votre neveu est le bénéficiaire de la masse successorale ou d'un legs à titre universel, car il recevra la masse des biens ou le principal de la succession à la mort de votre mère. Une fiducie est établie principalement pour répartir la participation dans le bien (qui revient à la mère de son vivant, puis au neveu) ou pour imposer des conditions (par exemple, un revenu à ma nièce jusqu'à l'obtention de son diplôme universitaire et, à l'obtention de son diplôme, ou si elle échoue, le capital doit être remis à un organisme de charité), ce que vous ne pouvez faire dans le cadre d'un legs ou d'un transfert en vertu d'un testament. La ficucie vous offre la souplesse que ne possèdent pas les autres catégories de legs.

Très souvent, vous voudrez avoir recours à une fiducie dans le cadre d'un testament; c'est ce qu'on appelle une *fiducie testamentaire*. De façon générale, vous établirez une fiducie pour faire en sorte que vos enfants ou petits-enfants ne puissent utiliser les biens avant de pouvoir bien les gérer, par exemple, avant l'âge de 25 ans. Une autre disposition fréquente consiste à remettre la totalité de vos biens à votre conjoint en fiducie (ce qui reporte l'imposition) pour que, sa mort, vos biens reviennent à vos enfants. (En utilisant une fiducie, vous vous assurez que vos enfants recevront les biens, même si votre conjoint se remarie et a d'autres enfants.)

Habituellement, la personne que vous nommez à titre d'exécuteur testamentaire sera un fiduciaire, mais pas nécessairement. Vous pouvez de plus nommer la même personne (disons, votre conjoint) à titre de fiduciaire et de bénéficiaire. Le but de notre exposé n'est pas de faire de vous des experts en matière de fiducie; nous voulons plutôt vous signaler des moyens d'utiliser une fiducie pour contourner certains problèmes, comme le legs de biens à de très jeunes enfants, de même que pour vous permettre de déterminer quel enfant aura le plus besoin de votre aide, bien après votre décès. (Par exemple, vous pouvez transférer la moitié de vos biens à une fiducie établie au nom de vos enfants en stipulant que les biens ne doivent pas être distribués également entre les enfants, mais qu'ils devront plutôt être répartis en fonction de la décision du fiduciaire. En outre, celui-ci peut prendre en compte les besoins des enfants au moment où il prend sa décision, soit lorsque le plus jeune atteint l'âge de 22 ans. Dans cette éventualité, vous devrez désigner un fiduciaire qui connaît bien les enfants et qui pourra prendre une décision équitable en ce qui concerne la distribution des biens.)

Dispositions funéraires : Comme nous l'avons déjà dit plus tôt, l'exécuteur doit prendre les dispositions nécessaires concernant votre dépouille mortelle. (Techniquement, votre corps devient sa propriété, et non celle de votre famille.) Nombre de personnes donnent des instructions dans leur testament concernant leur dépouille mortelle, mais les dispositions en ce sens sont dans la plupart des cas prises avant l'ouverture du testament. Par conséquent, si vous voulez exprimer des désirs particuliers à l'égard de l'enterrement, de l'incinération ou de l'utilisation de vos organes, discutez-en avec votre exécuteur avant votre décès. Il n'est pas rare que les dernières volontés du testateur concernant son corps soient ignorées tout simplement parce que l'enterrement a eu lieu avant la lecture du testament, où l'incinération était prévue.

Gardez votre testament en lieu sûr : Comme votre testament est un document important, vous devriez le garder en lieu sûr. La plupart des avocats conserveront l'original pour vous et vous remettront une copie pour vos dossiers. Si vous ne désirez pas qu'il garde le testament, vous devriez placer celui-ci dans votre coffret de sécurité à la banque. N'oubliez pas cependant d'en aviser votre exécuteur testamentaire par la suite, de sorte qu'il puisse y avoir accès aussitôt que possible après votre décès.

(Il est également recommandé de dresser une liste à l'intention de votre exécuteur testamentaire, indiquant où vos principaux biens se trouvent et avec quels conseillers il doit communiquer. Une liste de vos biens, qui mentionne en outre les noms de votre avocat, de votre courtier en valeurs ou de votre courtier d'assurance, du directeur de votre banque, ainsi qu'une liste de vos comptes en banque et de vos coffrets à la banque devrait être disponible facilement après votre décès.)

Limites imposées à l'égard d'un testament

Bien que le testament revête une importance fondamentale, il est bon de se rappeler qu'un certain nombre de biens peuvent être transférés sans testament, et que certaines limites peuvent être imposées relatives à ce que vous transférez dans le cadre d'un testament.

Régimes matrimoniaux : Chaque province canadienne a établi des lois concernant la répartition du patrimoine d'un couple. Bien que la plupart des gens pensent que ces lois ne s'appliquent qu'en cas de divorce, elles sont également applicables dans l'éventualité du décès. Ainsi, en vertu de ces lois, si vous ne réservez pas un montant suffisant à votre conjoint (ce qui peut s'appliquer quelquefois à votre ex-conjoint si vous lui versez encore une somme quelconque) ou à un enfant qui est à votre charge, les dispositions du testament peuvent être outrepassées, et l'on peut prévoir des fonds pour subvenir aux besoins de ces personnes. En Ontario, province qui possède la loi la plus progressiste en ce sens, le conjoint possède un droit sur 50 % des biens nets de la famille. Si vous rédigez un testament qui ne prévoit pas que ce montant sera remis à votre conjoint, ce dernier peut exiger de recevoir la partie qui lui revient aux yeux de la loi.

Prenez note, toutefois, que les régimes matrimoniaux sont en évolution. Vous devriez par conséquent recourir aux services d'un avocat ou d'un notaire pour rédiger votre testament de sorte que vous sachiez quelles obligations la loi vous impose à l'égard de votre conjoint et de vos enfants.

Assurance : Comme nous l'avons vu au chapitre 7, à votre décès, votre assureur versera des prestations au bénéficiaire, et ce versement n'est pas assujetti à votre testament si vous ne désignez pas votre succession à titre de bénéficiaire. Il serait recommandé de revoir l'exposé au chapitre 7 relatif aux avantages et aux inconvénients de nommer votre succession comme bénéficiaire.

Biens détenus conjointement : Les biens détenus conjointement (soit le plus fréquemment des comptes bancaires conjoints et la résidence familiale) reviennent *automatiquement* au propriétaire conjoint survivant. C'est pourquoi nous recommandons fortement de ne pas détenir de biens conjointement avec une personne autre que votre conjoint ou un enfant à qui vous voulez que ces biens reviennent après votre décès.

Prestations de retraite : Si vous recevez des prestations de retraite ou de REÉR, les droits qui restent en vigueur après votre décès seront normalement transférés à votre conjoint, que vous aurez probablement nommé comme bénéficiaire dans les documents relatifs à votre régime de retraite ou à votre REÉR. Bien que ces prestations ne soient pas transférables en vertu d'un testament, nombre d'avocats suggèrent que vous ajoutiez, par mesure de précaution, une clause visant le transfert de ces droits à votre conjoint.

Cadeaux : L'argent ou les objets de valeur que vous avez donnés en cadeau de votre vivant ne seront pas affectés par le testament. Beaucoup de gens, particulièrement lorsqu'ils avancent en âge, choisissent de donner des objets de valeur de leur vivant plutôt que de léguer des articles particuliers à des personnes expressément désignées dans le testament.

Usufruit : Dans notre exposé sur les fiducies, nous avons traité de l'usufruit . Votre participation dans un bien, comme l'utilisation d'une maison, tant et aussi longtemps que vous vivez, s'éteint à votre décès et ne peut être transférée à qui que ce soit par voie de testament.

Biens détenus en vertu d'une convention d'achat et de vente : Si vous êtes partie à une convention de vendre un bien et que vous mouriez avant d'avoir effectué l'opération en question, votre exécuteur testamentaire sera tenu de respecter les clauses de la convention. Vous ne pouvez pas non plus transférer ce bien dans le cadre de votre testament. Toutefois, le produit de la vente sera ajouté à votre succession et pourra être transféré par voie de testament de la façon normale. (Si vous convenez d'acheter un bien et que vous décédiez, l'exécuteur testamentaire aura également l'obligation de conclure l'acquisition.)

Questions fiscales

Nombre de gens ont, à tort, l'impression que des droits de succession sont encore imposés au Canada. Pourtant, ni le gouvernement fédéral ni ceux des provinces ne le font. Votre décès peut cependant entraîner des charges fiscales imprévues. Cela provient du fait que, à votre décès, vous êtes réputé avoir cédé toutes vos immobilisations à leur juste valeur marchande. Voilà qui peut donner lieu à des gains ou à des pertes en capital. De même, si vous déteniez personnellement des biens amortissables (voir le chapitre 6), votre succession peut être responsable de la récupération de l'amortissement.

Votre année d'imposition prend fin le jour de votre décès, et votre exécuteur testamentaire doit produire une déclaration d'impôt pour la période allant du 1ᵉʳ janvier jusqu'à cette date. Comme vous êtes réputé avoir cédé vos immobilisations au cours de l'année où survient votre décès, les gains ou pertes en capital doivent être déclarés. (Il est possible de produire jusqu'à trois déclarations différentes pour une personne décédée, ce qui peut réduire considérablement les impôts à payer. Même si vous n'avez jamais eu besoin d'un comptable auparavant, il serait opportun que votre exécuteur fasse appel à un professionnel pour préparer les dites déclarations.)

Il est important de garder quelques points présents à l'esprit concernant les gains en capital éventuels :

• Si vous léguez des biens immeubles à votre conjoint, directement ou par l'entremise d'une fiducie à l'intention du conjoint, il y aura roulement. Cela signifie que votre conjoint peut recevoir le bien, mais que vous êtes imposé à cet égard. Les impôts afférents ne seront exigibles qu'à la cession du bien par votre conjoint ou à sa mort. Dans les deux cas, c'est le conjoint qui sera imposé. Si vous estimez que le décès de votre conjoint donnera lieu à d'importants impôts, il serait approprié de lui faire souscrire une assurance vie pour couvrir la dette fiscale éventuelle.

• Il n'y aura aucun gain en capital sur la résidence principale, peu importe qui en est le légataire.

• Des règles particulières s'appliquent pour réduire les impôts à payer si vous léguez des biens amortissables à quelqu'un d'autre que votre conjoint.

• Les exemptions au titre des gains en capital s'appliquent au décès. Cela signifie que la première tranche de 100 000 $ des gains en capital sera exonérée d'impôts en 1987.

• Si, après examen, il semble que vous deviez de l'argent au fisc en raison de gains en capital ou de la récupération (même en tenant compte des exemptions et du roulement), envisagez d'acheter de l'assurance afin que votre succession dispose de sommes suffisantes pour faire face à ces dettes. Comme les impôts sur les gains en capital ne représentent qu'environ 25 % du gain réel, vous vous rendrez peut-être compte que vous n'avez pas besoin de beaucoup d'assurance pour régler d'éventuelles dettes. Toutefois, lorsque vous achetez une assurance pour faire face à des dettes fiscales éventuelles, choisissez une police qui restera en vigueur jusqu'à votre décès – soit une assurance vie entière ou une assurance temporaire jusqu'à 100 ans, par exemple.

• En raison des nombreuses options de transferth ou d'économie d'impôts, vous aurez à faire un choix. Vous pourriez, par exemple, choisir de faire en sorte que les biens bénéficiant de l'exemption au titre des gains en capital reviennent à votre enfant, et que les autres biens soient légués à votre conjoint. Dans certains cas, il peut être plus avantageux pour votre conjoint de recevoir les biens en utilisant l'exemption des gains en capital plutôt que le roulement. Cela peut être utile notamment si vous mourez sans avoir utilisé votre exemption personnelle, puisqu'alors votre succession n'encourra aucune dette fiscale et que votre conjoint pourra acquérir les biens à une valeur plus élevée aux fins de son imposition.

Assurez-vous que votre testament attribue à l'exécuteur testamentaire des pouvoirs qui lui permettent de prendre des décisions en matière fiscale, et même le pouvoir de constituer une société qui détiendra vos biens après votre mort. Ces pouvoirs ne seront pas nécessairement utilisés, mais ils peuvent se révéler d'une valeur inestimable dans certaines situations.

Si la totalité de vos biens ne revient pas directement à votre conjoint, vous devriez donner à votre exécuteur le pouvoir de répartir les biens selon son jugement. Par exemple : votre conjoint recevra 50 %, et les autres 50 % iront dans une fiducie établie au nom de votre enfant – si le fiduciaire a le droit de transférer des biens, la fiducie de votre enfant pourrait recevoir les biens bénéficiant de l'exemption des gains en capital, tandis que votre conjoint recevrait les biens couverts par le roulement non imposable. Il serait encore mieux de transférer à la fiducie des titres qui n'ont pas réalisé de plus-value (pour limiter les gains en capital), alors que les titres ayant pris de la valeur pourrait être légués à votre conjoint lorsque le roulement permet de reporter les impôts exigibles sur les gains en capital.

Plus haut dans ce chapitre, nous avons fait remarquer que presque tous les avocats et notaires peuvent rédiger un testament. Soyons plus précis : presque n'importe quel avocat ou notaire peut rédiger un simple testament, où tous vos biens sont légués à votre conjoint, puis à vos enfants. Toutefois, si vous avez des biens importants et des dettes fiscales éventuelles, vous devriez consulter un avocat spécialisé en planification successorale. Il pourrait être la personne la mieux indiquée pour rédiger votre testament en fonction de l'incidence fiscale. De plus, le fait de consulter un expert pour discuter de votre testament peut mener à une planification plus complexe dont découleront des avantages plus importants – de votre vivant et après votre mort. Ces formes de planification peuvent dépasser de loin les principes fondamentaux dont nous traitons ici et prévoir la constitution d'une ou de plusieurs sociétés, l'établissement de fiducies entre vifs et peut-être même le recours à des paradis fiscaux à l'étranger. Ce type de planification peut être onéreux et complexe, mais si votre actif net dépasse les 500 000 $, il serait inconscient de ne pas au moins examiner les possibilités de planification fiscale plus sophistiquée qui s'offrent.

Assurance-vie

L'assurance-vie a été discutée en détail au chapitre 7, mais il serait utile ici d'ajouter quelques mots. Très souvent, ce n'est que lorsque vous rédigez votre testament que vous vous rendez compte des problèmes financiers éventuels auxquels peut faire face votre famille après votre décès. Vous arrivez à cette conclusion surtout à cause du fait qu'un testament est rédigé comme si vous mouriez le lendemain, et non dans vingt ans. (Après tout, un testament devrait être considéré comme un document à court terme, modifié périodiquement selon l'évolution de votre situation.) Par conséquent, vous aurez à vous demander si vos biens suffisent à régler les diverses obligations que vous avez envers votre famille. C'est à la rédaction de leur testament que les gens découvrent qu'ils n'ont alors pas assez de biens, même si les perspectives d'avenir sont prometteuses.

Au chapitre 7, nous avons souligné les raisons fondamentales justifiant de contracter de l'assurance, dont celle de détenir assez d'assurance pour subvenir aux besoins de votre famille dans l'éventualité où vous mouriez le lendemain. Lorsque vous rédigez un testament, les lacunes de la situation financière de votre famille sont susceptibles d'apparaître. Même si vous estimez que ce problème sera réglé au bout de quelques années, il faut penser à court terme – et c'est là que l'assurance-vie entre en jeu. L'assurance-vie fait partie de presque toute planification successorale. Examinez votre garantie en fonction des biens indiqués dans votre testament. Si la garantie est incomplète, contractez une assurance supplémentaire, même si ce n'est qu'à court terme. Prenez ensuite cette assurance additionnelle en compte lorsque vous rédigez votre testament.

Régimes de retraite et REÉR

Normalement les prestations de retraite et les cotisations dans un REÉR sont transférées directement aux bénéficiaires désignés dans le cadre des régimes. Habituellement, il s'agit du conjoint. Bien entendu, en cas de séparation ou de divorce, vous devriez prendre des mesures pour nommer quelqu'un d'autre comme bénéficiaire.

Dans le cas des régimes de retraite, les nombreux droits conférés en vertu du régime sont déterminés par l'entente intervenue. Comme nous l'avons mentionné au chapitre 8, il est important de découvrir quelles prestations sont disponibles en vertu du régime après votre décès, et de vous assurer ensuite qu'elles seront versées à la personne que vous avez désignée. Ne soyez toutefois pas surpris si, outre les prestations du conjoint survivant, le régime ne prévoit guère d'autres types de versements. En effet, la plupart des régimes de retraite visent à ne verser un revenu de retraite qu'à l'employé ou à son conjoint survivant, mais ne prévoient pas de versements à d'autres membres de la famille.

Dans le cas d'un REÉR, la situation est un peu plus complexe. Si vous mourez avant que votre REÉR n'échoie, le droit aux fonds sera transféré soit à votre conjoint si vous l'avez nommé à titre de titulaire de la rente, soit à votre succession. Dans le premier cas, le conjoint peut transférer les fonds à son propre REÉR, sans payer d'impôts. Si les fonds sont légués à votre succession, les sommes seront imposables, à moins que l'exécuteur ne les redistribue à votre conjoint, qui les transfère alors dans son REÉR. (Si vous n'avez pas de conjoint, mais que vous ayez des enfants de moins de 26 ans ou qui sont handicapés mentalement ou physiquement, une partie des fonds provenant d'un REÉR peut être transférée à ces enfants, sans être assujettie à l'impôt.)

Bien entendu, si vous avez déjà converti votre REÉR en rente viagère ou que vous l'ayez versé dans un Fonds enregistré de revenu de retraite (voir le chapitre 8), le sort de ces sommes dépend des options que vous avez choisies au moment où vous avez effectué la conversion ou le transfert.

Lorsque vous adhérez à un régime de retraite ou que vous achetez un REÉR, vous devez vous informer des diverses options qui s'offrent à la suite d'un décès. Une fois que vous connaissez les choix qui s'offrent à vous, vous pouvez tenter de les intégrer à votre planification successorale globale.

Funérailles

Personne n'assiste à ses propres funérailles, mais nombre de gens prennent les dispositions nécessaires. Il est surprenant de voir combien des funérailles peuvent coûter cher, et très souvent, les familles y consacrent beaucoup trop d'argent parce qu'elles se sentent moralement obligées de le faire et croient que si elles ne choisissent pas les meilleurs produits, elles insulteront la mémoire du défunt.

Nombre de personnes planifient toutefois sérieusement les dispositions funéraires. Comme nous l'avons fait remarquer plus haut, si vous avez des souhaits bien définis, vous ne devriez pas simplement les indiquer dans votre testament. Vous devriez plutôt discuter de la question avec votre famille. Beaucoup de gens prennent des dispositions avec des entrepreneurs de pompes funèbres et paient à l'avance leurs funérailles. Bien que certains puissent juger cela macabre, il s'agit probablement de la meilleure façon de vous assurer que vous aurez les funérailles que vous désirez et à un prix raisonnable. Les pré-arrangements peuvent être effectués auprès de la plupart des importants salons funéraires; rappelez-vous toujours de traiter avec une entreprise de bonne réputation, qui sera encore en activité au moment de votre décès. Si vous utilisez ce type de formule, assurez-vous que les membres de votre famille ou l'exécuteur en sont informés.

Conclusion

La planification successorale vise avant tout à protéger votre famille à court terme au cas où vous mouriez subitement, ou à long terme si vous vivez jusqu'à un âge vénérable. Le degré de complexité de la planification successorale dépend dans une certaine mesure de la valeur de vos biens et de la forme de votre avoir, ainsi que de la complexité des dispositions que vous désirez prendre pour votre famille.

Il est probable que, plus que tout autre type de planification financière, la planification successorale exige le recours aux conseils d'experts en ce domaine – surtout des avocats, des notaires ou des agents d'assurance. Pour parer à toute éventualité, rédigez au moins un testament. Il s'agit de la première et de la plus importante partie de votre planification successorale. Si vous n'avez pas de testament, votre programme global de planification financière comporte une grave lacune qui devrait être réglée immédiatement.

La rédaction même de votre testament soulèvera presque inévitablement d'autres questions liées à la planification successorale, comme l'étendue de la garantie d'assurance, ce qu'il adviendra de vos fonds de retraite, la façon dont votre famille s'en tirera financièrement, vers qui vous (ou votre famille après votre décès) pouvez vous tourner pour obtenir des conseils ou du soutien, et toute une foule d'autres problèmes connexes. Réfléchir à ces questions constitue la première étape de la planification financière – prendre les mesures qui s'imposent est l'étape finale.

CHAPITRE 10

Évolution de la famille

Tout personne, ou presque, qui procède à une planification financière vise à ce qu'elle lui profite à elle-même ainsi qu'à ses proches. Pour presque tout le monde, un objectif clé de cette planification consiste à veiller à ce qu'un conjoint, un enfant ou un ami proche mènent une meilleure vie. Cette considération se manifeste sous différentes formes : l'épargne en vue de l'éducation d'un enfant, l'achat d'une maison familiale, le financement d'une retraite confortable et le maintien d'une couverture d'assurance adéquate.

Au fur et à mesure qu'une personne vieillit, sa situation change vis-à-vis de sa famille et de ses personnes à charge et, dans bien des cas, ces changements exigent qu'elle rajuste ses techniques et sa stratégie de planification financière. Dans le présent chapitre, nous mettons en lumière certains des changements qui peuvent se produire en ce qui concerne la famille et cernons certains des nouveaux facteurs qui devraient entrer dans votre programme de planification.

Le mariage

L'un des principaux changements d'état qui peut influer sur la planification financière est le mariage. C'est habituellement dans le cas d'un premier mariage qu'une personne reconnaît avoir des responsabilités envers une autre personne. Le mariage suppose de nouvelles obligations ainsi que de nouvelles occasions de planification.

Le célibataire, par exemple, peut très bien considérer que l'assurance-vie n'est pas nécessaire, étant donné qu'il n'a aucune personne à charge. Un couple marié doit reconnaître le fait que chacun des conjoints ferait face, advenant le décès de l'autre, à une perte émotive de même qu'à une perte financière. C'est donc le moment d'envisager sérieusement l'assurance-vie dans le cadre de la planification financière, si on ne l'a pas déjà fait. (Si vous disposez déjà d'assurance, soit personnellement, soit par l'entremise de votre emploi, vous voudrez sûrement vous repencher sur la question du bénéficiaire et vous demander si votre conjoint ne devrait pas être substitué au bénéficiaire courant.)

Au moment du mariage, l'établissement d'un testament devrait être primordial. En fait, aux yeux de nombreux avocats, le testament devrait être établi au moment où l'on envisage le mariage, de sorte que s'il vous arrivait un malheur, même pendant la lune de miel (et de telles tragédies se sont déjà produites), votre conjoint soit protégé.

Si les deux conjoints ont chacun un revenu, il est fortement suggéré qu'ils décident comment leur argent sera géré avant le mariage. Désirez-vous que tout l'argent du ménage soit versé dans des comptes conjoints? Préférez-vous un compte conjoint dans lequel chaque personne verse une certaine somme destinée à couvrir les dépenses du ménage et des comptes séparés pour les revenus «supplémentaires»? Bien qu'il soit fallacieux de croire qu'il n'en coûte pas plus pour deux personnes que pour une, les frais de subsistance de deux personnes qui vivent ensemble peuvent être inférieurs à ceux de deux personnes qui vivent séparément, étant donné qu'il y a plus d'occasions d'épargne et de placements.

Une bonne stratégie fiscale milite fortement en faveur de l'établissement de comptes distincts (autres que le compte destiné aux dépenses du ménage). Si Michel gagne 35 000 $ par année, et Louise, 20 000 $, il est plus logique que ce soit Michel qui assume l'essentiel des dépenses du ménage, et Louise qui se charge de la majeure partie des placements, étant donné que son revenu de placement sera imposé moins lourdement. S'ils mettent leur argent en commun, le revenu de placement de chacun sera imposé également, de sorte que le montant global de l'impôt sera plus élevé. Vos propres préférences peuvent très bien militer en faveur de placements distincts. Un couple de notre connaissance fait des placements distincts, étant donné *que lui* est beaucoup plus conservateur et *qu'elle* adore courir des risques. En gardant leurs placements distincts, chacun est plus heureux.

Quand vous vous mariez, renseignez-vous notamment sur les avantages sociaux qu'offrent vos employeurs respectifs. Par exemple, si Michel bénéficie d'une assurance frais médicaux qui couvre toute la famille et dont les frais sont assumés par son employeur alors que Louise doit acheter sa propre police, elle devrait manifestement annuler sa police. Assurez-vous que chacun d'entre vous est considéré comme bénéficiaire dans le cadre du régime de rentes ou du régime d'assurance de l'entreprise. Dans la mesure du possible, coordonnez les avantages sociaux de façon à vous prévaloir du régime qui coûte le moins cher tout en vous assurant que vous ne payez pas deux fois pour obtenir le même genre de régime.

Avant ou juste après le mariage, il est logique de consulter des conseillers comme votre avocat, votre notaire, votre comptable et votre agent d'assurance, car chacun d'eux devrait être en mesure de vous proposer les meilleures façons de modifier les dispositions antérieures de la façon qui sera la plus avantageuse pour vous.

Les enfants

La naissance d'un premier enfant doit vous inciter à penser à quelques facettes fondamentales de la planification financière. Tout d'abord, vous devez réviser votre testament pour veiller à ce qu'un tuteur soit nommé, advenant le cas où vous et votre conjoint mourriez en même temps. En outre, il est possible que vous désiriez vous assurer que certaines dispositions financières ont été prises pour que votre conjoint puisse s'occuper de l'enfant si vous deviez mourir le premier. La couverture d'assurance qui était adéquate lorsque vous n'aviez pas d'enfant devrait être réexaminée : vous avez maintenant une nouvelle personne à votre charge ... et elle est susceptible de demeurer à votre charge pendant au moins deux décennies.

En outre, s'il n'existe pas de formule magique pour déterminer le montant d'assurance supplémentaire que vous devriez acheter, vous devriez penser aux dépenses supplémentaires que peut entraîner un enfant et déterminer d'où viendra cet argent s'il vous arrive quelque chose à vous, qui êtes le principal soutien de famille. Prenez en compte des facteurs comme le coût éventuel des études universitaires, dans dix-huit ou vingt ans. (Vous voudrez peut-être revenir au chapitre 7.)

Certains parents achètent des polices d'assurance vie entière à l'intention des jeunes enfants pour créer ce qui deviendra un placement à long terme. L'avantage d'une telle mesure, c'est que les tarifs des primes sont très bas et que, par ailleurs, une fois devenus adultes, les enfants pourront acheter de l'assurance en acquittant des primes moins élevées. L'achat de ce genre d'assurance ne vous profitera pas tellement à vous, bien que vous soyez probablement le bénéficiaire initial de la police, mais il fournira à votre enfant l'occasion de disposer d'un certain avoir net au moment où il sera prêt à affronter le monde par ses propres moyens. (Soulignons que si vous envisagez de recourir à cette technique, vous ne devriez pas vous en tenir à la pratique traditionnelle, quoique révoltante, qui consiste à acheter de l'assurance uniquement dans le cas des garçons, et non des filles. Il faut commencer tôt à offrir un traitement financier égal aux enfants des deux sexes.)

Lorsque votre enfant est en bas âge, vous voudrez peut-être envisager d'établir un régime d'épargne en vue de ses études futures. Renseignez-vous pour l'inscrire à un régime enregistré d'épargne-études (voir chapitre 6). Le coût des avantages que vous finirez par en tirer est réduit de façon marquée lorsque l'enfant est inscrit en bas âge.

En outre, envisagez (dans la mesure où vos finances vous le permettent) la possibilité de mettre de côté les chèques d'allocation familiale. Nous recommanderions d'ouvrir un compte d'épargne distinct au nom de l'un des parents, en fiducie, à l'intention de l'enfant. Les chèques d'allocation familiale mis de côté de cette façon à l'intention d'un enfant sont exempts d'impôt, en ce qui concerne les parents, aux yeux de Revenu Canada.

Au fur et à mesure que le montant dans le compte s'accroît, vous voudrez peut-être utiliser les fonds pour les placer à long terme, notamment en achetant des dépôts à terme ou des actions, qui offrent un rendement plus élevé que les comptes d'épargne. Une femme nous a raconté que ses parents mettaient de côté chaque chèque d'allocation familiale qu'ils recevaient et, de temps à autre, achetaient des actions de Bell Canada avec cet argent. Après son mariage, ils lui ont transmis plus de 500 actions de premier ordre, ce qui lui a permis de financer l'achat de sa première maison.

La séparation et le divorce

Malheureusement, il est de fait que, dans notre société moderne, un nombre important de mariages finissent par une rupture. Quand une telle chose se produit, chacune des parties doit avoir recours à un avocat distinct de façon à évaluer équitablement la situation financière. Les dispositions financières varient suivant les lois provinciales (et ces dernières varient énormément d'une province à l'autre) et la situation financière de chacune des parties. Pour déterminer cette dernière, il convient d'établir si les deux conjoints touchent un revenu, quels actifs chacun d'eux possède, outre les actifs qu'ils ont en commun, et qui aura la garde des enfants, le cas échéant.

Dans l'optique de la planification financière, les mesures à prendre sont presque inverses de celles qui ont été prises au moment du mariage. Il est absolument essentiel d'établir un nouveau testament, car *ni la séparation ni le divorce n'annulent un testament existant.*

Vous voudrez réexaminer des éléments comme la garantie d'assurance ainsi que les avantages sociaux que vous procure votre emploi pour veiller à être protéger, mais aussi pour vous assurer que votre ancien conjoint ne bénéficie pas d'avantages autres que ceux qui ont été consignés dans l'accord de séparation ou le jugement de divorce. Vous constaterez toutefois que aux termes de la loi provinciale et de la loi fédérale, il peut être obligatoire de partager certains des avantages sociaux. Par exemple, les crédits de retraite accumulés dans le cadre du Régime de pensions du Canada doivent être partagés.

Lorsqu'on décide d'un règlement monétaire, il convient de ne pas oublier les facteurs fiscaux. Par exemple, si vous versez une somme forfaitaire à votre ex-conjoint, vous ne pourrez pas en déduire le paiement, pas plus que votre conjoint ne devra assumer l'impôt à cet égard. Si vous faites des paiements périodiques échelonnés sur un certain nombre d'années, ces paiements seront déductibles d'impôt pour vous et imposables dans le cas de votre ancien conjoint. On peut prendre les dispositions nécessaires pour que des fonds soient virés d'un régime enregistré d'épargne-retraite à un autre sans que cette mesure ait des répercussions fiscales défavorables. Si vous devez recevoir de tels paiements périodiques en tant qu'indemnité mensuelle de subsistance, assurez-vous que, lorsque vous budgétisez vos dépenses, vous tenez compte des taxes à acquitter. En outre, veillez à ce que votre avocat ou notaire ait tenu compte des questions fiscales avant de conclure un accord. S'il ne semble pas être très au fait des questions fiscales, cela vaut peut-être la peine de lui proposer de consulter un spécialiste de ces questions avant de signer quelque document que ce soit.

Le déménagement

Les Canadiens sont des gens mobiles. Chaque année, des centaines de milliers déménagent d'une ville ou province à une autre, et un nombre plus faible déménage dans un autre pays de façon soit temporaire, soit permanente.

Quand vous déménagez à l'intérieur du pays, vous n'êtes pas tenu de procéder à une modification importante de votre planification financière à moins, bien sûr, que le déménagement ne s'accompagne d'un changement plus fondamental, comme le mariage ou le divorce. Quand vous déménagez, vous devez tenir compte de deux facteurs importants liés à la planification financière.

Premièrement, vous devez prendre les dispositions voulues en vue du virement physique de votre actif financier d'une ville à l'autre. Toutes les fois que cela est possible, vous devez prendre les mesures nécessaires pour que cet actif soit viré directement d'une filiale à une autre du même établissement. Supposons, par exemple, que vous ayez déposé 10 000 $ dans un compte d'épargne qui rapporte des intérêts sur le solde mensuel minimal. Si vous fermez le compte et apportez l'argent avec vous, avant d'ouvrir un nouveau compte dans la nouvelle ville, vous perdez au moins un mois d'intérêt. Avant de déménager, demandez au directeur de veiller à ce que votre argent soit versé dans un nouveau compte dans une autre ville sans que vous perdiez d'intérêt. En outre, vous voudrez vous assurer que les placements tels que les dépôts à terme, les certificats de placement garantis et les REÉR peuvent aussi être virés, sans que vous n'encouriez une perte.

Si vous détenez des actions et des obligations, vous devez fournir aux sociétés en cause votre nouvelle adresse afin de veiller à ce que les paiements d'intérêts ou les dividendes ne se perdent pas. (Votre courtier peut s'en occuper.) En outre, si l'intérêt provenant de votre Obligation d'épargne du Canada est versé directement dans votre compte d'épargne, vous devez informer la Banque du Canada (qui verse l'intérêt) de votre déplacement.

De façon générale, les choses seront simplifiées si vous continuez de traiter avec la même banque, la même société de fiducie ou le même courtier en valeurs une fois installé dans la nouvelle ville. Cela ne veut pas dire pour autant qu'une fois vous avez déménagé, vous devez traiter avec ces mêmes établissements. Vous pouvez constater que le directeur de la banque à Winnipeg n'est pas, loin s'en faut, aussi serviable que le directeur de la banque à Montréal. Si tel est le cas, changez de banque. En fait, une des tâches les plus complexes (et pourtant des plus importantes) dont vous devez vous charger après avoir déménagé consiste à trouver toute une nouvelle série de conseillers financiers (sans oublier un médecin et un dentiste). Au chapitre 11, nous nous pencherons sur ces divers professionnels, et les idées énoncées dans ce chapitre devraient vous aider à choisir de nouveaux conseillers.

Si vous déménagez dans un autre pays, vous devrez tenir compte de toute une gamme de considérations financières différentes. Les plus importantes sont peut-être les considérations fiscales. Si vous cessez d'être résidant du Canada, vous êtes considéré comme ayant disposé de tout votre avoir juste avant votre départ du Canada. Par conséquent, vous pouvez devoir payer de l'impôt. Si vous continuez de toucher des intérêts, des dividendes, des rentes ou toute autre forme de revenu provenant de sources canadiennes après votre départ, des règles fiscales différentes s'appliquent.

Par exemple, si vous déménagez aux États-Unis, vous pouvez vous rendre compte que le fait de conserver des placements canadiens ou de toucher des rentes de sources canadiennes peut entraîner une double imposition, c'est-à-dire que vous devrez acquitter l'impôt aussi bien au Canada (habituellement sous la forme d'une retenue d'impôt dont sont frappées les sommes versées à des non-résidents) qu'aux États-Unis. Toutefois, les deux pays ont conclu un traité fiscal qui permet d'échapper à cette double imposition dans certains cas. Par contre, vous vous rendrez peut-être compte du fait qu'en changeant la nature de vos biens canadiens, vous pouvez épargner de l'argent.

Voici un exemple : bien qu'une retenue d'impôt de 15 % soit perçue à l'égard des dividendes payés à un résident américain, si vos placements canadiens prennent la forme d'obligations émises par les autorités fédérale et provinciales, cette retenue d'impôt ne s'applique plus. Et même si, pendant que vous êtes au Canada, le fait de recevoir des dividendes de sociétés canadiennes vous permet de bénéficier d'une exemption d'impôt, sous la forme d'un dégrèvement pour dividendes (voir chapitre 6), vous ne jouirez pas d'une telle disposition si vous déménagez aux États-Unis et recevez des dividendes provenant de sources canadiennes.

Ces exemples montrent de quelle façon un déménagement dans un autre pays, même un pays aussi près de nous que les États-Unis, peut avoir une influence marquée sur votre planification financière. Dans un tel cas, il convient d'accorder la priorité à la recherche de conseillers fiscaux et financiers compétents qui peuvent vous indiquer comment convertir vos biens pour obtenir les meilleurs résultats possibles dans ce pays. N'émettez pas l'hypothèse que ce qui est logique au Canada est nécessairement logique ailleurs.

La perte d'un emploi

La perte d'un emploi est l'une des expériences les plus traumatisantes que peut connaître une personne, particulièrement si cette perte d'emploi est imprévue. Outre son impact émotionnel, la perte d'un revenu régulier aura manifestement une influence marquée sur la planification financière. En fait, un des aspects de la planification financière sur lesquels nous avons cet insisté dans tout cet ouvrage est l'importance de se préparer à faire face aux imprévus.

L'impact financier de la perte d'emploi varie énormément suivant la situation de chacun. D'un côté, vous pouvez perdre votre emploi, recevoir une ou deux semaines de salaire au lieu d'un préavis et vous retrouver à battre le pavé. Votre revenu vient d'être brusquement interrompu, mais les dépenses et les obligations demeurent. D'un autre côté, vous pouvez vous retrouver sans emploi pour la première fois depuis des décennies, mais disposer d'une somme importante versée en tant qu'allocation de retraite ou indemnité de départ. Dans ce dernier cas, vous pouvez même vous retrouver avec une somme d'argent que vous n'attendiez absolument pas et dont vous devez vous occuper. Les stratégies qui s'offrent à vous dans ce dernier cas diffèrent énormément de celles qui s'offrent dans le premier cas.

Penchons-nous d'abord sur la première situation. Avant toute chose, vous devez réviser votre budget. Si vous croyez être en mesure d'obtenir rapidement un autre emploi – en quelques semaines – la perte d'emploi peut représenter une épreuve financière somme toute pas trop grave, et il est possible qu'il n'y est pas lieu de réduire les dépenses. Par contre, si les perspectives d'emploi sont peu encourageantes, commencez d'abord par réaménager votre budget, en réduisant les dépenses de la façon la plus draconienne et la plus rapide possible.

Quand vous devez recourir à vos propres ressources financières pour maintenir votre mode de vie, utilisez d'abord vos épargnes à court terme et passez ensuite aux épargnes et aux placements à long terme. L'argent qui se trouve dans votre compte d'épargne et, peut-être, celui qui est immobilisé dans certains dépôts à terme, doit être retiré en premier. Par la suite, vous convertissez vos biens les plus liquides. Par exemple, si vous possédez un C.P.G., des actions ou un autre type d'obligations, vous devez les vendre en premier, et repousser le plus possible le moment où vous devrez résilier les dépôts à terme, quand le fait de les encaisser tôt (si tant est que cela soit possible) peut entraîner une pénalité. La dernière forme d'épargne à laquelle vous devez toucher serait un

REÉR, étant donné qu'une fois que l'argent est retiré, il ne peut être versé de nouveau dans le régime.

Si vous recevez un paiement de votre régime des rentes (ce qui peut se produire si vous avez travaillé pendant une période relativement courte), quelques facteurs doivent être pris en compte. D'abord, ce paiement est imposable. Toutefois, les premiers 1000 $ peuvent être exempts d'impôt si vous avez 60 ans ou plus et que vous viriez une partie de la somme dans un REÉR. Ensuite, si une partie ou la totalité de l'argent est viré dans un REÉR avant la fin du mois de février suivant l'année où vous le touchez, cette somme peut être déduite du revenu.

Supposons que vous ayez travaillé pour une société pendant trois ans et que vous ayez perdu votre emploi en mars. Étant donné que vous n'aviez pas acquis le droit aux prestations du régime (c'est-à-dire que vous n'aviez pas cotisé pendant suffisamment longtemps pour avoir droit aux prestations de retraite qui vous ont été promises), le régime de rentes de la société vous rembourse les 4000 $ que vous avez versés pendant que vous étiez employé. Vous pourriez utiliser cet argent pour vivre.

Toutefois, supposons qu'en septembre suivant vous obteniez un nouvel emploi. Si vous le pouvez, essayez de virer le plus possible d'argent (jusqu'à concurrence de 4000 $) dans votre REÉR avant la fin de février, ce qui éliminera l'impôt que vous devriez payer sur l'argent que vous avez obtenu du régime de retraite. (Ce virement peut être fait *en plus* des autres cotisations habituelles à votre REÉR ou régime de pensions pendant l'année.) Vous remarquerez qu'une telle option vous offre une certaine souplesse. Si vous n'avez pas obtenu de nouvel emploi et avez besoin d'argent, les 4000 $ pourraient servir à assumer les frais de subsistance. Si, plus tard dans l'année, il se trouve que vous avez suffisamment d'argent pour traverser cette période, vous pouvez placer une partie des 4000 $ dans un abri fiscal. (Toutefois, vous ne pouvez recourir à cette méthode si vous avez retiré l'argent qui se trouve dans votre REÉR au début de l'année et que vous désiriez alors en «remettre un peu»; c'est là une des raisons pour lesquelles il convient de ne recourir aux fonds qui se trouvent dans le REÉR qu'en dernier ressort.)

Penchons-nous maintenant sur le cas de l'employé qui travaille depuis longtemps, perd son emploi et touche un important montant forfaitaire. Quelles options s'offrent à lui? Tout d'abord, il doit déterminer s'il prévoit chercher un autre emploi... ou, en fait, s'il le peut ou non. S'il décide de prendre sa retraite, il voudra déterminer quelle somme d'argent, le cas échéant, il recevra du régime de rentes de la société. Si cette personne possède un REÉR, elle doit envisager la possibilité de le convertir en une rente ou de verser l'argent dans un fonds enregistré de revenu de retraite (FERR). Si vous avez 60 ans ou plus, vous devrez décider si vous voulez toucher immédiatement vos prestations du R.P.C. ou du R.R.Q. ou si vous voulez attendre. La façon dont vous déciderez de gérer votre situation financière dans un tel cas tiendra à la quantité d'argent dont vous disposez pour vivre et à la quantité dont vous aurez besoin pour vivre confortablement.

Quoi qu'il en soit, le paiement forfaitaire (qui est imposable intégralement) devrait être investi. Une fois de plus, il s'agit d'une décision personnelle. Il est possible que vous soyez en mesure d'en verser une partie dans un REÉR, auquel cas cette somme sera déductible aux fins de l'impôt. Vous pouvez déduire jusqu'à 2000 $ pour chaque année d'emploi passée chez l'employeur qui vous a versé le montant, plus 1500 $ à l'égard de chacune de ces années d'emploi au cours desquelles *vous n'étiez pas* assujetti à un régime de rentes chez votre employeur.

Il est logique que vous versiez le maximum d'argent dans un REÉR si vous avez d'autres ressources qui vous permettent de le faire, puisque, ce faisant, vous réduisez d'autant la partie imposable du paiement forfaitaire, ce qui vous permet en outre de toucher un revenu supplémentaire exempt d'impôt à l'égard du montant de vos cotisations.

Si vous estimez devoir retourner sur le marché du travail, il est possible que votre situation soit analogue à celle de l'employé qui avait perdu son emploi et n'avait touché que quelques semaines de salaire. Cette décision tiendra pour une bonne part à la mesure dans laquelle vos chances d'obtenir un nouvel emploi sont bonnes, au salaire que vous êtes susceptible d'en retirer et à la durée de la période qu'il vous faudra pour trouver l'emploi. Comme vous possédez un montant important d'argent liquide, il est possible que vous soyez tenté de maintenir le mode de vie auquel vous êtes habitué. Rappelez-vous cependant que vous ne savez pas pendant combien de temps cet argent devra durer. Une révision de votre budget s'impose.

À tout le moins, une partie (le montant qui vous maintient à l'aise) de l'indemnité de départ doit être placée sous forme d'épargnes à court terme (d'une durée d'un mois à une année) de façon à maximiser le revenu d'intérêt, même si cette somme est à votre disposition si vous en avez besoin. Une fois de plus, si vous trouvez un nouvel emploi et n'avez pas besoin de dépenser toute l'indemnité de départ, une partie de celle-ci peut être versée dans votre REÉR avant la fin du mois de février de l'année suivant celle où vous l'avez reçue, de façon à réduire le montant d'impôt que vous devez payer.

Si vous êtes âgé, vous constaterez peut-être que vous allez recevoir des prestations de retraite dans le cadre du régime de l'entreprise, même si vous envisagez de trouver un emploi. Jusqu'en 1990, tout revenu de retraite que vous touchez peut être exempté d'impôt s'il est versé dans un REÉR. (Dans le cadre de sa réforme globale des règles fiscales ayant trait au revenu de retraite, le gouvernement a déjà annoncé que ce type de virement exempt d'impôt sera interdit après 1990.) Si vos autres sources de revenu et ressources sont suffisantes pour vous permettre de faire face à vos besoins, il est fortement recommandé que vous viriez tout revenu de retraite dont vous n'avez pas besoin dans un REÉR.

Rappelez-vous une autre chose. La perte d'un emploi est une expérience traumatisante qui touche non seulement vous, mais tous les membres de votre famille. Dans une telle éventualité, le moment est propice pour consulter votre conjoint et même vos enfants au sujet des questions financières. Il est possible qu'ils puissent vous fournir non seulement un appui moral, mais également certaines suggestions concernant la façon dont la famille peut s'unir pour réduire les dépenses et même pour produire un revenu additionnel. Dans une telle situation, le partage des problèmes permet de réduire de façon marquée le poids de vos soucis.

Le décès d'un conjoint

Le décès d'un conjoint, plus particulièrement après une longue période de vie commune, entraîne un bouleversement émotionnel et peut même constituer une expérience traumatisante sur le plan financier. En fait, un des points sur lesquels nous avons insisté dans tout l'ouvrage est le fait qu'un des principaux objectifs de la planification financière doit être la protection des membres de la famille et, en particulier, d'un conjoint.

Il convient de faire remarquer qu'il y sept chances contre une qu'une femme devienne veuve. Cet état de choses est dû en partie au fait que les femmes ont tendance à épouser un homme plus âgé qu'elles, d'une part, et que leur espérance de vie est plus élevée que celle des hommes, d'autre part. Comme il est probable qu'à une étape ou une autre de sa vie une femme se retrouvera seule, il importe que les femmes, aussi bien que les hommes, s'intéressent directement à la planification financière. L'époque où l'homme s'occupait de l'argent et où la femme s'occupait de la maison est révolue (ou elle devrait l'être). Certaines veuves ont connu des ennuis incommensurables au moment où, après avoir hérité de biens substantiels, elles se sont rendu compte qu'elles ne pouvaient les gérer, simplement parce qu'elles ne connaissaient rien à la gestion financière.

Si vous êtes marié, rappelez-vous que la planification financière *n'est pas* le fief incontesté de l'un des conjoints. Il est primordial que les deux établissent un testament distinct et que chacun sache trouver toutes les données financières nécessaires concernant les biens du ménage. Vous voudrez également vous rappeler que vos créanciers devront être payés avant que vos héritiers puissent recevoir quoi que ce soit. À ce titre, repassez en revue les conseils énoncés aux chapitres 7 et 9.

À la mort de votre conjoint, une des premières choses à faire consiste à vous occuper de la succession et de la répartition des biens. Il est possible que vous ayez été nommé exécuteur testamentaire, seul ou avec d'autres, ou de concert avec une société de fiducie. Si tel est le cas, votre tâche consiste à vous assurer que les dispositions du testament sont respectées. Cette tâche suppose, entre autres, que vous preniez les mesures voulues en vue de l'ensevelissement ou de l'incinération, du paiement des dettes, du recouvrement des prestations d'assurance, du remboursement de toute somme due au défunt et en dernier lieu, que vous transmettiez le titre de propriété des biens aux héritiers. Si vous avez besoin d'aide et de conseil professionnels, consultez un avocat ou un notaire. Habituellement, il est mentionné dans le testament que tous frais juridiques, comptables ou autres liés à l'administration de la succession sont assumés par cette dernière.

Si votre conjoint était protégé par une assurance, il est possible que les prestations soient envoyées non pas à la succession, mais plutôt directement à vous ou à un autre bénéficiaire. Discutez de cette question avec votre agent d'assurance. Vous devriez également vérifier, auprès de l'employeur de votre conjoint, si une rente ou d'autres prestations vous sont dues. En outre, communiquez avec un responsable du Régime de pensions du Canada ou du Régime des rentes du Québec : outre la pension de conjoint survivant à laquelle vous avez droit, le régime verse une prestation de décès à la succession du cotisant décédé.

Une fois de plus, il importe d'établir un nouveau testament après le décès d'un conjoint. D'habitude, c'est le conjoint qui hérite. Après la mort d'un conjoint, le survivant doit déterminer les nouveaux bénéficiaires ainsi que la façon dont les biens seront répartis. Nombre de personnes ne prévoient pas de dons charitables dans un testament au moment où leur conjoint vit (du fait qu'elles désirent qu'une somme maximale de biens soit disponible, au besoin) envisageront alors de faire un don important à leur Église, à leur université ou à une autre organisation charitable.

En outre, révisez les polices d'assurance vie que vous possédez. Encore une fois, il est probable que le bénéficiaire ait été votre conjoint. Vous devriez alors vous demander s'il vaut la peine de garder une telle assurance et, si tel est le cas, quels devraient être les nouveaux bénéficiaires de la police.

De plus, votre stratégie de placements devrait être révisée. Maintenant que vous êtes seul, il est possible que vous désiriez adopter une approche plus conservatrice dans vos placements pour vous assurer que des fonds soient disponibles tout au long de votre vie. Par ailleurs, vous pouvez aussi décider qu'après avoir reçu de l'argent, disons, des compagnies d'assurances ou d'autres sources, vous pouvez adopter une approche plus dynamique qu'auparavant dans vos placements.

Vous devez également communiquer avec tous les conseillers financiers de votre conjoint, y compris son avocat ou notaire, son comptable, son agent d'assurance, son courtier en valeurs et son directeur de banque. Ces gens disposent peut-être de renseignements qui peuvent vous être utiles ou vous fournir des conseils précieux. Une série de visites de ce genre vous permettra également de déterminer si vous voulez continuer à recourir aux services de ces gens ou encore si vous préférez opter pour d'autres conseillers.

Un dernier conseil. Vous avez probablement passé une partie de votre vie à répondre aux besoins d'autrui, directement ou indirectement. Le temps est alors venu de vous attacher à *vos propres besoins*. Bien que presque tout le monde désire laisser quelque chose à ses enfants ou petits-enfants, un certain degré «d'égoïsme» s'impose. Si la planification financière a été bien faite au fil des ans, il est possible que vous disposiez des fonds nécessaires pour voyager, poursuivre vos études, vous payer du luxe ou faire de nombreuses autres choses dont vous vous étiez privé par le passé. Dans le présent ouvrage, nous avons souvent parlé de l'épargne, en tant que façon de vous verser à vous-même un salaire. Le temps est venu de prendre une partie de ce «salaire» et de faire les choses que vous avez toujours voulu faire. Vous l'avez bien mérité.

Conclusion

Les objectifs de la planification financière ne sont pas «coulés dans le bronze». Au fur et à mesure que votre mode de vie et que votre situation familiale se modifient, les objectifs que vous vous étiez fixés changent. Certaines choses demeurent : principalement, la quête d'une certaine sécurité financière. Cependant, la nature de cette sécurité peut changer, suivant l'évolution de votre vie. Dans le présent chapitre, nous nous sommes attachés à quelques-uns des événements les plus courants qui peuvent annoncer une réévaluation des objectifs liés à la planification financière. La souplesse est la pierre angulaire d'une bonne planification tout au long de votre vie : si vous vous en rappelez à mesure que des événements marquants se produisent, vous pouvez veiller à ce que votre planification soit à jour et conforme à l'évolution de vos objectifs.

CHAPITRE 11

Rôle des conseillers professionnels

Dans tout le présent livre, nous vous avons conseillé de recourir à l'aide de professionnels avant de prendre des décisions d'ordre financier. Selon toute probabilité, à une étape ou à une autre de votre planification, vous aurez besoin des services d'au moins un des conseillers dont nous parlerons dans ce chapitre. Il importe de se rappeler, toutefois, que chacun d'eux possède, suivant sa spécialité, des points forts et des faiblesses, et il est presque assuré que vous ne serez pas en mesure de trouver un conseiller unique qui puisse vous aider à prendre toutes les décisions financières que vous devez prendre.

Quand nous parlons de conseillers, nous comprenons dans ce terme les avocats, les notaires, les comptables, les directeurs de banque et les agents d'assurance. Mais nous tenons également compte d'autres personnes qui peuvent, de temps à autre, se révéler utiles; par exemple, les courtiers en valeurs, les courtiers hypothécaires et les planificateurs financiers. La mesure dans laquelle vous recourrez aux services d'une partie ou de la totalité de ces conseillers tiendra, pour une bonne part, à votre situation financière et à vos préférences. Si, par exemple, vous choisissez d'investir des sommes importantes dans l'immobilier, il est fort possible que vous deviez recourir constamment aux services d'un agent immobilier ou d'un courtier hypothécaire. Toutefois, si le seul bien immobilier dont vous disposez est la maison familiale, il est possible que vous n'ayez jamais besoin de consulter l'un ou l'autre de ces professionnels.

La question que l'on pose le plus souvent est : «Comment puis-je trouver un (remplir le blanc) auquel je puisse me fier?» De façon générale, la meilleure façon consiste à demander à vos amis et collègues quels sont les conseillers auxquels ils recourent. Certains d'entre eux ont dû communiquer avec des avocats, des notaires, des comptables, des courtiers en valeurs, etc., et vous vous rendrez compte qu'ils ont souvent une opinion bien arrêtée – favorable ou non – au sujet des gens avec qui ils ont traité. Dans certains cas, vous n'avez pas le choix en ce qui concerne les professionnels comme le directeur de la banque, celui qui dirige la succursale avec laquelle vous faites affaire – ce qui ne veut pas dire que vous ne puissiez pas changer de banque ou de succursale si vous constatez l'existence d'une incompatibilité entre vous et le directeur.

La plupart des professionnels possèdent une organisation bien établie qui peut vous aider à trouver le type de conseillers dont vous avez besoin. Par exemple, dans le cas des avocats et des notaires, l'Association du barreau et la Chambre des notaires de la province pourra vous suggérer le nom de personnes qui, dans votre région, effectuent le genre de travail dont vous avez besoin. Cela se fait essentiellement de façon automatique, étant donné que les suggestions de l'organisme se fondent sur le genre de travail que le *professionnel* précise qu'il veut faire. Cela ne veut pas nécessairement dire que la personne est spécialisée dans le domaine qui vous intéresse, ni que vous vous entendrez avec elle. Toutefois, si vous n'avez aucune autre façon de communiquer avec un tel spécialiste, vous pouvez utiliser cette méthode.

De la même façon, vous voudrez peut-être consulter les organismes qui régissent d'autres types de conseillers, par exemple, l'Association des banquiers canadiens, ou la *Canadian Association of Financial Planners,* pour trouver le professionnel dont vous avez besoin. Bien que ces organismes se chargent principalement de réglementer les activités de leurs membres et qu'ils n'offrent pas de conseils au public, ils peuvent être en mesure de vous recommander *de quelle façon* trouver un conseiller dans le domaine qui les concerne.

Une fois que vous avez trouvé un ou deux professionnels en qui vous avez confiance, vous vous rendrez compte qu'eux-mêmes constituent de bonnes sources d'information au sujet d'autres conseillers. Si vous connaissez un bon comptable et que vous ayez besoin des services d'un avocat, le comptable pourra probablement vous suggérer quelques noms. Et c'est ainsi que cela fonctionne.

Il vaut également la peine de noter que, de façon générale, vous devrez rémunérer les conseillers financiers pour leurs services. Ces derniers peuvent vous facturer un montant fixe, un montant établi en fonction du temps ou une commission. Dans certains cas, vous n'assumez pas directement ces charges. Par exemple, vous ne payez pas directement un agent d'assurance – plutôt, ce dernier est rémunéré par la compagnie dont vous achetez la police. Tout de même, rappelez-vous qu'un conseiller est toujours payé, directement ou indirectement.

Les avocats :

Tout le monde a besoin de recourir aux services d'un avocat à un moment donné, et le fait de nouer tôt des relations avec un d'entre eux peut vous éviter des maux de tête par la suite. Notons qu'au Québec, bon nombre des tâches dont nous parlerons ici sont accomplies non pas par un avocat, mais par un notaire.

Il est probable que le premier contact que vous aurez avec un avocat se présentera au moment d'établir votre testament. Comme les avocats ont tendance à compter un tarif très bas pour l'établissement des testaments (il en coûte souvent la modique somme de 75 ou 100 $ pour rédiger un document simple), cela peut constituer un bon «test» d'évaluation. L'établissement du testament vous permettra d'évaluer votre avocat d'une certaine façon.

Premièrement, vous serez en mesure de le rencontrer et de déterminer si vous pouvez vous entendre. Vous sentez-vous à l'aise en sa présence? Semble-t-il vraiment intéressé par les choses qui vous préoccupent? Si on vous propose de vous adresser d'abord à une secrétaire, à un commis ou à un technicien en droit au moment où vous vous présentez chez un avocat, refusez. Si vous ne pouvez la rencontrer personnellement, cette personne n'est pas pour vous.

Deuxièmement, comme vous discuterez des détails de vos affaires financières et personnelles pour établir le contenu du testament, *il est possible* que l'avocat vous donne spontanément des conseils – non seulement au sujet du testament, mais peut-être en vue de vous éviter de payer des impôts. Votre rencontre vous donnera peut-être l'occasion de lui poser des questions au sujet de la planification fiscale ou de la planification financière. (Si vous et l'avocat passez beaucoup de temps à discuter de questions qui ne sont pas liées au testament, il est possible que vous deviez acquitter une facture plus imposante que celle à laquelle vous vous attendiez.)

Troisièmement, vous pouvez évaluer la qualité des services que vous recevez. Avez-vous dû attendre au moment du rendezvous? L'avocat a-t-il préparé un projet de testament pour vous le soumettre à la date promise? A-t-il rédigé le testament proprement dit sans problème au moment où il avait promis de le faire? Si vous n'avez pas aimé la personne ou les services offerts, ou que vous croyiez qu'elle ne possède pas les connaissances spécialisées que vous recherchez, vous disposerez quand même d'un testament valable à un prix (théoriquement) raisonnable. Si vous avez des «atomes crochus», vous saurez qui consulter à l'avenir.

N'oubliez pas qu'aucun avocat ne connaît tous les aspects du droit. Même si les avocats ne sont pas catégorisés par spécialité, comme les médecins, il demeure que nombre d'entre eux (particulièrement dans les grands centres urbains et les villes) limitent effectivement leur pratique. Certains ne se chargent pas de litiges, d'autres ne s'occupent pas de questions matrimoniales, d'autres encore s'occupent de presque tout sauf des transactions immobilières.

Si votre avocat est un membre d'une firme importante (et même les firmes les plus importantes au Canada acceptent comme clients des personnes dont les moyens sont modestes), vous vous rendrez compte qu'il vous enverra consulter un autre avocat au sein de la firme si les questions juridiques qui vous intéressent ne relèvent pas de sa spécialisation. Si vous traitez avec une firme moins importante, l'avocat *devrait* vous recommander quelqu'un d'autre si vous avez à régler des questions qui soient hors de son domaine de spécialisation. Si vous doutez de la mesure dans laquelle un avocat sera capable de s'occuper d'un problème particulier, demandez à voir quelqu'un d'autre. Les avocats sont rémunérés de trois façons : les transactions immobilières, par exemple, sont habituellement facturées en fonction de la valeur de la transaction. L'Association du barreau local établit la tarification (c'est-à-dire une échelle de prix) à l'égard de telles transactions, et vous pouvez vous renseigner à ce sujet. Dans de nombreux cas, votre avocat vous comptera un tarif *inférieur.* Il est rarissime qu'on vous compte plus que le tarif fixé.

Pour d'autres types de travaux, l'avocat vous comptera des honoraires en fonction du temps qu'il a passé à effectuer la tâche. Pour certains genres de travaux, par exemple l'établissement d'un testament ou la constitution de sociétés, on vous facture habituellement un tarif forfaitaire. Dans tous les cas, tout frais supplémentaires que doit assumer l'avocat vous sera imputé.

N'hésitez jamais à vous enquérir directement des frais. Si les tarifs demandés semblent élevés, demandez pourquoi. Il est possible que le problème soit plus complexe que vous ne l'aviez imaginé, ou que l'avocat soit un professionnel chevronné. (Un jeune avocat demande souvent aussi peu que 50 $ de l'heure; les avocats très chevronnés peuvent compter jusqu'à 300 $.) Vous ne devez pas être gêné de discuter des honoraires, mais rappelez-vous que, du moins en ce qui concerne les questions complexes (ou lorsque vous demandez conseil à une personne très expérimentée), il peut valoir la peine de payer plus cher. Il n'en reste pas moins que le point primordial dont il faut se rappeler est le fait que vous devez avoir confiance en votre avocat. Si tel n'est pas le cas, trouvez une autre personne.

Les comptables :

Si vous n'êtes pas un travailleur autonome et que vous ne possédiez pas votre propre entreprise, il est possible que vous n'ayez jamais besoin des services d'un comptable. Tout de même, un comptable peut vous aider au moment où vous commencez à accumuler des actifs. Par exemple, même s'il est possible que vous soyez capable d'établir vous-même votre déclaration d'impôt, quand des considérations comme des investissements immobiliers, des abris fiscaux et une planification fiscale plus complexe entrent en compte, il peut être utile de recourir aux services de professionnels.

Bien qu'il existe diverses catégories de comptables, vous êtes susceptible d'avoir affaire à un comptable agréé (C.A.) ou à un comptable général licencié (C.G.A.). (Les C.G.A. n'ont pas le droit de pratiquer publiquement en Ontario, au Québec, ni à l'Île-du-Prince-Édouard.) La principale distinction entre les deux (et cette distinction varie d'une province à l'autre) tient au fait qu'ils ont le droit ou non de procéder à une vérification (les C.A. sont habilités à le faire). À moins que vous ne possédiez une très importante société, la distinction n'aura que peu d'importance pour vous. Un comptable de l'une ou de l'autre des catégories devrait être en mesure de répondre à vos besoins.

Il existe environ dix très importantes sociétés de comptables agréés au Canada, qui comptent des bureaux dans chaque province et qui sont reliées, habituellement, à des sociétés installées dans d'autres pays. D'un autre côté, il existe de petites sociétés regroupant une ou deux personnes. (Les sociétés qui regroupent des C.G.A. sont habituellement de taille beaucoup plus réduite et ont tendance à ne pas entretenir de liens étroits avec des sociétés installées dans d'autres provinces ou d'autres pays.)

La plupart des gens consultent un comptable uniquement lorsqu'ils se lancent en affaires ou qu'ils doivent remplir leur déclaration d'impôt. Cependant, la période de l'année la plus occupée, pour les sociétés comptables, se retrouve en mars et en avril – justement à cause de ces déclarations. On accorde la préséance aux personnes qui sont clients pendant toute l'année, et il est possible que l'établissement de votre déclaration soit remise à plus tard. Alors, si vous constatez que votre déclaration sera trop complexe pour que vous puissiez vous en charger vous-même, essayez de trouver un comptable bien avant la date limite du 30 avril. De cette façon, vous serez assuré que votre déclaration sera bien faite, et à temps.

De la même façon, si vous nouez des relations avec un comptable relativement tôt, celui-ci peut être en mesure de vous fournir des conseils non seulement pour vous permettre d'épargner de l'impôt, mais également au sujet d'autres activités de placement. Par exemple, un comptable sera capable de se tenir au fait des revenus et des coûts liés à des transactions immobilières. Ou encore, il peut évaluer dans quelle mesure vous devriez investir de l'argent dans les projets immobiliers ou commerciaux.

Vous êtes plus susceptible d'obtenir de bons renseignements en matière fiscale d'un comptable que de tout autre professionnel, bien qu'un bon avocat fiscaliste puisse vous fournir des conseils au moins aussi utiles. (Toutefois, c'est le comptable qui se chargera de votre déclaration d'impôt – et non l'avocat.) Si vous êtes particulièrement préoccupé par la question fiscale, un comptable devrait être en mesure de vous tenir au courant des derniers amendements fiscaux, ainsi que d'évaluer les répercussions fiscales de placements particuliers.

Les comptables établissent leurs honoraires d'après un tarif horaire. Cependant, ils sont plus susceptibles que les avocats de recourir à des employés moins qualifiés (souvent des étudiants) qui se chargent des tâches plus routinières, et ces gens travaillent à un tarif inférieur à celui de, disons, un des associés de la société.

Les planificateurs financiers :

Contrairement aux avocats et aux comptables, qui sont membres d'une profession établie depuis longtemps, les planificateurs financiers ocurrent dans un domaine qui vient à peine de voir le jour. Pour le moment, il n'existe pas de procédure d'accréditation; on n'exige aucun antécédent professionnel ou scolaire particulier; et il n'existe aucune définition exhaustive de ce qu'est un planificateur financier. (Il existe un groupe nommé la *Canadian Association of Financial Planners* (Association canadienne des planificateurs financiers) qui essaie de normaliser le domaine, mais les gens qui se sont improvisés planificateurs financiers ne sont pas tous membres, loin s'en faut, de la CAFP.)

Le planificateur financier devrait être capable de fournir des conseils au sujet des questions fiscales et des placements et habituellement, il ne s'occupe pas d'actions cotées en Bourse. La plupart des planificateurs financiers peuvent également fournir des conseils au sujet de la planification successorale, de l'assurance et de la façon de gérer une petite entreprise. À l'encontre des avocats et des comptables, les planificateurs financiers sont habituellement en mesure de vous vendre les biens (placements) qu'ils vous conseillent d'acheter.

Nombre d'agents d'assurance et de vendeurs de fonds mutuels, de représentants de banques et de sociétés de fiducie et de gens qui offrent des abris fiscaux se présentent comme des planificateurs financiers. Comme il n'existe pas de normes dans le domaine, vous vous rendrez compte que certains d'entre eux sont très avisés et fournissent d'excellents conseils, tandis que d'autres sont criminellement incompétents. Les études, l'expérience du monde des affaires et l'intégrité sont les seuls critères permettant de déterminer la compétence d'un planificateur financier.

Il n'en reste pas moins qu'un tel spécialiste qui travaille pour une grande maison bien établie sera plus susceptible de posséder une bonne formation et des connaissances plus étendues que la moyenne des gens. Ces établissements disposent du temps et des ressources nécessaires pour former leurs employés, et ils se préoccupent au premier chef de maintenir une excellente réputation. Si vous êtes mal conseillé par un employé d'une telle société, vous pourres fort probablement obtenir réparation.

Toutefois, comme dans le cas des autres conseillers, vous devrez procéder à votre propre évaluation. Tout de même, n'oubliez pas : nombreux sont les planificateurs financiers qui sont rémunérés à la commission ou sont à l'emploi d'une société qui désire vous vendre un service ou un produit. Les produits peuvent être valables et les services, précieux. Mais n'oubliez jamais que les planificateurs financiers sont directement intéressés à ce que vous achetiez *leurs* produits ou services.

Les banquiers :

Le rôle d'un directeur de banque varie suivant l'endroit où vous demeurez. Si vous demeurez dans une ville ou un important centre urbain, le directeur sera probablement la personne vers laquelle vous vous tournerez principalement pour emprunter de l'argent. Or vous ne voulez pas vous adresser à un étranger. Il est donc logique de nouer et d'entretenir des relations avec le directeur de votre succursale. N'oubliez pas que, comme dans le cas de toute autre entreprise, vous êtes le client auquel on doit faire plaisir – ce qui veut dire qu'aucun directeur ne doit refuser de vous rencontrer périodiquement, même s'il n'y a rien d'urgent à signaler.

(Si vous ne pouvez penser à aucun sujet à aborder, envisagez de parler au directeur de la banque pour vous plaindre ou, ce qui est plus important, pour le féliciter des services que vous recevez. Et si vous avez des questions, disons, au sujet des avantages et des inconvénients de certains types de comptes, c'est à lui qu'il faut vous adresser.)

Il convient également de vous rappeler que les directeurs de banque jouissent d'une certaine autonomie, en dépit des règles en vigueur au sein de la banque. Par exemple, si tous vos comptes se trouvent dans une seule banque où vous avez également investi de l'argent sous forme de dépôts à terme, cela ne peut pas vous nuire de le souligner au directeur lorsque vous négociez le taux d'intérêt d'un prêt. C'est habituellement au directeur local qu'il incombe de déterminer si vous serez en mesure d'emprunter à un taux de 1 ou 2 % de moins qu'une personne qui se présente à la banque pour la première fois.

Rappelez-vous que l'image séculaire du banquier qui n'accorde jamais de prêt et qui saisit un bien hypothéqué à tout venant est dépassée. Les banques font de l'argent en en prêtant et non en le gardant. Elles *veulent* vous prêter de l'argent (tout comme il est possible que vous désiriez en emprunter), et elles ne vous demandent qu'une chose : comment seront-elles remboursées? Si un banquier est convaincu que l'argent sera remboursé, vous obtiendrez le prêt.

Dans les petites villes, il est possible que le banquier fournisse des conseils qui seraient habituellement dispensés par d'autres personnes dans une ville plus importante. Il peut être la personne tout indiquée pour vous conseiller, par exemple, au sujet des possiblités de placements au sein de la localité. En outre, il connaît probablement bon nombre de techniques de planification financière. Il peut également être une bonne personne à consulter quand vous recherchez des conseillers.

La déréglementation, qui a été promulguée le 1er juin 1987, peut faire en sorte que le directeur de la banque soit votre principal conseiller en matière de placements, où que vous viviez. En effet, la déréglementation permet aux banques d'effectuer certaines activités en matière de placements dont elles n'avaient pas le droit, auparavant, de s'occuper, par exemple, d'acheter et de vendre des actions à l'intention de leurs clients. Il ne fait aucun doute que les banques deviendront plus concurrentielles à mesure que s'implantera la déréglementation, et vous pourrez trouver, sans qu'il soit nécessaire de vous adresser ailleurs, des conseils en matière de placements à un coût bien inférieur à celui que vous devez assumer à l'heure actuelle. Rappelez-vous-en, et ne considérez plus votre banque comme simple endroit où déposer de l'argent.

En ce qui concerne le paiement, le banquier est probablement le seul conseiller financier qui ne s'attende pas à ce que vous lui versiez des honoraires et des commissions. Puisque c'est un employé de la banque, son salaire et ses bonis sont liés à l'évaluation que fait la banque de son rendement.

Les courtiers en valeurs :

Le courtier en valeurs est une personne qui achète et vend des biens aussi «intangibles» que des actions, certains types d'obligations et des marchandises. Si vous désirez acheter ou vendre des actions et des obligations inscrites à la cote d'une Bourse (ou négociées hors cote), vous devrez recourir à un courtier en valeurs qui se chargera des transactions.

Les services peuvent varier énormément. Certaines personnes demandent à leur courtier de les conseiller sur ce qu'elles doivent acheter et vendre. D'autres confient directement leurs biens à un courtier (habituellement, dans un tel cas, la personne reçoit le titre de conseiller en placements), qui se charge de toutes les transactions et prend lui-même les décisions en matière de placements. D'autres encore ne demandent jamais conseil à leurs courtiers, qui se bornent à s'occuper de la vente ou de l'achat.

Vous pouvez vous entendre avec un courtier pour que la société pour laquelle il travaille perçoive les intérêts et les dividendes et fournisse d'autres services connexes. En outre, vous pouvez emprunter auprès de la société de courtage pour acheter des actions ou des obligations par son entremise. (C'est ce que l'on appelle établir un compte sur marge.) Dans un tel cas, il peut y avoir des frais ou encore des règles à respecter. Un courtier peut vous fournir les renseignements nécessaires.

Les courtiers en valeurs entièrement intégrés (qui perçoivent des commissions intégrales) sont appuyés par des équipes de recherche nombreuses qui peuvent immédiatement (grâce aux ordinateurs) vous fournir des données concernant toute action ou marchandise à laquelle vous vous intéressez. Comme de telles recherches peuvent coûter cher, les frais perçus sous forme de commissions sont plus élevés que lorsque vous négociez avec un courtier exécutant. Ces derniers ne sont pas habilités à vous fournir des conseils ni des services de recherche, mais ce sont eux qui exigent les frais les plus bas pour acheter et vendre des valeurs.

Les principaux courtiers entièrement intégrés offrent effectivement une vaste gamme de services outre ceux que nous mentionnons ici. Ils rédigent de nombreux documents au sujet des placements (et fournissent même des «tuyaux» en matière fiscale) à titre gracieux. La plupart d'entre eux peuvent établir un REÉR à votre intention, particulièrement si vous désirez un régime auto-administré. (Voir le chapitre 8.) En outre, ils sont souvent capables de vous offrir des placements qui constituent des abris fiscaux.

Comme dans le cas des autres professionnels, vous devez vous efforcer de trouver un courtier avec qui vous pouvez vous entendre, une personne qui semble s'intéresser à vos placements. Vous devez être disposé à l'informer de vos objectifs financiers : les conseils qu'il vous fournira au sujet de ce que vous devriez acheter peuvent différer de façon marquée selon que votre objectif consiste à établir un fonds de retraite sûr ou que vous voulez transformer 10 000 $ qui vous sont tombés du ciel en une fortune.

Néanmoins, soyez réaliste. Étant donné que la plupart des courtiers gagnent leur vie grâce aux commissions associées aux transactions, ils sont plus susceptibles de préférer les gens qui achètent et vendent fréquemment aux personnes qui achètent 100 actions de Bell Téléphone en 1987 et qui ne prévoient pas acheter quoi que ce soit d'autre avant 1989. Plus vous achetez et vendez, plus la valeur de vos biens est importante, plus vous pouvez vous attendre à recevoir de l'attention de la part de votre courtier. Les «tuyaux» les plus sensationnels et les nouvelles émissions difficiles à acheter seront d'abord offerts aux meilleurs clients et non aux clients occasionnels.

Si vous désirez acheter ou vendre des valeurs inscrites à la cote d'une Bourse des valeurs ou des marchandises, vous aurez besoin de recourir aux services d'un courtier. Si vous désirez communiquer avec un courtier pour une raison autre que de lui fournir des directives au sujet de transactions, attendez la fin de la journée. Habituellement, tant que les Bourses sont ouvertes, les courtiers n'ont pas le temps de vous parler.

La rémunération d'un courtier en valeurs se fonde habituellement sur une commission, qui varie selon l'importance de la transaction et le prix de la valeur échangée. Le courtier en valeurs est *votre* représentant, et c'est vous qui le payez pour s'occuper de transactions dont vous ne pouvez vous charger vous-même.

Les agents ou courtiers d'assurance :

Presque toujours, la planification financière suppose l'achat d'une forme d'assurance. Habituellement, il s'agit d'assurance vie et d'assurance biens personnels (qu'on désigne également sous le nom d'assurance générale). Généralement, vous traitez avec un agent dans le cas de l'assurance vie, de l'assurance frais médicaux et de l'assurance invalidité. Ce même agent peut également être la personne à qui vous vous êtes adressé au sujet d'une rente ou d'un REÉR établi auprès d'une compagnie d'assurances. Quand vous désirez acheter une assurance automobile ou une assurance résidentielle, vous devez consulter un autre agent, que l'on appelle un agent d'assurance générale.

Les termes «agent» d'assurance et «courtier» d'assurance sont souvent utilisés de façon interchangeable. Mais techniquement, un agent d'assurance travaille pour une compagnie, tandis qu'un courtier peut vendre le produit de presque toute compagnie d'assurances. (Toutefois, comme le terme est largement accepté, aux fins de la présente publication nous utiliserons le terme «agent» bien que les renseignements s'appliquent aux deux.)

Comme dans le cas des courtiers en valeurs, il est presque impossible d'acheter de l'assurance sans recourir à un agent; il importe donc que vous trouviez la personne adéquate.

Ce que vous recherchez, c'est un agent qui est capable de répondre à *vos* besoins. Un bon agent pourra vous dire, par exemple, dans quel cas une assurance vie temporaire est préférable à une assurance vie entière (voir chapitre 7) même s'il toucherait une commission plus élevée pour la vente d'une assurance vie entière. Un bon agent vous précisera que le coût d'un produit donné qu'offre sa compagnie est trop élevé et recommandera un produit offert par un concurrent. Comme nous l'avons souligné au chapitre 7, les compagnies d'assurances se livrent une concurrence des prix acharnée pour tous leurs produits. En plus de trouver une personne qui répondra à vos besoins, vous voudrez également une personne qui vous obtiendra les meilleurs prix possibles.

L'assurance, plus particulièrement l'assurance vie, est un produit en évolution rapide. Un bon agent peut vous expliquer en quoi consiste le nouveau produit et les nouvelles caractéristiques d'anciens produits, et peut vous expliquer pourquoi un produit est meilleur qu'un autre pour vous. Et ne vous méprenez pas. L'assurance est un domaine très complexe où des erreurs peuvent être coûteuses. Si compétent que puisse être votre avocat, votre notaire ou votre comptable de façon générale, il est peu probable qu'ils connaissent les caractéristiques des diverses assurances (même s'ils peuvent être de bonnes personnes à consulter au sujet de la garantie appropriée).

L'agent idéal doit être capable de vous expliquer les différences entre les diverses polices et de préciser pourquoi une convient mieux qu'une autre aux objectifs de votre planification financière. Cet agent sera en mesure de vous préciser pourquoi un montant d'assurance donné convient à vos objectifs. Il pourra en outre vous prouver que le prix qu'il propose est le meilleur que vous puissiez obtenir pour le produit dont vous avez besoin.

Si vous n'êtes pas satisfait de votre agent, trouvez-en un autre. La concurrence est effective, non seulement entre les différents produits des compagnies d'assurance, mais également entre les agents. Avec le nombre d'agents qui cherchent des clients, il n'est jamais nécessaire d'accepter des services qui ne soient pas excellents.

En ce qui concerne le paiement, tous les vendeurs d'assurance touchent une commission que leur versent les compagnies d'assurances. Certains d'entre eux, toutefois, s'occupent de planification financière plus détaillée ou de planification successorale et exigeront des honoraires pour vous fournir des conseils dans ces domaines.

Les agents immobiliers :

La seule fois où la plupart des gens devront traiter avec un agent immobilier sera le moment où ils achèteront ou vendront une maison. L'agent est généralement le représentant du vendeur de la propriété. Le vendeur a engagé l'agent, et c'est lui qui assume le coût de ses services, lequel correspond habituellement à une commission sur la vente.

Il y a un élément clé à prendre en compte : l'agent immobilier désire vendre la propriété autant que le vendeur, mais il lui en coûte peu, à lui, de réduire le prix pour accélérer les choses. Déterminez, si vous êtes le vendeur, le prix minimal acceptable à *vos yeux,* et n'en démordez pas.

Un bon agent devrait vous aider à établir un prix réaliste pour votre maison et formuler des suggestions qui vous aideront à la vendre plus rapidement ou à meilleur prix. Par exemple, un bon agent peut vous proposer de faire repeindre la maison pour 1500 $ – pour vous permettre de demander 5000 $ de plus – étant donné qu'il sait que nombre d'acheteurs sont plus impressionnés par l'apparence de la maison que par l'état de sa structure. Il devrait également être en mesure de vous indiquer quelles caractéristiques de votre maison ajoutent à sa valeur et lesquelles ont une incidence nulle, voire négative, sur cette dernière.

(Vous pourriez croire, par exemple, qu'une piscine extérieure représente un grand avantage, mais nombre de vendeurs se rendent compte qu'une piscine est souvent considérée comme un inconvénient – particulièrement si le reste de la propriété est susceptible d'intéresser des couples ayant de jeunes enfants.)

L'agent doit également vous conseiller en ce qui concerne la valeur d'une offre ainsi que les ramifications juridiques de cette dernière. (Néanmoins, vous voudrez peut-être obtenir l'aide de votre avocat au sujet de toute offre ferme qui vous est faite.)

Comme l'agent n'est rémunéré qu'au moment où la propriété est vendue, il est possible qu'il s'efforce activement de pousser les parties à s'entendre. Par exemple, un agent peut vous inciter à réduire le prix que vous demandez – ou à accepter une offre ferme

– pour accélérer une vente plutôt que de vous conseiller d'attendre d'obtenir un prix plus élevé. (Et ce même agent est peut-être celui qui avait dit que votre maison valait beaucoup plus que vous ne le pensiez pour obtenir une inscription.) Alors, faites attention! Que vous achetiez ou vendiez une propriété, vous devez vous souvenir de cette considération.

Les agents désirent habituellement vous faire signer un accord d'inscription exclusive, ce qui signifie souvent qu'ils toucheront une commission même si *vous* vendez la maison. Par ailleurs, si un agent ne jouit pas d'une telle exclusivité (ce qui signifie que n'importe quel autre agent peut trouver un acheteur et empocher la commission), vous devez être conscient du fait que l'agent ne sera pas aussi zélé pour vendre votre propriété que pour en vendre d'autres.

Tout de même, il n'est pas dit que vous ayez nécessairement besoin d'un agent pour vendre votre maison. La commission correspond souvent à 6 % du prix de vente, et nombre de gens estiment qu'ils pourraient épargner cet argent s'ils vendaient eux-mêmes leur maison. (Si vous vendez une maison 150 000 $, l'agent empoche environ 9 000 $ – ce qui représente beaucoup d'argent si la vente a été conclue rapidement.) Par ailleurs, il est possible que certaines maisons soient difficiles à vendre, et que nombre d'agents passent des centaines d'heures à essayer de les vendre sans être assurés de toucher quoi que ce soit.

Si vous prévoyez vendre votre maison, vous devriez peut-être en parler à votre avocat avant de conclure une entente avec un agent. Si votre avocat est actif dans le domaine immobilier, il est probable qu'il connaîtra la qualité des divers agents. Vous devriez également le consulter avant de signer le formulaire d'inscription, pour que vous sachiez en quoi consisteront vos obligations. (Plus d'un vendeur s'est rendu compte qu'un agent réclamait une commission sur une maison qu'il n'avait pas vendue simplement à cause des clauses de ce formulaire.)

Avant qu'une maison ne soit vendue, l'acheteur éventuel fera une offre. L'offre est *habituellement* établie par votre agent (n'oubliez pas, il désire faire la vente), et il est possible qu'il ne précise pas toujours ce que suppose juridiquement une offre. Même si le prix vous semble bon, examinez l'offre de concert avec votre avocat. Le fait d'accepter une offre à l'égard de la maison et des «biens immeubles par destination» peut signifier que le chandelier auquel vous tenez particulièrement et vos miroirs sont compris dans ces biens. («Immeubles par destination» est une expression juridique qui désigne les articles «fixés» à la maison ou à la propriété.) Le fait de consulter votre avocat à cette étape n'entraînera probablement aucun coût supplémentaire étant donné que ses honoraires liés à la vente de la maison (qui, présume-t-on, sont concurrentiels) comprendront probablement les travaux préliminaires.

Les mêmes règles générales s'appliquent quand vous achetez ou vendez des propriétés commerciales dans le cadre d'une entreprise ou à titre de placements. Toutefois, dans la plupart des cas, les agents se spécialisent dans l'immobilier commercial ou résidentiel. Si vous désirez vendre des immeubles commerciaux et que vous ne disposiez pas d'agent, votre avocat ou comptable peut être en mesure de vous recommander une personne ou une société responsable.

Les courtiers hypothécaires :

Le professionnel aux services duquel vous êtes le moins susceptible de recourir est probablement le courtier hypothécaire, mais il y a des moments où il peut s'avérer très utile. Essentiellement, un courtier hypothécaire est un «intermédiaire» qui traite avec les gens qui ont de l'argent à prêter sur hypothèque et les gens qui désirent emprunter de l'argent sur hypothèque. Ces emprunts sont le plus souvent consentis à l'égard d'immeubles commerciaux, mais on y recourt quelquefois dans le cas d'immeubles résidentiels.

Le principal avantage du recours à un courtier hypothécaire – plutôt qu'à votre banque ou société de fiducie – est le fait que ce dernier comparera effectivement les taux pour obtenir les meilleurs. La plupart des établissements financiers offrent des taux qui sont presque identiques à l'égard d'hypothèques analogues, mais le courtier peut avoir accès à des fonds «privés» qui sont offerts à un taux d'intérêt meilleur ou qui sont consentis à de meilleures conditions pour l'emprunteur. Dans certains cas, ils peuvent négocier des hypothèques plus rapidement que des établissements. (Essayez de téléphoner à une banque un samedi après-midi après avoir vu la maison de vos rêves, pour présenter une offre immédiate!)

Dans nombre de cas, les courtiers hypothécaires placeront également votre argent contre la garantie d'une hypothèque. (C'est-à-dire qu'ils empruntent et qu'ils prêtent des fonds contre la garantie d'une hypothèque.) Bien souvent, ils offrent des taux d'intérêt plus intéressants que ceux que vous pouvez obtenir ailleurs. Si vous prévoyez «investir» par l'intermédiaire d'un courtier hypothécaire, consultez votre avocat pour déterminer si votre argent sera placé en bonnes mains, et essayez de vous renseigner sur la réputation du courtier.

Les courtiers hypothécaires sont habituellement rémunérés à l'acte, de sorte que les coûts initiaux peuvent être supérieurs à ceux que supposerait le recours à un établissement traditionnel. Toutefois, certains d'entre eux essaient également de réaliser des profits d'une autre façon (par exemple, en prélevant un pourcentage sur les transactions commerciales), et vous devriez préciser dès le départ les dispositions relatives au paiement. Si vous n'avez pas une idée nette de ce à quoi vous vous engagez peut-être, consultez votre avocat ou votre comptable.

Ce que les conseillers attendent de vous

Dans tout ce chapitre, nous avons insisté sur ce à quoi vous deviez vous attendre de la part des divers conseillers, mais les conseillers aussi ont certaines attentes. Ils s'attendent à ce que vous sachiez précisément quels conseils vous désirez obtenir et à ce que vous soyez en mesure de leur fournir des lignes directrices. Par exemple, avant de consulter un courtier en valeurs, vous devriez avoir une bonne idée de vos objectifs en matière de placements. Il désirera savoir si vous recherchez d'abord la sécurité, la liquidité, un revenu ou la plus-value à long terme. Un avocat ou un comptable s'attendra à ce que vous lui fournissiez toutes les données pertinentes au sujet de vos questions.

Il importe particulièrement de fournir des données exactes aux conseillers si vous les rémunérez selon un tarif horaire. Mais même ceux qui sont payés á la commission seront plus efficaces si vous pouvez leur fournir tous les renseignements nécessaires. Pour chacun d'eux, «le temps, c'est de l'argent» et, si vous leur faites perdre du temps, vous paierez directement sous forme d'un accroissement de leurs honoraires ou indirectement, en recevant un service médiocre. Si vous tenez compte de ces considérations, vous verrez que vous pourrez utiliser des services de consultation de la façon la plus efficace et la moins onéreuse possible.

Conclusion

Dans le cadre de toute planification financière, pendant ou après le processus, vous devez vous en remettre à des spécialistes : vous devrez en consulter certains régulièrement; d'autres, périodiquement; d'autres encore, seulement une fois ou deux. Dans votre optique, la chose la plus importante consiste à établir un réseau de gens sur lesquels vous pouvez compter et auxquels vous pouvez vous fier. Soyez toujours conscient du fait qu'ils devront être rémunérés, alors déterminez de quelle façon.

La seule façon de nouer des relations professionnelles satisfaisantes consiste essentiellement à procéder au petit bonheur. De bonnes relations de travail tiennent habituellement à d'excellentes relations personnelles, et si vous ne pouvez vous entendre avec un conseiller, sa compétence ne suffira pas à vous donner pleinement confiance dans les conseils qu'il vous fournit.

Une fois que vous avez établi de bonnes relations avec un conseiller, ouvrez-vous à lui. Parlez-lui de vos objectifs et de vos préoccupations en matière de planification financière. Un conseiller qui sait exactement en quoi consistent ces objectifs vous sera infiniment plus précieux qu'un conseiller auquel vous ne présentez que quelques éléments du tableau.

En fait, à certaines étapes de l'évolution de votre situation financière, il est probable que vous devrez convoquer des réunions avec deux conseillers ou plus, de façon à leur permettre de collaborer de concert à votre planification.

N'oubliez pas : vous ne pouvez tout faire vous-même. Toutefois, c'est une erreur de laisser de côté certains domaines clés de la planification simplement parce que vous ne savez pas vers qui vous tourner pour obtenir des conseils ni comment vous procurer un élément crucial de votre plan. Si vous êtes chanceux, vous mettrez sur pied une véritable équipe qui vous aidera à gérer vos affaires et à accroître votre sécurité financière.

Au sujet des auteurs

Claude Chiasson

L'analyste financier Claude Chiasson est bien connu en sa qualité de journaliste financier au journal *Les Affaires* de Montréal. Les articles qu'il y publie régulièrement ont trait aux nouvelles émissions, aux options qui s'offrent à l'échéance d'un REÉR, au marché boursier et aux placements en finances personnelles. Détenteur de la médaille d'argent de l'Institut des cadres financiers du Canada pour son excellence en finances, M. Chiasson a obtenu un baccalauréat en finances de l'Université du Québec à Montréal et est membre de la Corporation professionnelle des administrateurs agréés du Québec. Auparavant analyste financier à la Banque du Canada ainsi qu'analyste financier et gestionnaire de portefeuille au service des investissements de la société Montreal Trust, il a acquis une vision éclairée des marchés monétaires canadien et américain, de même que des politiques financières et stratégies d'investissement du gouvernement.

Arthur Drache

Spécialiste et rédacteur financier, Arthur Drache exerce les fonctions d'avocat fiscaliste depuis vingt ans et est actuellement principal associé de la firme d'avocats Drache, Rotenberg, à Ottawa. Chef de la Section de l'impôt sur le revenu des particuliers au ministère des Finances de 1972 à 1976, Monsieur Drache est actuellement professeur invité à la Faculté de droit de l'université Queen's. Récipiendaire du Prix national de rédaction dans le domaine des affaires en 1977, il a collaboré à de nombreuses revues spécialisées dans les domaines du droit et des finances et, pendant la dernière décennie, a été rédacteur-réviseur attaché au *Financial Post*. En outre, il a collaboré, à titre d'auteur ou de coauteur, à la rédaction de nombreux ouvrages en matière de fiscalité et de planification successorale et a joué un rôle prépondérant dans la production du manuel de référence, *La planification de la retraite,* qui a connu un grand succès de librairie. Très récemment, en 1987, il a écrit *La Fiscalité et les Arts,* pour le compte de la Conférence canadienne des arts.

Index

Lithographié au Canada
sur les presses de
Métropole Litho Inc.